39,90

ACCESO GRATIS *a la Lectura en la Nube*

Para visualizar el libro electrónico en la nube de lectura envíe junto a su nombre y apellidos una fotografía del código de barras situado en la contraportada del libro y otra del ticket de compra a la dirección:

ebooktirant@tirant.com

En un máximo de 72 horas laborables le enviaremos el código de acceso con sus instrucciones.

EL GRUPO FISCAL COMO CONTRIBUYENTE

Especial análisis del tratamiento de las pérdidas en el régimen de consolidación fiscal

TIRANT TRIBUTARIO

Procedimiento de selección de originales, ver página web:
www.tirant.net/index.php/editorial/procedimiento-de-seleccion-de-originales

EL GRUPO FISCAL COMO CONTRIBUYENTE

Especial análisis del tratamiento de las pérdidas en el régimen de consolidación fiscal

ÁNGELA ATIENZA PÉREZ

Prólogo
ANTONIO VÁZQUEZ DEL REY VILLANUEVA

tirant lo blanch
Valencia, 2026

En caso de erratas y actualizaciones, la Editorial Tirant lo Blanch publicará la pertinente corrección en la página web www.tirant.com.

La aceptación de la presente obra ha tenido en consideración la evaluación y calificación otorgada por los expertos componentes del tribunal calificador de la tesis doctoral en la que se basa, cumpliendo con el criterio correspondiente de los revisores externos y ofreciendo la calidad debida a la presente edición.

© TIRANT LO BLANCH
EDITA: TIRANT LO BLANCH
C/ Artes Gráficas, 14 - 46010 - Valencia
TELFS.: 96/361 00 48 - 50
FAX: 96/369 41 51
Email: tlb@tirant.com
www.tirant.com
Librería virtual: https://editorial.tirant.com
DEPÓSITO LEGAL: V-916-2026
ISBN: 979-13-7021-825-6
MAQUETA: Tink Factoría de Color

Si tiene alguna queja o sugerencia, envíenos un mail a: *atencioncliente@tirant.com*. En caso de no ser atendida su sugerencia, por favor, lea en *www.tirant.net/index.php/empresa/politicas-de-empresa* nuestro procedimiento de quejas.

Responsabilidad Social Corporativa: http://www.tirant.net/Docs/RSCTirant.pdf

ÍNDICE

SEGUNDA PARTE
LA RENTA NEGATIVA EN EL RÉGIMEN DE CONSOLIDACIÓN FISCAL ESPAÑOL

TERCERA PARTE: SALIDA DE LA RENTA NEGATIVA

PRINCIPALES ABREVIATURAS

AEAT	Agencia Estatal de la Administración Tributaria
AN	Audiencia Nacional
BEFIT	Business in Europe: Framework for Income Taxation
BICIS	Base Imponible Común del Impuesto sobre Sociedades
BICCIS	Base Imponible Común Consolidada del Impuesto sobre Sociedades
CE	Constitución Española
DGT	Dirección General de Tributos
DOCE/DOUE	Diario Oficial de las Comunidades Europeas/Diario Oficial de la Unión Europea
EEE	Espacio Económico Europeo
IRNR	Impuesto sobre la Renta de No Residentes
IRPF	Impuesto sobre la Renta de las Personas Físicas
IS	Impuesto sobre Sociedades
Ley 16/2007	Ley 16/2007, de 4 de julio, de reforma y adaptación de la legislación mercantil en materia contable para su armonización internacional con base en la normativa de la Unión Europea
LGT	Ley General Tributaria
LIS'78	Ley 61/1978, de 27 de diciembre, del Impuesto sobre Sociedades
LIS'95	Ley 43/1995, de 27 de diciembre, del Impuesto sobre Sociedades
LIS	Ley 27/2014, de 27 de noviembre, del Impuesto sobre Sociedades
LSA	Ley de Sociedades Anónimas
NOFCAC	Normas para la Formulación de Cuentas Anuales Consolidadas
OCDE	Organización para la Cooperación y el Desarrollo Económicos

PGC	Plan General de Contabilidad
RIS	Real Decreto 634/2015, de 10 de julio, por el que se aprueba el Reglamento del Impuesto sobre Sociedades
TC	Tribunal Constitucional
TCE	Tratado de la Comunidad Europea
TEAC	Tribunal Económico-Administrativo Central
TEAR	Tribunal Económico-Administrativo Regional
TFUE	Tratado sobre el Funcionamiento de la Unión Europea
TSJ	Tribunal Superior de Justicia
TJCE/TJUE	Tribunal de Justicia de las Comunidades Europeas/Tribunal de Justicia de la Unión Europea
TRLIRNR	Texto Refundido de la Ley del Impuesto sobre la Renta de No Residentes
TRLIS	Texto Refundido de la Ley del Impuesto sobre Sociedades
TRLSC	Texto Refundido de la Ley de Sociedades de Capital
TS	Tribunal Supremo
UE	Unión Europea

RESUMEN

El presente trabajo de investigación tiene como objetivo analizar y desarrollar las implicaciones del régimen de consolidación fiscal, con un enfoque particular en el tratamiento de las pérdidas en sus diferentes fases o etapas de integración y compensación.

Este análisis se inicia con la definición del concepto de grupo fiscal, entendido como un único sujeto contribuyente, explorándose sus particularidades y especialidades. El grupo fiscal se define como una entidad única a efectos fiscales, lo que implica que todas las entidades que forman parte del grupo se consideran como un solo contribuyente, el grupo fiscal.

De esta forma, primero se examina cómo las pérdidas generadas por una entidad dentro del grupo fiscal se deben integrar en su base imponible individual, atendiendo a las especialidades del régimen tales como que las «calificaciones y requisitos» de las operaciones deben analizarse a nivel de grupo fiscal, para lo que es esencial conocer en profundidad la normativa contable consolidada.

Una vez integradas las pérdidas en la base imponible individual, se procede a su compensación intraperiódica. Esto implica la compensación de las bases imponibles negativas de una entidad con las bases imponibles positivas de otras entidades dentro del mismo grupo fiscal durante el mismo período fiscal. Este mecanismo es propio del régimen de consolidación fiscal, y similar a una integración de rentas positivas y negativas en un contribuyente individual para obtener su base imponible.

Además de la compensación intraperiódica, se analiza la compensación de las bases imponibles negativas del grupo fiscal en su conjunto. Este proceso abarca desde el nacimiento de las pérdidas hasta su compensación o extinción, proporcionando una visión completa de la «vida» de las pérdidas fiscales dentro del grupo fiscal. En este contexto, se analiza también una futura compensación transfronteriza bajo un posible grupo fiscal internacional.

Este aspecto es de particular relevancia en un contexto globalizado, donde las empresas operan en múltiples jurisdicciones fiscales.

En resumen, este análisis ofrece un examen detallado y exhaustivo de las implicaciones del régimen de consolidación fiscal en el tratamiento de las pérdidas del contribuyente grupo fiscal, abordando tanto las particularidades nacionales como las posibles implicaciones en un ámbito internacional.

SUMMARY

The purpose of this document is to analyze and develop the implications of the tax consolidation regime, with a particular focus on the treatment of losses across its different phases or stages of integration and compensation.

This analysis begins with the definition of the concept of a tax group, understood as a single taxable entity, exploring its specific characteristics and particularities. The tax group is defined as a single entity for tax purposes, meaning that all entities within the group are considered as a single taxpayer—the tax group itself.

Accordingly, the first step is to examine how losses generated by an entity within the tax group should be integrated into its individual taxable base, considering the specificities of the regime, such as the requirement that the "qualifications and conditions" of transactions must be analyzed at the tax group level. A thorough understanding of consolidated accounting regulations will be essential for this analysis.

Once the losses have been integrated into the individual taxable base, the next step is intraperiod compensation. This involves offsetting the negative taxable bases of one entity with the positive taxable bases of other entities within the same tax group during the same fiscal period. This mechanism is inherent to the tax consolidation regime and is similar to the offsetting of positive and negative incomes in an individual taxpayer to determine its taxable base.

In addition to intraperiod compensation, the analysis extends to the compensation of negative taxable bases at the group level. This process encompasses the entire lifecycle of tax losses, from their inception to their eventual compensation or expiration, providing a comprehensive view of the "life" of tax losses within the consolidated group. In this context, the study also explores the possibility of future cross-border compensation under a potential international tax group. This aspect is particularly relevant in a globalized environment, where companies operate across multiple tax jurisdictions.

In summary, this document offers a detailed and comprehensive analysis of the implications of the tax consolidation regime in the treatment of losses, addressing both national particularities and potential international implications.

PRÓLOGO

El régimen de consolidación fiscal tiene una fisonomía singular que inicialmente resulta un tanto desconcertante. Cuando desde una perspectiva tributaria se trata de dar respuesta a la peculiar realidad económica de los grupos de sociedades, con operaciones y sinergias que solo se producen por razón de dicho entorno, la solución en principio más evidente y coherente con la aproximación contable pasa por la atribución de la condición de contribuyente al sujeto contable, es decir, al grupo de consolidación, y la determinación de la base imponible a partir de la cuenta de resultados consolidada, con las correcciones que impone la norma tributaria. Sin embargo, nada de esto ocurre: el sujeto obligado al pago es la entidad representante del grupo y la base imponible consolidada se determina a partir de la suma de los resultados de cada una de las sociedades corregidos por el régimen general del IS, sin perjuicio de algunas reglas especiales.

Una cuestión preliminar que no pasa desapercibida es la falta de coincidencia entre la definición del grupo de consolidación contable y el grupo fiscal. El perímetro de este último se ciñe a las sociedades de capital residentes en territorio español en las que concurren unos estrictos requisitos de participación en el capital social y de mayoría de derechos de voto, frente a la flexibilidad que comparativamente permite el grupo de consolidación contable. Sin entrar en mayores detalles, quedan excluidas *ab origine* las filiales extranjeras, lo que no sorprende ya que otra solución afecta al poder tributario y a la soberanía de los Estados, al tiempo que amenaza con hacer saltar los consensos alcanzados acerca de la distribución del poder tributario sobre las rentas internacionales de las sociedades. En efecto, los países donde radican las filiales difícilmente hubieran aceptado que su recaudación se viese afectada —o su poder tributario condicionado— porque una sociedad residente en su territorio formase parte de un grupo de sociedades extranjero. Buena prueba de ello es la incapacidad que hasta ahora ha demostrado la Unión Europea a la hora de aprobar unas reglas comunes de determinación de una base imponible común para los grupos establecidos en el territorio comunitario. Tras los fracasos de iniciativas como BICIS y BICCIS, actualmente la propuesta se presenta bajo la forma de '*Business in Europe: Framework for Income Taxation*' (BEFIT), tras la estela de la Directiva aprobada en materia de imposición mínima global. En todo caso, el panorama dista de estar exento de incertidumbre, habida cuenta de las dudas que continúan sobrevolando sobre el futuro el denominado «Pilar 2».

Más allá de los movimientos que se producen en el plano de la política fiscal, retomando el hilo donde lo dejamos, nada hubiera impedido al legislador atribuir la condición de deudor principal de la obligación tributaria al grupo fiscal. Dentro del IS existen distintas muestras de atribución de subjetividad tributaria a entes sin personalidad jurídica y a masas patrimoniales (p. ej., fondos de inversión, fondos de pensiones UTE, etc.). Frente a esta solución, sin embargo, el legislador ha optado por una salida poco satisfactoria desde un punto de vista tributario, que pasa por considerar que el contribuyente es el grupo, en consonancia con el perímetro de la riqueza que el régimen especial pretende gravar, y designar como obligado principal frente a la Administración a la entidad representante, de manera similar a lo que ocurre en el ámbito contable donde el sujeto obligado a formular las cuentas consolidadas es la sociedad dominante. El escaso rigor demostrado en este punto hace que la consideración del grupo como contribuyente, desde una perspectiva jurídico-tributaria, no sea más que un brindis al sol que ignora las consecuencias propias de esta posición jurídica.

Sin duda, el aspecto más característico de este régimen es el relativo a la determinación de la base imponible, donde cobran carta de naturaleza algunas de sus medidas más características, como las eliminaciones —y, en su caso, las incorporaciones de eliminaciones— derivadas de las Normas de Formulación de las Cuentas Consolidadas o la integración de las bases imponibles de las sociedades del grupo. El hecho de que el perímetro del grupo fiscal no coincida necesariamente con el del grupo de consolidación contable hace que el punto de partida no sea la cuenta de resultados consolidada sino la suma de las bases imponibles individuales. El legislador vuelve a servirse del resultado contable individual, aprovechando que la consolidación contable no excluye que cada entidad esté obligada a llevar unas cuentas anuales ordinarias. Con todo, el resultado es una especie de «régimen híbrido» en el que también tienen intervienen las Normas de Formulación de las Cuentas Anuales Consolidadas.

Dentro de estas coordenadas se enmarca el estudio realizado por Ángela Atienza, a partir de una triple acepción de pérdida o «renta negativa», observable en los distintos estadios de determinación de la base imponible consolidada. Pese a lo sugerente de la aproximación, quizás hubiera sido más prudente referirse —esto es algo que la autora y yo hemos discutido en numerosas ocasiones— a los distintos momentos o situaciones en los que se produce un resultado negativo dentro del proceso de liquidación de la obligación tributaria, evitando una terminología que quizás puede inducir a confusión. En cualquier caso, la audacia propia de la juventud hace avanzar a la ciencia y solo por esto vale la pena conceder.

El análisis distingue los siguientes momentos fundamentales:

Primero, hay operaciones y situaciones que comportan una variación negativa (decremento) del patrimonio neto de las entidades, lo que normalmente se reconoce como un gasto en la cuenta de resultados. Es uno de los elementos esenciales para determinar el resultado del ejercicio y que comporta una cantidad de signo negativo. Una de las especialidades destacadas en este punto es que los requisitos y la calificación de las operaciones se refieren al grupo (no a la sociedad individual), lo que hace surgir diferencias respecto al régimen general, sobre todo cuando median operaciones intragrupo. En este punto surgen aspectos problemáticos que tienen un interés propio, como la venta intragrupo de acciones propias, el tratamiento de los instrumentos financieros, los créditos intragrupo o la transmisión de elementos patrimoniales con pérdida que resultan ciertamente interesantes.

Segundo, cuando la cifra de los gastos excede de la de los ingresos, bien sea por simple aritmética contable o fruto de las correcciones que introduce la norma tributaria, la base imponible individual arroja un resultado negativo. Es un fenómeno previo al que se produce con ocasión de la suma de las bases imponibles individuales de las sociedades del grupo. En este punto, a diferencia del régimen general del IS, la renta obtenida por la sociedad en el periodo impositivo no puede verse minorada por la compensación de las bases imponibles negativas generadas por la propia entidad en periodos impositivos anteriores.

Tercero, la suma (o integración) de cada una de las bases imponibles individuales de las entidades del grupo, cuando una o más entidades del grupo tienen bases negativas («compensación intraperiódica»), puede arrojar un resultado negativo. Esta y otras peculiaridades que se observan en este momento avalan la consideración del grupo como unidad contribuyente —sin perjuicio de la crítica que antes formulamos—. También en este punto se producen las eliminaciones —y, en su caso, las incorporaciones de eliminaciones previas— derivadas de las operaciones intragrupo según la normativa contable, lo que puede contribuir a que la base consolidada sea negativa; así como la integración de las BINS que trae consigo una nueva entidad que se incorpora al grupo, sin perjuicio de los límites que en este caso se aplican.

Finalmente, es posible que el propio grupo tenga bases imponibles negativas procedentes de ejercicios anteriores que puede utilizar para minorar la imposición actual de los beneficios obtenidos («compensación interperiódica»). El ciclo de las pérdidas o rentas negativas concluye con las implicaciones que acarrea la extinción del grupo o la salida de una entidad, lo que también abre un panorama en el que la autora va desgranando los numerosos y variados problemas existentes.

Estamos, en definitiva, ante un tema complejo, que previamente no ha sido abordado por la doctrina española de forma monográfica —más allá de alguna honrosa excepción—, y cuyo estudio resulta muy necesario en un momento en el que las instituciones comunitarias redoblan sus esfuerzos por avanzar en la armonización de una base imponible común consolidada del Impuesto sobre Sociedades. Nada permite augurar si dichos intentos llegarán a buen puerto en esta ocasión; en todo caso, el trabajo de Ángela Atienza es una excelente referencia, desde la perspectiva que nos ofrece la autora, para comprender, aplicar y —esperemos que— mejorar el régimen jurídico actual del Impuesto sobre Sociedades.

Antonio Vázquez del Rey Villanueva
Profesor Titular de Derecho Financiero y Tributario
Universidad de Navarra

NOTAS DE LA AUTORA

Nunca pensé que llegaría a terminar lo que ha sido para mí uno de mis mayores proyectos profesionales. Me siento orgullosa de poder decir que el contenido de este libro procede de mi tesis doctoral, que defendí el 17 de julio de 2025 en el Aula Magna de la Universidad de Navarra, en Pamplona, por la que recibí mención Cum Laude. El resultado es fruto de siete años de intenso trabajo, compaginando la investigación académica con mi ejercicio profesional como abogada en un prestigioso despacho jurídico en Madrid.

Esta obra es el resultado de una etapa exigente pero profundamente enriquecedora, en la que he tenido la oportunidad de crecer tanto en lo personal como en lo profesional. Quiero expresar mi agradecimiento más sincero a mi director de tesis, el profesor D. Antonio Vázquez del Rey Villanueva, por su orientación, rigor y confianza a lo largo de todo el proceso.

Extiendo también mi agradecimiento a los miembros del tribunal que evaluaron mi trabajo: Dña. Eva Cordero, Dña. María Luisa Esteve, D. Javier Sáenz de Olazagoitia, D. Manuel Lucas y Dña. María Eugenia Simón, por sus valiosas aportaciones, su generosidad crítica y el interés mostrado hacia mi investigación.

Nada de esto habría sido posible sin el apoyo incondicional de mi familia. Gracias a mi padre, Miguel Ángel Atienza de Moya, por haberme contagiado su pasión por la profesión con su gran sentido común para el Derecho, por creer siempre en mí y por ser mi impulso en los momentos de desaliento. Y a mi madre, Mª Rosario Pérez Roldán, por su tenacidad, por enseñarme a ser fuerte y por ser, siempre, el faro que ilumina mi camino. A mis hermanas, Rosa María e Inés, por ser mis mejores animadoras, por leerse mi trabajo una y mil veces para ayudarme a mejorar, y por ser siempre una oportunidad de desahogo. Y a mi compañero de vida, Enrique Rodríguez, por aparecer y llenarla de paz, por escucharme hablar sobre consolidación fiscal e intentar entenderme y por hacerme sentir siempre que somos un equipo de dos contra las adversidades del mundo.

Por último, quiero dar las gracias a mis compañeros del despacho de Madrid, con quienes compartí años de aprendizaje, compromiso y retos profesionales que también nutrieron esta tesis. De todos ellos he aprendido muchísimo y les debo parte del enfoque práctico que impregna este trabajo; especialmente agradecida a mi mentor D. Enrique Ortega por todas las oportunidades, sus enseñanzas y la confianza.

Espero que este manual sirva a quienes, como yo, buscan entender a fondo un régimen tan complejo como el de consolidación fiscal. Pero también espero que inspire a quienes estén en medio de su propia tesis, recordándoles que, con tiempo, paciencia y buenas personas al lado, todo llega.

Ángela Atienza Pérez
Granada, 2026

INTRODUCCIÓN

El Capítulo VI del Título VII de la Ley 27/2014, de 27 de noviembre, del Impuesto sobre Sociedades («IS») («LIS») regula en la actualidad el régimen especial de consolidación fiscal, configurado como un auténtico régimen de diferimiento de rentas intragrupo.

A estos efectos, reconoce la LIS al grupo fiscal como contribuyente único de una forma similar a la normativa contable consolidada, recogiendo como imperativo que los «requisitos y calificaciones» en la configuración de la base imponible se referirán al «grupo fiscal» en su conjunto, atendiendo a la normativa contable de consolidación. A inicio se evidencia la importancia del entendimiento del grupo como único sujeto, que deberá ser tratado de la misma forma que una entidad sometida al régimen individual.

Siendo así, como se profundiza en el presente trabajo, la LIS abre la puerta al análisis de la contabilidad consolidada del grupo, que comienza con un asiento contable «de primera consolidación», que no refleja una adquisición de participaciones de una entidad (como sí se reconoce en cuentas anuales individuales), sino una compra de los activos y pasivos de la filial. Las repercusiones del «nuevo» concepto de grupo fiscal como unidad tributaria, que exige ir de la mano de las calificaciones a nivel contable consolidado (a partir de 1 de enero de 2015), impactan directamente en el entendimiento y «utilidad» de la consolidación fiscal de los grupos acogidos voluntariamente a la aplicación del régimen.

Al mismo tiempo y teniendo en cuenta lo anterior, el ordenamiento jurídico establece, para aquellos casos en los que la renta generada por el grupo fiscal sea negativa, diversos incentivos fiscales que potencian el atractivo de esta regulación especial, entre los que destacan principalmente las posibilidades de compensación de bases imponibles negativas generadas en el propio ejercicio por distintas entidades del grupo fiscal («compensaciones intraperiódicas» de renta de las entidades que conforman el grupo fiscal).

En este sentido, el concepto de «pérdida» es una de las cuestiones más difusas y controvertidas para los grandes grupos multinacionales, ya que, tal y como es posible deducir de las interpretaciones doctrinales y jurisprudenciales, los grupos fiscales deberían saber distinguir entre tres «conceptos» distintos de «pérdida» o «niveles de compensación», atendiendo a la configuración de la base imponible, como detallaremos en el trabajo:

I) Primera compensación: La renta negativa derivada de la realización de ciertas operaciones, que finalmente va a generar o no una base imponible negativa individual (que se verá afectada por las «calificaciones» a nivel de grupo fiscal mencionadas);

II) Segunda compensación: La base negativa generada individualmente por cada sociedad y que se integra y compensa con el resto de las bases imponibles individuales positivas, generando o no una base imponible negativa consolidada del grupo;

III) Tercera compensación: La renta negativa generada por el grupo de consolidación fiscal, que se integra como base imponible negativa del grupo fiscal.

La complejidad, a nivel fiscal y contable, en el tratamiento de las «pérdidas» como un «triple concepto» de renta negativa (o como tres niveles distintos de compensación), junto con la configuración del grupo como sujeto único, llevan a la necesidad de ahondar en las auténticas repercusiones del entendimiento de dicha magnitud en el IS de los grupos consolidados, con el objeto de alcanzar su máximo aprovechamiento.

En este sentido, la legislación española no es la única que regula un régimen de consolidación fiscal, destacando su regulación en diversos países europeos y también en otras jurisdicciones no europeas. La búsqueda de una máxima integración global de las compañías, de una armonización en materia de tributación directa y las recientes necesidades de regular hechos imponibles novedosos fruto, por ejemplo, de la naciente economía digital, han llevado a los países europeos a escrutar una auténtica unión fiscal mediante, por ejemplo, el intento de propuestas de Directivas del Consejo para formar una Base Imponible Común Consolidada del IS («BICCIS»)[1] y una Base

[1] De fecha 25 de octubre de 2016, 2016/0336 (CNS).

Imponible Común del IS («BICIS»)[2]. Poco a poco, dichos textos comienzan a acercarse a una realidad inminente donde los Estados Miembros de la Unión Europea deberán estar a la altura para implementar correctamente las nuevas exigencias normativas.

Bajo este contexto, el objetivo de la primera parte del trabajo será analizar al grupo fiscal como sujeto único, su relevancia e impacto, y las repercusiones de las «calificaciones» a nivel de «grupo fiscal» como exige la nueva redacción de la LIS.

Como continuación de lo anterior, se profundiza en el tratamiento de las pérdidas en el régimen de consolidación fiscal español, su significado y aplicación teórica y práctica, y las repercusiones del entendimiento correcto por parte de las sociedades de la interpretación de dicha «triple compensación» de renta negativa. En esta reflexión, será conveniente analizar las pérdidas no solo como conceptos fiscales, sino también como partidas contables, cuyo despliegue en la práctica pondrá de manifiesto multitud de conflictos interpretativos que merecen especial mención.

En línea con lo anterior, el trabajo tratará de determinar si finalmente puede existir un consenso común a futuro que permita poner en práctica sistemas tributarios únicos como los que se proponen en los proyectos de Directivas BICIS y BICCIS, propuestas de 2016 que en 2021 se han visto sustituidas por la propuesta de un código normativo único de la Unión Europea «Empresas en Europa: Marco para el impuesto sobre sociedades («BEFIT»), con objeto de determinar si tendrán cabida en las legislaciones europeas existentes o si su implementación se acerca más a una utópica ilusión de armonización de tributación directa que a una realidad patente y manifiesta.

De esta forma, el estudio del grupo fiscal como sujeto único, la triple compensación de las rentas negativas en el régimen de consolidación fiscal español y su previsión futura, junto con las recientes necesidades de adaptación a los ideales europeos, ponen de manifiesto la importancia de la investigación sobre cómo se va a proceder a la integración de la renta negativa o la compensación de bases imponibles negativas no solo en el ámbito nacional, sino también en el ámbito europeo con el futuro y nuevo concepto de «pérdidas fiscales transfronterizas».

---

2 De fecha 25 de octubre de 2016, 2016/0337 (CNS).

PRIMERA PARTE
CONTEXTO GENERAL: EL GRUPO FISCAL

Capítulo 1
CRECIMIENTO DE LOS GRUPOS FISCALES EN ESPAÑA

La diversidad de estrategias empresariales ha permitido a las compañías actuar en entornos cada vez más competitivos, escogiendo, por ejemplo, entre la diversificación empresarial (horizontal o vertical) o el fenómeno de la concentración de empresas. Las necesidades de desarrollo y expansión y la existencia de inversiones con un gran volumen de recursos se han puesto de manifiesto a partir del fenómeno de la internacionalización y la globalización, que han permitido dejar obsoleto el concepto tradicional de «empresa», dando lugar al crecimiento de los grupos de compañías como «dinamizadores del crecimiento a nivel mundial»[3].

En particular, la concentración de empresas es una de las estrategias más adecuadas para lograr una posición de dominio en el mercado, poder controlar los abastecimientos de materias primas y la formación de los precios, y, en general, para alcanzar un aprovechamiento de las sinergias entre distintas compañías vinculadas entre sí[4]. En este sentido, conviene citar al profesor Paz-Ares[5] que introdujo en sus estudios la importancia del fenómeno de la concentración de empresas y sus principales funciones:

---

3 Aguilera Medialdea JJ, Martín Rodríguez JG. *Manual de consolidación fiscal y contable.* 3ª Edición. Madrid. Wolters Kluwer. 2016. Pág. 35

4 Broseta Pont M. *La empresa y la unificación del Derecho de Obligaciones y el Derecho Mercantil.* 1ª Edición. Madrid. Tecnos. 1965. Pág. 82.

5 Paz-Ares Rodríguez JC. Uniones de empresas y grupos de sociedades. En *Revista Jurídica n.º 1.* 1ª Edición. Madrid. Universidad Autónoma de Madrid. 1999. Pág. 224.

> «[...] de cooperación (agrupación de esfuerzos para mejorar las actividades propias); de coordinación (regulación de las relaciones de competencia); o de simple racionalización (reestructuración de la organización empresarial)».

En este sentido se ha pronunciado Calvo Vérgez[6] y Martín Rodríguez[7], que resaltan la influencia de la globalización y la internacionalización de la economía como piezas angulares que han hecho que los grupos de empresas y sus transacciones adquieran cada vez un protagonismo mayor.

En un principio, lo más intuitivo podría ser conectar el concepto de concentración de empresas con una operación de reestructuración como puede ser una fusión. Sin embargo, no es menos cierto que los grupos de empresas son también una de las vías para proceder al disfrute de las ventajas de la concentración empresarial, sin pérdida de personalidad jurídica[8], como ocurre con otras figuras tales como una *joint venture*, relaciones de coordinación o las relaciones de subordinación.

¿Cuáles son realmente las ventajas de la concentración de empresas? Ha quedado demostrado a lo largo de los años que el proceso de concentración empresarial se deriva de la persecución de[9], entre otros, los siguientes objetivos: minoración de costes e incrementar beneficios; aprovechamiento del efecto sinergias en la cadena de valor; reducción costes de transacción[10], facilidad y flexibilidad para mover capital y tecnología y la aparición de tecnologías complementarias; sentimiento de poder y «estatus social» que suele

---

6 Calvo Vérgez J. *La Fiscalidad de los Grupos de Empresas en el Impuesto sobre Sociedades*. 1ª Edición. Navarra. Aranzadi. 2017. Pág. 17.

7 Martín Rodríguez JG. *El concepto de Grupo en el Derecho Tributario y Mercantil Contable. Cuestiones pendientes de resolver*. 1ª Edición. Granada. Facultad de Derecho-Universidad de Granada. 2015. Pág. 35.

8 Condor López V, Monclús Salamero A. Concentraciones empresariales e información contable sobre grupos de empresas. En *EKONOMIAZ: Revista vasca de Economía*. 21ª Edición. Bilbao. Universidad Del País Vasco. 2008. Pág. 21.

9 Aguilera Medialdea JJ, Martín Rodríguez JG. *Manual de consolidación fiscal y contable* [...]. Op. cit. Pág. 42-44.

10 La importancia de los costes de transacción como razón de ser por la que una empresa organiza sus recursos fue puesta de manifiesto ya por autores como el economista británico y profesor de la Universidad de Chicago Ronald Coase (Ronald C. The problem of Social Cost. En *The Journal of Law and economics*. [Internet]. 1960).

ir ligado con la dimensión de le empresa; mayor adaptación y flexibilidad a los cambios del entorno; aprovechamiento de las ventajas jurídicas y tributarias; por último, la globalización junto con las necesidades de concentración empresarial para poder disfrutar de las ventajas expuestas son algunas de las principales causas del auge de los grupos de empresas a nivel mundial[11].

En este contexto, constituidos los grupos de empresas como conceptos económicos, que generan ventajas y promueven la economía del país con su crecimiento, se establece el escenario mercantil perfecto que beneficia que el legislador fiscal ofrezca incentivos necesarios que permitan apoyar el auge del fenómeno de la concentración empresarial. Es bajo este escenario cuando surge el régimen de consolidación fiscal en España[12].

De esta forma, el crecimiento de los grupos económicos de empresas se ha visto acompañado de un incremento del número de grupos fiscales en España, es decir, entidades que aplican el régimen especial de consolidación fiscal, actuando este incremento como indicador que pone de manifiesto la importancia del análisis de las particularidades e implicaciones prácticas de dicho régimen, para alcanzar su lícito y máximo aprovechamiento.

Como prueba del verdadero incremento de los grupos fiscales en España resulta interesante extraer de la propia página web de la Agencia Estatal de

11 No deja de ser cierto que la existencia de un grupo puede tener también «desventajas» como pueden ser los costes administrativos, alcance de las actuaciones inspectoras en ciertos casos, responsabilidades y limitaciones conjuntas, etc. (Narváez Luque A. Grupos de sociedades: aspectos contables y tributación. En *El control societario en los grupos de sociedades*. 1ª Edición. Madrid. Wolters Kluwer. 2017. Pág. 212 y 213.)

12 De esta forma lo ponía ya de manifiesto el profesor Sáenz de Olazagoitia Díaz de Cerio (Sáenz de Olazagoitia Díaz de Cerio J. *La tributación consolidada de los Grupos de Sociedades. Régimen Vigente y un modelo para su Reforma.* 1ª Edición. Navarra. Aranzadi. 2002. Pág. 21, 26-28) quien destaca la importancia del crecimiento económico de las empresas fruto de las continuas reestructuraciones tras el ingreso de España en las Comunidades Europeas. Se incita con ello al legislador fiscal a introducir medidas sobre un régimen fiscal totalmente huérfano que fue tímidamente recogido por primera vez en España en una Ley de 10 de noviembre de 1942 pero cuyo desarrollo reglamentario escaso motivó la inaplicación real del régimen fiscal de consolidación fiscal. El régimen de consolidación fiscal entre empresas desplegó eficacia real en España a partir del Decreto-Ley 15/1977, de 25 de febrero y posterior desarrollo reglamentario a través del Decreto 1414/1977, de 17 de junio.

la Administración Tributaria («AEAT»)[13] datos estadísticos objetivos que ponen de manifiesto la evolución del número de grupos fiscales y de las bases imponibles de los grupos consolidados en España, pudiendo obtener las siguientes conclusiones.

Se ha producido un aumento del número de grupos fiscales[14]. Es indudable que el cambio normativo, a partir de 1 de enero de 2015, mediante el cual los grupos horizontales[15] también pueden conformar un grupo fiscal[16], podría ser un factor fundamental que manifiesta el crecimiento del número de grupos fiscales en España, en ocasiones, con entidades integradas en el grupo fiscal, sin que incluso el propio grupo las identifique como parte del mismo (por ejemplo, filiales hermanas españolas que «cuelgan» de entidades no residentes del grupo que, por la nueva normativa fiscal, deben formar parte del grupo fiscal).

---

13 Por ejemplo, estadísticas publicadas en 2019: https://sede.agenciatributaria.gob.es/AEAT/Contenidos_Comunes/La_Agencia_Tributaria/Estadisticas/Publicaciones/sites/sociedadest2/2019/home.html

14 Por ejemplo, desde el año 2009 de 2.931 a 5.872 en 2019.

15 Esto es, aquellos grupos formados con una sociedad dominante no residente.

16 Además, téngase en cuenta la resolución del Tribunal Económico Administrativo Central («TEAC») de 8 de marzo de 2018, núm. 3888/2016, en la que el TEAC «amplia» el concepto de entidad dependiente, incluso a periodos anteriores a la modificación normativa. En dicha resolución el TEAC confirma la posibilidad de aplicar el régimen de consolidación fiscal a entidades residentes dependientes de una entidad no residente, con anterioridad a 1 de enero de 2015, con base en los principios de primacía y efecto directo del derecho comunitario sobre el nacional, en particular, en aplicación de la sentencia del Tribunal de Justicia de la Unión Europea («TJUE») de 12 de junio de 2014, asunto C-40/13 (y acumulados cumulados C-39/13 a C-41/13). El criterio ha sido refrendado por el Tribunal Supremo, en su sentencia de 11 de junio de 2018 (rec. 427/2017), en la que también se refiere a la sentencia del caso holandés, compartiendo los argumentos del TEAC. Sin embargo, cierra la puerta a solicitar la devolución correspondiente a períodos prescritos (por responsabilidad patrimonial de la Administración) porque no existe un pronunciamiento específico del TJUE sobre nuestro Derecho, a pesar de la similitud entre el derogado régimen español y el holandés al que se refiere la sentencia del TJUE. En definitiva, parece que el TEAC permite, bajo las limitaciones del Tribunal Supremo, con base en el principio de la primacía y efecto directo del derecho comunitario y en virtud de la sentencia del TJUE de 12 de junio de 2014, la aplicación del régimen de consolidación fiscal a «grupos horizontales» con anterioridad al 1 de enero de 2015, a pesar de que el TRLIS impidiera su aplicación.

Sin embargo, a pesar de la evolución del número de grupos fiscales en España y del número de entidades que participan en el régimen especial, no existe incremento ni continuidad en los ajustes extracontables de naturaleza fiscal y por consolidación que se efectúan anualmente en las declaraciones del IS, lo que parece exteriorizar que, a pesar de existir un claro incremento en el número de grupos fiscales, dicho aumento no se ve acompañado de un mayor número de los ajustes extracontables, por lo que parece que los grupos fiscales no están sabiendo aprovechar las oportunidades propias del régimen de consolidación fiscal. Y, lo más importante, no están sabiendo ver al grupo fiscal como unidad, de tal forma que, en ocasiones, no están aplicando correctamente las eliminaciones-incorporaciones o incluso la regla de grupo que establece el artículo 62.1.a) de la LIS[17], por lo que no solo no se están aprovechando todos los incentivos del grupo fiscal sino que, en algunos casos, no se está tributando por lo que genera el grupo fiscal, por lo que no se está reflejando la verdadera capacidad económica del contribuyente, el grupo fiscal como sujeto único. En ocasiones, esto puede desprenderse incluso de inconsistencias recogidas en la propia normativa, como veremos por ejemplo con la aplicación de la Disposición Adicional decimonovena de la LIS. El entendimiento completo del tratamiento de la renta negativa también es un elemento diferenciador con el régimen individual que en ocasiones no se está sabiendo aprovechar por el grupo.

Por tanto, con base en el auge a lo largo del tiempo del fenómeno de la concentración de empresas a través de los grupos económicos y tomando en consideración la evolución de los grupos fiscales mediante datos objetivos estadísticos de la Administración tributaria, es posible afirmar que el entendimiento de los grupos fiscales se muestra necesario en una economía como la actual, más global y más compleja, que demanda más si cabe de la fiscalidad con objeto de convertirla no ya en una ayuda económica sino en un auténtico incentivo para la actividad económica de las empresas y del propio país.

---

[17] De hecho, el ajuste por calificaciones y requisitos del artículo 62 de la LIS, propio del grupo fiscal, refleja un importe muy poco significativo en comparación con el resto de los ajustes.

Capítulo 2
RÉGIMEN CONTABLE APLICABLE A LOS GRUPOS CONSOLIDADOS

Antes de proceder a profundizar en el régimen fiscal especial y las particularidades que pueden darse en el tratamiento de la compensación de pérdidas en el régimen de consolidación fiscal, es preciso exponer de forma orientativa y a grandes rasgos, con el mero ánimo de servir de base para una interpretación coherente de los conceptos que aparecerán a lo largo del trabajo, los principales aspectos contables que afectan a los grupos de empresas y, en particular, a la regulación contable aplicable a los grupos consolidados.

Esta normativa de referencia es, si cabe, más fundamental desde la «nueva» redacción del artículo 62.1.a) de la LIS[18] a partir de 1 de enero de 2015, tal y como se desarrolla a lo largo del trabajo.

2.1. NORMATIVA CONTABLE EN CUENTAS ANUALES CONSOLIDADAS E INDIVIDUALES

En España, la normativa básica de los grupos de sociedades se plasma en el Código de Comercio (principalmente, artículos 42 a 49) y en el Real

---

18 «Las bases imponibles individuales correspondientes a todas y cada una de las entidades integrantes del grupo fiscal, teniendo en cuenta las especialidades contenidas en el artículo 63 de esta Ley. No obstante, los requisitos o calificaciones establecidos tanto en la normativa contable para la determinación del resultado contable, como en esta Ley para la aplicación de cualquier tipo de ajustes a aquel, en los términos establecidos en el apartado 3 del artículo 10 de esta Ley, se referirán al grupo fiscal».

Decreto 1159/2010, de 17 de septiembre, por el que se aprueban las Normas para la Formulación de Cuentas Anuales Consolidadas y se modifica el Plan General de Contabilidad aprobado por Real Decreto 1514/2007, de 16 de noviembre y el Plan General de Contabilidad de Pequeñas y Medianas Empresas, aprobado por Real Decreto 1515/2007, de 16 de noviembre («NOFCAC»). El principal objeto de esta normativa es determinar las entidades obligadas a presentar las cuentas anuales consolidadas.

Sin embargo, no podemos olvidar, de acuerdo con la Exposición de Motivos de la Ley 16/2007, de 4 de julio, de reforma y adaptación de la legislación mercantil en materia contable para su armonización internacional con base en la normativa de la Unión Europea («Ley 16/2007»), la importancia y aplicación directa del Reglamento (CE) N.º 1606/2002 del Parlamento Europeo y del Consejo, de 19 de julio de 2002, relativo a la aplicación de las Normas Internacionales de Contabilidad (el «Reglamento»), que incluyen las Normas Internacionales de Información Financiera («NIIF»), así como las interpretaciones de cada una de ellas.

El Reglamento establece la aplicación obligatoria de las NIIF, de acuerdo con su artículo 4[19], a las sociedades que elaboren cuentas anuales consolidadas en los ejercicios que comiencen a partir del 1 de enero de 2005, siempre que a la fecha de cierre de su balance sus valores hayan sido admitidos a cotización en un mercado regulado de cualquier Estado miembro de la Unión Europea. Asimismo, también se establece, de acuerdo con lo previsto en el artículo 5[20] del mismo Reglamento, que los Estados miembros de la Unión

---

19 «Para los ejercicios financieros que comiencen a partir del 1 de enero de 2005 inclusive, las sociedades que se rigen por la ley de un Estado miembro elaborarán sus cuentas consolidadas de conformidad con las normas internacionales de contabilidad adoptadas de acuerdo con el procedimiento establecido en el apartado 2 del artículo 6 si, en la fecha de cierre de su balance, sus valores han sido admitidos a cotización en un mercado regulado de cualquier Estado miembro, en el sentido del punto 13 del artículo 1 de la Directiva 93/22/CEE del Consejo, de 10 de mayo de 1993, relativa a los servicios de inversión en el ámbito de los valores negociables».

20 «Los Estados miembros podrán permitir o exigir:
a) a las sociedades mencionadas en el artículo 4, que elaboren sus cuentas anuales,
b) a las sociedades distintas de las mencionadas en el artículo 4, que elaboren sus cuentas consolidadas, sus cuentas anuales o ambas, de conformidad con las normas internacionales de contabilidad aprobadas conforme al procedimiento establecido en el apartado 2 del artículo 6».

Europea pueden permitir o requerir a las sociedades distintas de las mencionadas en su artículo 4, que elaboren sus cuentas anuales consolidadas de conformidad con las NIIF adoptadas conforme al citado procedimiento.

En línea con lo anterior, es preceptivo destacar la Norma Internacional de Información Financiera 10 «Estados Financieros Consolidados» («NIIF 10»), cuya aplicación obligatoria viene determinada por su incorporación al Derecho Comunitario, de acuerdo con las previsiones recogidas en el Reglamento.

En este contexto, la Ley 16/2007, habilitó al Gobierno a dictar las normas para la formulación de las cuentas anuales consolidadas, al objeto de desarrollar los aspectos contenidos en la nueva redacción de los artículos 42 y siguientes del Código de Comercio, todo ello, de conformidad con lo dispuesto en las directivas contables comunitarias y tomando en consideración las NIIF.

Por tanto, de acuerdo con lo expuesto y con el artículo 43.bis del Código de Comercio, la normativa contable que es de aplicación en España a una entidad cotizada son las NIIF y la normativa española complementaria, mientras que, a una entidad no cotizada, le será aplicable la normativa española respetando, en todo caso, el contenido de la normativa comunitaria[21], en la medida en la que en la Primera Parte del Real Decreto 1514/2007, de 16 de noviembre, por el que se aprueba el Plan General de Contabilidad («PGC») se establece que se consideran principios y normas de contabilidad generalmente aceptados los establecidos en:

a) el Código de Comercio y la restante legislación mercantil,

b) el PGC y sus adaptaciones sectoriales,

c) las normas de desarrollo que, en materia contable, establezca en su caso el ICAC y

d) la demás legislación que sea específicamente aplicable;

Es decir, este esquema deja abierto el uso de criterios o normas de contabilidad de ámbito comunitario o internacional aun en aplicación de la normativa contable individual de una entidad[22].

---

21 Aguilera Medialdea JJ, Martín Rodríguez JG. *Manual de consolidación fiscal y contable* [...]. Op. cit. Pág. 71.

22 En este sentido incluso se pronuncia el Instituto de Contabilidad y Auditaría de Cuentas («ICAC»), en su consulta 1 publicada en su Boletín Oficial 74 de junio de 2008.

En definitiva, en los grupos cotizados, la dominante debe formular cuentas anuales consolidadas aplicando las NIIF emitidas por el *International Accounting Standards Board* («IASB»), adoptadas por el Reglamento, siendo aplicables las NOFCAC a aquellos grupos que no son cotizados o no han optado voluntariamente por la aplicación de la norma internacional. Sin embargo, la normativa aplicable a la formulación de cuentas anuales individuales es la recogida en el Código de Comercio[23] y su desarrollo reglamentario realizado a través del PGC. Esta normativa tiene como referente la citada norma del IASB adoptada en la Unión Europea, normativa que actúa como suplemento. Por tanto, si bien la norma contable aplicable en cuentas anuales consolidadas de grupos cotizados será la citada normativa internacional, esta normativa podrá considerarse para «completar» la normativa aplicable a las cuentas individuales, es decir, el PGC[24].

2.2. APLICACIÓN DE LA NORMATIVA CONTABLE INTERNACIONAL EN LA BASE IMPONIBLE DEL IS

Tal y como se ha expuesto, la normativa contable aplicable en interpretación de las normas fiscales (por el artículo 10.3 de la LIS) debería ser la normativa contable nacional, aunque el grupo contable aplique de forma voluntaria u obligatoria la normativa contable internacional, NIIF o NIC[25], a nivel de cuentas anuales consolidadas.

Llegados a este punto cabría preguntarse, ¿admite el IS la aplicación de la normativa contable internacional?

En la medida en la que el grupo contable no lo sea también fiscal, porque así se haya decidido por las entidades del grupo (o porque no cumplan con

---

23 Artículos 34 y siguientes del Código de Comercio.

24 Esta afirmación no solo se extrae de las interpretaciones del ICAC, sino que también es apoyada por autores como: Casado García R. *Las NIC y el Plan Contable de Entidades Aseguradoras*. 1ª Edición. Madrid. Instituto de Ciencias del Seguro: Fundación Mapfre. 2006. Págs. 4-5.

25 Conforme al artículo 43 bis del Código de Comercio, las entidades cotizadas deben presentar sus cuentas anuales consolidadas conforme a normativa contable internacional, mientras que el resto de grupos contables podrán optar por su aplicación.

los requisitos para aplicar el régimen) la normativa contable internacional parece que podría servir como referencia normativa, para suplir lagunas interpretativas, como se ha indicado[26].

Sin embargo, cuando las entidades optan por aplicar el régimen de consolidación fiscal, podría plantearse hasta qué punto el artículo 62.1.a) de la LIS[27], sobre el que ahondaremos a lo largo del presente trabajo, admitiría la incorporación de la normativa contable internacional como punto de partida en la determinación de la base imponible consolidada, planteando si dicho precepto podría entenderse como un artículo 10.3 de la LIS (puerta de entrada a la contabilidad y punto de partida en la determinación de la base imponible) para los grupos fiscales.

Bajo la normativa anterior, el TRLIS, la interpretación de la doctrina[28] era partidaria de considerar la normativa internacional como *soft law,* actuando como aclaración exclusivamente en aquellos casos en los que el PGC hubiera recogido una norma comunitaria, siendo aplicable la extensión de efectos o interpretación comunitaria o incluso aplicando los métodos generales de interpretación normativa.

Sin embargo, el artículo 62.1.a) de la LIS, como norma más especial para los grupos de consolidación fiscal que el artículo 10.3 de la LIS, podría estar abriendo la posibilidad de interpretar la LIS conforme a las NIIF o NIC. No debiera ser muy distinto el efecto de aplicar una normativa contable u otra a nivel de base imponible consolidada, en la medida en la que la normativa contable nacional, poco a poco, tiende a la normativa contable internacional.

---

26 En línea con la interpretación del ICAC en su consulta 1 publicada en su Boletín Oficial 74 de junio de 2008.

27 «1. La base imponible del grupo fiscal se determinará sumando:
a) Las bases imponibles individuales correspondientes a todas y cada una de las entidades integrantes del grupo fiscal, teniendo en cuenta las especialidades contenidas en el artículo 63 de esta Ley. No obstante, los requisitos o calificaciones establecidos tanto en la normativa contable para la determinación del resultado contable, como en esta Ley para la aplicación de cualquier tipo de ajustes a aquel, en los términos establecidos en el apartado 3 del artículo 10 de esta Ley, se referirán al grupo fiscal».

28 Calderón Carrero JM, Báez Moreno A. La armonización contable europea, las NIC/NIIF y su influencia en la base imponible del Impuesto sobre Sociedades. En *Impuesto sobre sociedades. Régimen General, Tomo I.* 1ª Edición. Pamplona. Aranzadi. 2010. Pág. 146-152.

Sin embargo, sí que hay en la actualidad algunas diferencias en el tratamiento contable[29], que podrían implicar que, en función de si contablemente el grupo aplica normativa contable internacional o no, pueda tener distintas repercusiones fiscales a nivel de grupo fiscal que otro grupo fiscal con las mismas características pero que aplique normativa contable nacional.

En todo caso, la norma internacional, como argumento de defensa, sí que debería permitir desplegar sus efectos directos en procedimientos sancionadores o incluso delitos contra la Hacienda Pública, en la medida en la que el grupo pudiera ampararse en una interpretación razonable de la norma, especialmente cuando la norma contable aplicable se inspire en una norma internacional[30].

De esta forma, en sede del IS, de acuerdo con el artículo 10.3 de la LIS, en principio, para determinar la base imponible, se parte del resultado contable determinado por las normas y criterios recogidos en el PGC y, si existiera alguna laguna interpretativa, se podría apoyar en el resto de normativa contable española y, si persistiera la laguna normativa a nivel nacional, podría acudirse a los Reglamentos de la Unión Europea que adoptan la normativa del IASB. Todo ello bajo la idea de que en la configuración de la base imponible consolidada se parte del resultado contable individual de cada entidad.

No obstante lo anterior, téngase en cuenta que en el caso de grupos que apliquen el régimen de consolidación fiscal, estos vienen obligados a elaborar unos estados consolidados referidos al perímetro de dicho contribuyente, bajo normativa del PGC y su complemento, las NOFCAC, conforme al artículo 72 de la LIS.

Por tanto, determinada la normativa contable aplicable a los grupos consolidados, y en la medida en la que la regulación fiscal de los grupos no parte del resultado contable consolidado, es preciso tener presente que las referencias que realiza la LIS a la contabilidad, de acuerdo con lo dispuesto en los

---

29 Por ejemplo, en relación con determinados instrumentos financieros, con los derechos de voto potenciales u opciones sobre acciones, revalorización de activos, tratamiento del fondo de comercio de consolidación, o del deterioro de las unidades generadoras de efectivo, etc.

30 Calderón Carrero JM, Báez Moreno A. La armonización contable europea, las NIC/NIIF y su influencia en la base imponible del Impuesto sobre Sociedades. En *Impuesto sobre sociedades. Régimen General, Tomo I* [...]. Op. cit. Pág. 148-149.

artículos 10.3 y 62 y el criterio del ICAC[31], parecen referirse a la normativa contable interna, PGC y NOFCAC y, solo en caso de que persistiera la laguna normativa a nivel nacional, podría acudirse a la normativa internacional supletoriamente, siempre que no contradiga la citada normativa española[32].

Mientras que el PGC servirá de base para interpretar todos aquellos conceptos fiscales por los que no se establezca ninguna especialidad tributaria, serán las NOFCAC las que principalmente servirán para determinar los aspectos contables que afectarán a los grupos fiscales, en particular, las eliminaciones e incorporaciones a tener en cuenta en la base imponible consolidada, en la medida en la que, tal y como se expondrá más adelante, los artículos 64 y 65 de la LIS remiten por completo a lo dispuesto en los artículos 21 y 41 al 49 de las NOFCAC[33]. Además de lo anterior, como veremos más adelante, no solo serán relevantes las eliminaciones e incorporaciones, sino que también lo serán las «calificaciones» a nivel de grupo fiscal, y las «homogeneizaciones» de acuerdo con la normativa contable consolidada por la vía del artículo 62.1.a) de la LIS[34].

---

31 En concreto, el artículo 10.3 de la LIS establece lo siguiente: «En el método de estimación directa, la base imponible se calculará, corrigiendo, mediante la aplicación de los preceptos establecidos en esta Ley, el resultado contable determinado de acuerdo con las normas previstas en el Código de Comercio, en las demás leyes relativas a dicha determinación y en las disposiciones que se dicten en desarrollo de las citadas normas». Asimismo, destaca la consulta del ICAC, como se ha mencionado, 1 del BOICAC nº 74, junio 2008.

32 Resulta destacable esta interpretación en la medida en la que la normativa internacional suele ser de aplicación prioritaria, atendiendo al orden jerárquico constitucional de las normas.

33 Subsección 10.ª Eliminaciones de partidas intragrupo y resultados.

34 En el proceso de consolidación contable, las NOFCAC establecen tres métodos de integración de los activos, pasivos, ingresos y gastos: i) el método de integración global, aplicable a entidades dependientes del grupo, ii) el método de integración proporcional, aplicable, si así lo quiere el grupo, a entidades gestionadas mediante acuerdos conjuntos (este método no existe en la normativa internacional) y iii) el método de la participación o puesta en equivalencia, aplicable a las entidades asociadas y las entidades gestionadas mediante acuerdos conjuntos si así opta el grupo. Téngase en cuenta que, en un grupo fiscal, teniendo en cuenta los porcentajes de participación, siempre será aplicable el método de integración global a las entidades que lo conforman, aunque, de nuevo, habrá que analizar la manifestación de los efectos del resto de métodos en el grupo fiscal.

2.3. RESUMEN DE NORMATIVA CONTABLE A TOMAR EN CONSIDERACIÓN

Es definitiva, se expone a continuación un resumen de lo anterior en forma de gráfico:

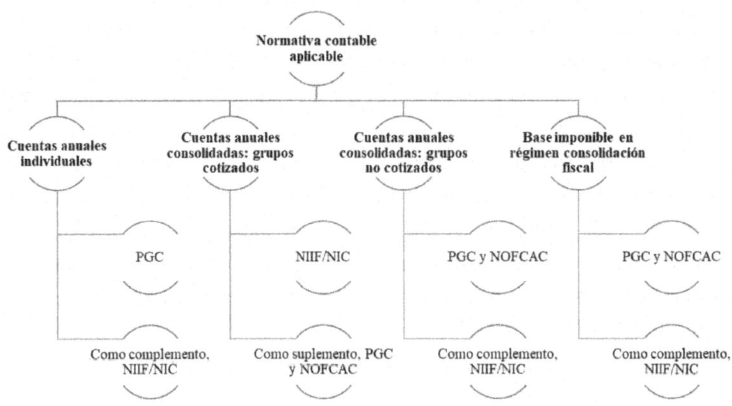

Fuente: Elaboración propia

Capítulo 3
¿LA CONSOLIDACIÓN FISCAL ES UN RÉGIMEN DE VENTAJAS FISCALES DISCRIMINATORIAS?

Como se deduce de lo adelantado en el presente trabajo, las sociedades de un grupo mercantil podrán tributar mediante[35] dos regímenes distintos, que identifican a dos sujetos pasivos-contribuyentes diferentes.

Nos referimos, en primer lugar, al contribuyente entidad que tributa bajo el régimen fiscal general/individual[36].

En segundo lugar, nos referimos al contribuyente grupo fiscal que tributa bajo el régimen de consolidación fiscal[37].

---

35 AGUILERA MEDIALDEA JJ, MARTÍN RODRÍGUEZ JG. *Manual de consolidación fiscal y contable* [...]. Op. cit. Pág. 726.

36 La pertenencia a un grupo mercantil no desplegará efectos en cuentas anuales individuales, aunque sí extiende efectos en cuentas anuales consolidadas ya que el beneficio que se elimine contablemente, por el que se haya tributado, generará el reconocimiento de un activo por impuesto diferido.

37 En este caso sí que afectará a las cuentas anuales individuales ya que el beneficio contable y fiscal que se elimine para determinar la base imponible generará un pasivo por impuesto diferido, que se deberá ir dando de baja al ritmo de las incorporaciones. Además, habrá que analizar los efectos que se puedan desplegar en cuentas individuales por el artículo 62.1.a) de la LIS.

En el análisis del régimen de consolidación fiscal, si se llega a la conclusión de que es un régimen de ventajas fiscales respecto del régimen general, se podría estar dudando de la propia legalidad del régimen, tal y como veremos a continuación. Por ejemplo, en el ámbito de las pérdidas, el hecho de que la normativa española no permita la deducibilidad de los deterioros sobre el valor de las participaciones en las sociedades participadas mientras que sí se permite la compensación intraperiódica de rentas bajo el régimen de consolidación fiscal, hace que sea necesario analizar en primer lugar, antes de estudiar la renta negativa del grupo fiscal, si las «virtudes» del régimen de consolidación son en realidad ventajas que deberían estar prohibidas por desembocar en un tratamiento desigual.

En este contexto, téngase en cuenta lo fundamental de distinguir en el ámbito tributario el concepto de ventaja o incentivo fiscal y el concepto de régimen especial como es el régimen de consolidación fiscal, y las posibilidades de que éstos puedan calificar como discriminatorios. Las ventajas o incentivos fiscales se aplican sobre el régimen ordinario, con objeto de reducir la carga tributaria y con una finalidad fiscal o extrafiscal, por ejemplo, para promover determinadas conductas por parte del contribuyente, como la inversión, la contratación o el desarrollo tecnológico. Por su parte, los regímenes especiales se configuran como conjuntos normativos diferenciados que se aplican a ciertos contribuyentes por sus características objetivas, como sucede con los grupos empresariales. Este régimen implica una adaptación estructural de las reglas generales a una realidad económica compleja, como es la del grupo de sociedades, con el objeto de evitar distorsiones y facilitar la neutralidad fiscal. En ambos casos, tanto en el incentivo fiscal como en régimen especial, un trato discriminatorio, sin justificación, puede vulnerar principios constitucionales como el de igualdad y capacidad económica. Sin embargo, el régimen especial permite constituir un sujeto pasivo específico, el grupo fiscal, cuya comparativa deberá hacerse con el sujeto pasivo individual para lograr la homogeneidad, tal y como se detalla a continuación.

Siendo así, previo al análisis de la integración de las rentas negativas en el régimen de consolidación fiscal, es necesario resolver algunos interrogantes relevantes que deberemos tener en cuenta en capítulos siguientes del trabajo para el estudio de la triple compensación de las pérdidas.

3.1. SINGULARIDADES DEL RÉGIMEN DE CONSOLIDACIÓN FISCAL

La plasmación del régimen de consolidación fiscal aparece en la actualidad recogida en el Capítulo VI del Título VII, en los artículos 56 a 75 de la LIS, así como en el artículo 47 del Real Decreto 634/2015, de 10 de julio, por el que se aprueba el Reglamento del Impuesto sobre Sociedades («RIS»).

De la propia localización de la regulación en la normativa es posible extraer una primera afirmación: el régimen de consolidación fiscal es un régimen especial, cuya aplicación permite disfrutar de una serie de «singularidades» en relación con el régimen fiscal general[38].

---

38 El régimen de consolidación fiscal se considera dentro del grupo de opciones tributarias de las recogidas en el artículo 119.3 de la LGT (Dirección General de Tributos —«DGT»— V1691-09, de 16 de julio) junto con, por ejemplo, el criterio de imputación temporal (sentencias de 9 de julio de 2012, rec. 1132/2010, de 18 de octubre de 2012, rec. 6284/2010, 5 de mayo de 2014, rec. 5690/2011, de 23 de octubre de 2014 y rec. 654/2013, de 8 de junio de 2017, rec. 3944/2015), el régimen de neutralidad fiscal (sentencia de 20 julio de 2014 y de 23 de mayo de 2014, rec. 5626/2011), el diferimiento fiscal por reinversión de beneficios extraordinarios (sentencias de 5 de julio de 2011, rec. 3217/2007, de 6 de febrero de 2012, rec. 1928/2008, de 20 de abril de 2012, rec. 636/2008, de 7 de junio de 2012, rec. 2059/2011, de 5 de julio de 2012, rec. 5309/2009, de 2 noviembre de 2012, rec. 2966/2009, de 5 de noviembre de 2012, rec. 3973/2009), régimen de compensación del Impuesto sobre el Valor Añadido soportado y deducible (sentencias del Tribunal Supremo de 4 de noviembre de 2011, rec. 2921/2009, de 28 de noviembre de 2011, rec. 6369/2008 y de 26 de diciembre de 2011, rec. 4086/2007) o el régimen de estimación objetiva del Impuesto sobre la Renta de las Personas Físicas (sentencia del Tribunal Supremo de 9 de julio de 2012, rec. 92/2010). Dicha jurisprudencia pone de manifiesto la importancia de los actos propios en las opciones tributarias, no permitiendo al contribuyente modificar opciones tributarias ejercidas en periodos anteriores. Sin embargo, también es posible citar pronunciamientos que gradualmente comienzan a abrir la posibilidad de solicitar un cambio de opción tributaria cuando exista un cambio de tributación derivada de una regularización por un procedimiento inspector (sentencia del Tribunal Supremo 22 de diciembre de 2017, rec. 2654/2016, auto de 4 de abril de 2018, rec. 6189/2017 por el que el Tribunal Supremo y sentencias de la Audiencia Nacional de 20 de junio de 2012, rec. 359/2011 y 3 de octubre de 2012, rec. 360/2011 y de 24 de enero de 2018, rec. 868/2016).

A pesar de lo expuesto, es preciso tomar en consideración la Resolución del TEAC de 8 de marzo de 2018, número 3888/2016, por la que, en un supuesto particular, sí se permite «modificar» la opción tributaria por aplicación directa de la jurisprudencia europea (las entidades no habían ejercitado la opción ya que en España, con anterioridad

Dentro de las particularidades del régimen especial de consolidación fiscal podemos distinguir, entre otras, las siguientes:

1. El diferimiento de la tributación de rentas positivas intragrupo

Es importante el matiz de «renta positiva», puesto que lo realmente interesante en un grupo fiscal es el diferimiento de los resultados positivos y la posible compensación de la renta negativa.

Es preciso tener en cuenta que, en el régimen de consolidación fiscal, se procede a la eliminación/diferimiento de cualquier tipo de renta intragrupo, positiva o negativa (esta última, solo en caso de que pueda ser fiscalmente deducible e imputable, tal y como veremos a lo largo del trabajo). De esta forma, será necesario tener presente que, en ocasiones, puede no resultar ventajosa la constitución de un grupo fiscal, por ejemplo, cuando la mayor parte de las rentas derivadas de operaciones intragrupo sean rentas negativas que podrían ser deducibles en el IS. Sin embargo, como veremos, para un mejor y completo entendimiento de dicha cuestión será necesario, entre otros, conocer también el contenido del artículo 11 de la LIS, en sus apartados 9 y 10, aplicable a todos los grupos mercantiles, con independencia de la aplicación del régimen de consolidación fiscal, así como las implicaciones del artículo 62.1.a) de la LIS.

2. La integración y compensación de bases imponibles negativas

La compensación de bases imponibles negativas, teniendo en cuenta las especialidades que expondremos a lo largo del presente trabajo, no es como

---

a 1 de enero de 2015, los grupos horizontales no podían aplicar el régimen de consolidación fiscal), poniendo de manifiesto que en determinadas circunstancias se permite incluso la modificación de la opción tributaria. En cualquier caso, bajo el contexto de dicha Resolución, no resulta irracional considerar que realmente no constituye una opción tributaria la aplicación del régimen de consolidación fiscal en grupos horizontales en los periodos impositivos anteriores a 1 de enero de 2015, en la medida en la que la ley no permitía su aplicación cuando la entidad dominante del grupo era una sociedad no residente. Por tanto, parece que los grupos horizontales, tras esta Resolución, pueden decidir en cualquier momento proceder a la aplicación retroactiva del régimen especial de consolidación, sin que suponga la «modificación» de una opción tributaria, y, como es evidente, limitados por el propio periodo de prescripción. El contenido de esta Resolución puede ser muy relevante incluso si, en un futuro próximo, se procedería a la modificación de la regulación para permitir integrar también en el régimen de consolidación fiscal a las entidades dependientes no residentes.

tal una característica distinta a la que puede aplicarse en el régimen general. Sin embargo, en la medida en la que se permite compensar renta generada por el grupo en su conjunto en distintos periodos, o incluso en la medida en la que se permite hablar de una compensación intraperiódica de rentas negativas entre entidades distintas que conforman al grupo fiscal, podríamos hablar de una «particularidad», en la medida en la que la citada compensación no es permisible en el régimen general (por ejemplo, a través del deterioro de cartera).

3. La inexistencia de obligaciones de retención en las rentas de capital devengadas entre entidades del grupo

De esta forma se desprende en el artículo 61.n) del RIS, por el que se regula expresamente la exclusión al deber de retener entre sociedades de un mismo grupo fiscal. Este beneficio puede ser muy favorable en aquellos casos en los que las entidades de un grupo mercantil realicen periódicamente operaciones sujetas a retención (por ejemplo, operaciones de financiación vía préstamo ordinario con devengo de intereses).

Téngase presente que la exclusión se produce respecto de las entidades del grupo fiscal, no de entidades que formen parte del grupo mercantil (por ejemplo, extranjeras) pero que no se integren en el grupo fiscal. Más duda podría plantearse con una entidad dominante no residente en territorio español, ya que esta entidad forma parte del grupo fiscal, aunque a efectos formales, ya que su base imponible no se integra en la base imponible consolidada. Bajo la literalidad del precepto, podría entenderse que las operaciones sujetas a retención con la entidad dominante no residente (por el Impuesto sobre la Renta de No Residentes) también estarían excluidas de retención.

4. La optimización de gastos financieros

Inicialmente se considera una ventaja la posibilidad de optimizar los gastos financieros netos del grupo fiscal, tomando en consideración que los ingresos y gastos recíprocos entre entidades del grupo fiscal no tendrán impacto en la tributación del grupo fiscal.

Sin embargo, a pesar de las ventajas que pueden existir en consolidación fiscal, la deducibilidad de los gastos financieros intragrupo puede no resultar un aspecto positivo, por ejemplo, cuando el importe de gastos financieros netos generado por cada una de las entidades del grupo no excede de un millón de euros, pero la suma de todos los gastos financieros netos del grupo sí supera dicho millón de euros, en la medida en la que, en el régimen de consolidación fiscal, el millón de euros de gastos financieros netos como límite mínimo que permite deducir el artículo 16 de la LIS es único para todo el grupo, de acuerdo con lo expuesto en el artículo 63.a) de la LIS.

Asimismo, téngase en cuenta que la deducibilidad fiscal de los gastos financieros puede resultar un tema complejo en operaciones de financiación intragrupo, que incluso puede llegar a ser cuestionado por los tribunales en función de las circunstancias concretas[39] (principalmente hacemos referen cia a financiación intragrupo entre empresas situadas en diferentes jurisdicciones). En este sentido, téngase en cuenta que se incluyen expresamente mencio-

[39] En este sentido, es preciso destacar la sentencia del Tribunal Supremo de 19 julio de 2016, rec. 2553/2015, en la que se cuestiona la adquisición de acciones intragrupo mediante financiación intragrupo, considerando la Administración que se había producido la generación de intereses sin una contrapartida de ingresos tributables. En la sentencia, principalmente, se establece lo siguiente:
– La defensa de este tipo de operaciones mediante el principio de autonomía de la voluntad no es admitida por el Tribunal Supremo en la medida en la que no se aportan sólidas razones que justifiquen la operativa;
– los negocios jurídicos concertados carecen de causa, por la consideración de que después de todo el complejo negocial efectuado, la estructura básica del grupo es la misma que al comienzo de las operaciones;
– además, se alega la posibilidad de que esta situación puede vulnerar la libre circulación de capitales, sin embargo, el Tribunal Supremo considera que lo que sucede en este caso es que el título legitimador de los intereses no existe, porque el negocio jurídico generador del préstamo carece de causa.
Con base en lo anterior, la sentencia confirma la no deducibilidad de intereses de una forma similar a la que, con la regulación actual, nos permite el artículo 15. h) de la LIS, que niega la deducción de los gastos financieros intragrupo por la adquisición de financiación para aumentar la participación en otras sociedades del grupo, siempre que no existan motivos económicos válidos. Este precepto es de aplicación con independencia de si las entidades forman o no un grupo de consolidación fiscal.
En el mismo sentido limitativo de deducibilidad de intereses es preciso tener en cuenta las sentencias del Tribunal Supremo de 9 y 12 de febrero de 2015, rec. 188/2014 y 184/2014, en las que también se cuestionan operaciones de adquisición de sociedades intragrupo, en las que median préstamos intragrupo. El Tribunal resuelve de la misma forma, haciendo hincapié en que la no deducibilidad del gasto financiero en situaciones como las descritas no vulnera la libertad de establecimiento porque existe una razón imperiosa de interés general como es la lucha contra el abuso del derecho.

nes al plan Base Erosion and Profit Shifting («BEPS»)[40] para "controlar" este tipo de financiaciones y posibles distorsiones. Este es también el objetivo del artículo 15 bis de la LIS, que afecta directamente a los grupos multinacionales, en la regulación del concepto «asimetrías híbridas», cuyo objetivo es evitar cualquier tipo de distorsión que pueda producirse en la calificación de la renta o del sujeto pasivo en varias jurisdicciones, y que pueda ser objeto de aprovechamiento entre entidades del grupo, conocedoras de dichas asimetrías.

Las Acciones 2 (Neutralising the Effects of Hybrid Mismatch Arrangements, Final Report 2015) y 4 (Limiting Base Erosion Involving Interest Deductions and Other Financial Payments, Final Report 2015) del Plan BEPS también merecen una especial mención ya que su contenido recoge limitaciones a la deducibilidad de gastos financieros que pueden afectar directamente a las sociedades de un grupo[41].

En definitiva, con el resumen anterior se quiere poner de manifiesto la necesidad de que el grupo fiscal haga un balance de los pros y contras del régimen de consolidación fiscal si su intención es que las compañías concedan préstamos intragrupo.

---

40 «Bajo el prisma de la existencia de una razón imperiosa de interés general, la práctica abusiva que detecta y corrige la Administración tributaria constituye en la actualidad una de las mayores preocupaciones en el seno de la OCDE, reflejada en el BEPS (Base Erosion and Profit Shifting) Action Plan, Plan de acción contra la erosión de la base imponible y el traslado de beneficios, habiendo reaccionado también el legislador español ante el nuevo tratamiento de la deducción de los gastos financieros en los grupos de sociedades dado por el Real Decreto Ley 12/2012, de 30 de marzo. Efectivamente lo que buscó y provocó la matriz holandesa a través de préstamo concedido a la filial española para financiar la compra de participaciones, fue erosionar su base imponible, incrementando su pasivo, al mismo tiempo que trasladaba los intereses y los beneficios a otro país de baja, o en este caso nula tributación, sin otra razón económica o empresarial que lo justificara. Pero no solo es una preocupación actual de la OCDE, también lo es de la Unión Europea, como se deduce de la recomendación que la Comisión emitió sobre la planificación fiscal agresiva el 6 de diciembre de 2012, Considerandos 7 y 8.»

41 En esta línea, mencionar la primera propuesta de futura regulación aplicable en España para los grupos de empresas, esto es, la propuesta de Directiva BICIS (que finalmente fue sustituida por la propuesta BEFIT), en la que expresamente se incluye la no deducibilidad del gasto cuando sea destinado a la obtención de renta exenta-artículo 12.g) de la propuesta de Directiva BICIS, pudiendo afectar esto directamente a la financiación intragrupo para la adquisición de sociedades, y debiendo analizar próximamente la regulación que se incluya en la propuesta BEFIT.

5. Como norma general, no se devengan obligaciones de documentación derivada de operaciones vinculadas

Expresamente indica el artículo 13.3 del RIS que las entidades de un grupo fiscal no están obligadas a documentar sus operaciones vinculadas entre entidades del grupo fiscal. En todo caso, no podemos olvidar que efectivamente existen obligaciones de documentación, conforme con el artículo 65.2 de la LIS, en las operaciones de cesión de activos intangibles reguladas en el artículo 23 de la LIS.

De nuevo, la exclusión se produce respecto de las entidades del grupo fiscal, no de entidades que formen parte del grupo mercantil (por ejemplo, extranjeras) pero que no se integren en el grupo fiscal, generándose de nuevo la duda respecto de la entidad dominante no residente en territorio español, ya que esta entidad forma parte del grupo fiscal. Bajo la literalidad del precepto, podría entenderse que estas operaciones tampoco deben documentarse.

En cualquier caso, las entidades del grupo fiscal, como entidades vinculadas, deberán aplicar las normas de valoración a mercado del artículo 18 de la LIS[42]. Y es importante resaltar esta idea en la medida en la que, aunque las operaciones intragrupo son objeto de eliminación, ello no obsta a que exista una obligación de valorar la operación conforme con la realidad económica, con objeto de evitar cualquier intento de desplazamiento patrimonial entre entidades del grupo fiscal.

En esta línea se pronuncia Santacruz Montes[43], quien considera que el hecho de que el resultado derivado de la operación vinculada sea eliminado al objeto de determinar la base imponible del grupo, no impide la aplicación de las reglas de vinculación, dado que dicha eliminación debe incorporarse a la base imponible del grupo fiscal, y es en ese momento cuando puede producirse la existencia o no de una menor tributación o un diferimiento de la misma.

En el mismo sentido destaca la Consulta Vinculante de 2 de octubre de 2017[44] en la que se resalta lo siguiente:

---

42 Lizanda Cuevas JM, Cabedo Toneo M. *Consolidación contable y fiscal. Operaciones entre empresas del grupo. Supuestos prácticos.* 1ª Edición. Madrid. CEF. 2017. Pág. 24 y 25.

43 López-Santacruz Montes JA. *Memento práctico. Impuesto sobre Sociedades.* 1ª Edición. Madrid. Francis Lefebvre. 2013. Pág. 1180.

44 V2439-17.

> «En el escrito de la consulta se señala que la entidad consultante (cedente) y la cesionaria forman parte del mismo grupo de consolidación fiscal a efectos del Impuesto sobre Sociedades, por tanto, con arreglo a lo dispuesto en el artículo 18.2.d) de la LIS, ambas entidades estarán vinculadas. En consecuencia, la operación de cesión del intangible se valorará por su valor de mercado, en los términos establecidos en el artículo 18 de la LIS, con independencia del precio acordado por dicha cesión».

En este sentido, podría plantearse la duda de cuál es el momento en el que la Administración podría proceder a la comprobación de la determinación a valor de mercado conforme con el artículo 18 de la LIS: i) desde el mismo momento en que se efectúa la operación, con independencia de que se haya procedido a la eliminación o ii) una vez que el resultado sea incorporado. A estos efectos, destaca la opinión de López Llopis[45] que se decanta por la segunda alternativa, por atender a la filosofía del régimen, esto es, el diferimiento no solo de la renta sino también de la facultad de comprobación. Esta afirmación parece ir en sintonía con el concepto de grupo fiscal, con una base imponible consolidada unitaria compuesta por las operaciones del grupo fiscal con terceros ajenos.

Asimismo, también es posible dudar sobre la forma en la que el grupo fiscal como contribuyente puede probar el efectivo valor de mercado de las operaciones vinculadas, especialmente cuando, como hemos visto, no existen obligaciones de documentación de dichas operaciones, pudiendo ponerse de manifiesto una especie de alteración de la carga de la prueba, debiendo ser la Administración la encargada de comprobar y justificar si dichas operaciones efectuadas en el seno de un grupo fiscal se encuentran valoradas a mercado.

En este sentido, es relevante, a efectos de valoración, destacar los pronunciamientos del Tribunal Supremo[46] en los que se considera que la valoración previa de un bien realizada por una Administración tributaria vincula a todos los efectos a las demás Administraciones competentes, máxime si se trata de impuestos estatales (IS, Impuesto sobre la Renta de las Personas Físicas...), aunque el segundo esté cedido a las Comunidades Autónomas (Impuesto so-

---

[45] López Llopis E. *El régimen especial de consolidación fiscal en el Impuesto sobre Sociedades.* 1ª Edición. Madrid. Tirant Lo Blanch. 2017. Pág. 187.

[46] Por ejemplo, la sentencia del Tribunal Supremo de 21 de diciembre de 2015, rec. 2068/2014.

bre Transmisiones Patrimoniales Onerosas y Actos Jurídicos Documentados, Impuesto sobre Sucesiones y Donaciones...).

En el régimen de consolidación fiscal, sería necesario plantear hasta qué punto es posible aplicar dicha interpretación cuando el artículo 18.14 de la LIS establece lo siguiente:

> «El valor de mercado a efectos de este Impuesto, del Impuesto sobre la Renta de las Personas Físicas o del Impuesto sobre la Renta de no Residentes, no producirá efectos respecto a otros impuestos, salvo disposición expresa en contrario. Asimismo, el valor a efectos de otros impuestos no producirá efectos respecto del valor de mercado de las operaciones entre personas o entidades vinculadas de este impuesto, del Impuesto sobre la Renta de las Personas Físicas o del Impuesto sobre la Renta de no Residentes, salvo disposición expresa en contrario».

Por tanto, en la medida en la que dicho precepto establece que la valoración a efectos de otros impuestos no afectará al valor de mercado de las operaciones vinculadas, es posible cuestionar que en un grupo de consolidación fiscal una comprobación a efectos de otro tributo, como el Impuesto sobre Transmisiones Patrimoniales Onerosas, pueda servir de base para la determinación correcta del valor de mercado de las operaciones intragrupo.

A estos efectos, las «especialidades» del régimen de consolidación fiscal descritas son destacadas expresamente por autores como, por ejemplo, Calvo Vérgez[47].

Aunque, como se ha expuesto, hay ocasiones en las que no resulta ventajoso el régimen de consolidación fiscal[48], el citado régimen se configura

47 Calvo Vérgez J. *La Fiscalidad de los Grupos de Empresas en el Impuesto sobre Sociedades* [...]. Op. cit. Pág. 19.

48 Además de lo indicado, por ejemplo, cuando el grupo pueda verse afectado por la limitación del 15% de tributación efectiva derivado de la tributación mínima que exige el artículo 31 bis de la LIS, de aplicación obligatoria a los grupos fiscales con independencia de su importe neto de la cifra de negocios. Parece posible eludir esta imposición renunciando al régimen de consolidación fiscal (siempre que no se supere el importe neto de la cifra de negocios de 20 millones de euros), no existiendo ninguna norma antielusiva especifica a estos efectos, sin perjuicio de que la Administración pueda considerar que pueda existir un conflicto en la aplicación de la norma (Lucas Durán M. La nueva tributación mínima en los impuestos sobre sociedades y sobre la renta de no residentes. En *Nueva Fiscalidad n.º 4*. 1ª Edición. Madrid. Dykinson. 2021. Pág. 104-105).

aparentemente como un régimen ventajoso de particularidades fiscales, voluntario, cuyo único objetivo es alcanzar cierta neutralidad fiscal ante las decisiones empresariales[49], es decir, la búsqueda de la consideración del grupo fiscal como una unidad, cuyas decisiones no pueden verse perjudicadas por aspectos fiscales derivados de operaciones intragrupo.

Por ello, con base en lo expuesto, podrían surgir las primeras cuestiones: ¿El régimen de consolidación fiscal permite disfrutar de ventajas fiscales que están vetadas en el régimen general? ¿Existen asimetrías entre el régimen de consolidación fiscal y el régimen general, de tal forma que las mismas favorezcan al régimen especial? ¿Estarían estas asimetrías permitidas por el ordenamiento jurídico y por la propia normativa europea?

3.2. EL CONCEPTO DE «GRUPO FISCAL» COMO ELEMENTO CLAVE PARA QUE NO EXISTA VENTAJA FISCAL DISCRIMINATORIA

Llegados a este punto cabe preguntarse: ¿Qué es en realidad el grupo fiscal? Si es posible identificarlo como un único sujeto ¿cómo deben reflejarse sus efectos tributarios?

3.2.1. RÉGIMEN JURÍDICO: EL GRUPO MERCANTIL

Como punto de partida, el grupo fiscal es un grupo mercantil. En este sentido, atendiendo al régimen jurídico, es preciso tomar en consideración el contenido del artículo 42.1, párrafo segundo, del Código de Comercio

---

49 López Llopis E. *El régimen especial de consolidación fiscal en el Impuesto sobre Sociedades* [...]. Op. cit. Pág. 37. En líneas similares se pronuncian autores como Martín Queralt J, Lozano Serrano, C, Tejerizo López JM, Casado Ollero G. *Curso de Derecho financiero y tributario.* 1ª Edición. Madrid. Tecnos. 2019. Pág. 617; Martín Zamora P, Bonson Ponte E. *Los grupos de sociedades: La nueva regulación del Impuesto sobre Sociedades.* 1ª Edición. Madrid. CEF. 2006. Pág. 107 y 108; Gómez-Olano González D. La aplicación de la deducción por reinversión en el régimen de consolidación fiscal. Consideraciones la luz del principio de neutralidad fiscal. En *Revista de doctrina, legislación y jurisprudencia año n.º 21 y n.º 1.* 1ª Edición. Madrid. Aranzadi LA LEY. 2005. Pág. 257.

en virtud del cual se define el concepto de «grupo de empresas» desde un punto de vista mercantil, por el que se establece que existe un grupo de empresas cuando una sociedad ostente o pueda ostentar, directa o indirectamente, el control de otra u otras. Parece, por tanto, que la característica especial no es la unidad de decisión, sino la toma de control sobre otra u otras sociedades.

Continúa la norma indicando que se presumirá que existe control cuando una sociedad, que se calificará como dominante, se encuentre en relación con otra sociedad, que se calificará como dependiente, en alguna de las siguientes situaciones:

- Posea la mayoría de los derechos de voto.
- Tenga la facultad de nombrar o destituir a la mayoría de los miembros del órgano de administración.
- Pueda disponer, en virtud de acuerdos celebrados con terceros, de la mayoría de los derechos de voto.
- Haya designado con sus votos a la mayoría de los miembros del órgano de administración, que desempeñen su cargo en el momento en que deban formularse las cuentas consolidadas y durante los dos ejercicios inmediatamente anteriores. En particular, se presumirá esta circunstancia cuando la mayoría de los miembros del órgano de administración de la sociedad dominada sean miembros del órgano de administración o altos directivos de la sociedad dominante o de otra dominada por esta. Este supuesto no dará lugar a la consolidación si la sociedad cuyos administradores han sido nombrados, está vinculada a otra en alguno de los casos previstos en los dos primeros supuestos antes citados.

En definitiva, parece que los grupos mercantiles han de cumplir tres requisitos principales[50]: i) unión empresarial como consecuencia de la toma de participaciones en empresas por parte de una sociedad matriz o dominante, ii) unidad de administración, esto es, capacidad de influir en las decisiones, y iii) proyecto de creación de valor, es decir, existencia de razones

---

50 Aguilera Medialdea JJ, Martín Rodríguez JG. *Manual de consolidación fiscal y contable* [...]. Op. cit. Pág. 45.

económicas que hacen que su existencia aporte valor a la suma de empresas, incluidas las razones fiscales[51].

De forma similar define la NIIF 10 (aplicable, como se ha indicado en el capítulo 2, a las cuentas consolidadas de los grupos cotizados) el concepto de «control» en un grupo de empresas, basado en el poder de decisión y en el derecho a los beneficios de la filial[52].

Este concepto de grupo económico de empresas es relevante no solo desde el plano mercantil, sino por las reseñas que realiza la normativa fiscal al mismo, a las que iremos haciendo referencia a lo largo del presente estudio. En cualquier caso, la existencia de un grupo económico de empresas basado en el control será la base para la configuración del régimen de consolidación fiscal, aunque no suficiente, ya que la normativa fiscal resulta más exigente en cuanto a sus requisitos, lo que generará la existencia de diferencias de composición entre el grupo contable y el grupo fiscal. Estas diferencias complican aún más el entendimiento y aplicación del artículo 62.1.a) de la LIS en la determinación de la base imponible consolidada.

---

51 Resulta destacable que la posibilidad de formar un grupo de empresas no se ve limitada por motivos fiscales, siendo incluso una de las razones válidas por las que poder conformar un grupo de empresas al que aplicar el régimen de consolidación fiscal, mientras que existen otros regímenes fiscales con el mismo fin que el mencionado régimen de consolidación fiscal, esto es, el diferimiento de rentas, y por los que la normativa expresamente exige motivos económicos válidos distintos a los fiscales. Hablamos del régimen especial de las fusiones, escisiones, aportaciones de activos, canje de valores y cambio de domicilio social de una Sociedad Europea o una Sociedad Cooperativa Europea de un Estado miembro a otro de la Unión Europea.

52 Indicando en sus párrafos 5, 6 y 7 lo siguiente:
«5 Un inversor, con independencia de la naturaleza de su relación con una entidad (la participada), deberá determinar si es una dominante evaluando si controla o no la participada.
6 Un inversor controla una participada cuando está expuesto, o tiene derecho, a rendimientos variables procedentes de su implicación en la participada y tiene la capacidad de influir en esos rendimientos a través de su poder sobre ésta.
7 Por ello, un inversor controla una participada si y solo si este reúne todos los elementos siguientes:
(a) poder sobre la participada (véanse los párrafos 10 a 14);
(b) exposición, o derecho, a rendimientos variables procedentes de su implicación en la participada (véanse los párrafos 15 y 16); y
(c) capacidad de utilizar su poder sobre la participada para influir en el importe de los rendimientos del inversor (véanse los párrafos 17 y 18)».

3.2.2. EL GRUPO COMO UNIDAD CONTABLE INDEPENDIENTE

La normativa general aplicable para la formulación de las cuentas consolidadas, tanto nacional como internacional, parte de un modelo contable basado en la «teoría de la entidad»[53], donde se afirma que las cuentas anuales consolidadas se elaboran sobre un sujeto contable distinto de la dominante obligada a formularlas: el grupo[54].

Las cuentas anuales individuales, que contienen una importante información económica, están más vinculadas a los requerimientos jurídicos derivados de otras normativas como la mercantil y fiscal, mientras que las cuentas anuales consolidadas responden a un enfoque puramente económico y, en ambos casos, las autoridades de supervisión financiera pueden tomarlas de referencia.

Un reconocimiento explícito de esta consideración tan importante lo tenemos en las NOFCAC cuando señala lo siguiente:

> «El enfoque de la entidad impone la obligación de elaborar las cuentas anuales consolidadas bajo la perspectiva del grupo como sujeto que informa, y no como la mera prolongación de las cuentas anuales individuales de la sociedad dominante. A tal efecto, la sociedad obligada a

---

53 Fernández FM, Gastaldi JA, Mangione SB, et al. Los fundamentos económicos de la teoría de la entidad en la información contable consolidada. En *Contabilidad y Auditoría n.º 24 (Buenos Aires)*. 1ª Edición. Buenos Aires. Universidad Nacional de Entre Róos-Facultad de Ciencias Económicas. 2006. Pág. 11: «Teoría de la entidad: Moonitz (1951) es quien desarrolló la aplicación de esta teoría para la preparación de estados contables consolidados. Su punto de partida es la existencia de una entidad económica o de negocios compuesta por unidades jurídicamente independientes pero que una sola ejerce el control común, el cual se origina en la propiedad compartida de la entidad. Esta entidad está conformada por dos tipos de propietarios, los de interés mayoritario y los de interés minoritario o, en palabras del autor, independientes (outside interests). En consecuencia los estados consolidados deben reflejar el estado y las operaciones de este grupo como si existiese una fusión en sentido legal similar a la existente en sentido económico. La opinión de Moonitz concibe a la entidad contable (grupo), emisora de los estados contables consolidados, como una unidad de negocios cuyos proveedores de capital son dos clases de accionistas: los mayoritarios y los independientes, e indirectamente brinda un concepto amplio de grupo (subordinación y cooperación). Esta teoría también recibe el nombre de «teoría económica»».

54 Frente a dicha teoría, es preciso citar la teoría que aplicaba con anterioridad al año 2010 (en normativa nacional) y que se refería a que las cuentas consolidadas eran una «prolongación» de la información de las cuentas de la matriz o dominante, donde no se apreciaba, con tanta nitidez como ahora, la distinta naturaleza de la información emitida.

consolidar debe calificar, reconocer, valorar y clasificar las transacciones desde este enfoque, circunstancia que pone de manifiesto un nuevo sujeto contable, la entidad consolidada, diferente a la sociedad dominante».

Y expresamente en el artículo 15 de las NOFCAC en el que, a través de la definición del método de integración global, se indica lo siguiente:

> «El método de integración global tiene como finalidad ofrecer la imagen fiel del patrimonio, de la situación financiera y de los resultados de las sociedades del grupo considerando el conjunto de dichas sociedades como una sola entidad que informa. De esta forma, el grupo de sociedades debe calificar, reconocer, valorar y clasificar las transacciones en el marco de estas normas de conformidad con la sustancia económica de las mismas y considerando que el grupo actúa como un sujeto contable único, con independencia de la forma jurídica y del tratamiento contable que hayan recibido dichas transacciones en las cuentas anuales individuales de las sociedades que lo componen».

En consecuencia, se puede afirmar que el legislador ha considerado que la información proporcionada por la sociedad dominante, cuando se refiere a su ámbito individual, puede diferir de aquella que se presenta con el propósito de informar sobre el grupo de sociedades. Todo ello está regido por el mandato legal que establece que las cuentas anuales de ambos sujetos contables deben reflejar fielmente su patrimonio, sus resultados y su situación financiera.

Esto implica que la sociedad individualmente considerada es un sujeto contable distinto al que representa el grupo, quien, a su vez, informaría de una realidad distinta, la del grupo, lo que puede dar lugar a la aplicación de criterios de valoración distintos, en el sentido de que se trataría de criterios no uniformes respecto de los aplicados por las sociedades del grupo que lo conforman y, todo ello, es consecuencia de que atienden a realidades informativas distintas.

Por tanto, a nivel contable, que realmente es la base para un entendimiento a nivel fiscal, se configura al grupo como un unidad distinta e independiente a la dominante o a sus dependientes[55].

---

[55] Ortega Carballo E, Atienza Pérez A. Los dividendos intragrupo en las cuentas anuales consolidadas: movimiento del ahorro. En *AECA: Revista de la Asociación Española de Contabilidad y Administración de Empresas nº 139*. 1ª Edición. Madrid. AECA. 2022.

Esta conclusión es relevante en el entendimiento del grupo como unidad, de cara a comparar al citado grupo con una entidad individual, especialmente en lo que respecta a sus efectos tributarios.

3.2.3. EL GRUPO COMO SUJETO TRIBUTARIO

En este punto del trabajo podríamos preguntarnos: a efectos fiscales, ¿qué o quién es el grupo fiscal? El grupo fiscal es realmente el contribuyente del IS, el sujeto obligado a la presentación del impuesto y al pago de este, adquiriendo el conjunto de sociedades una personalidad única ante la Administración Tributaria conforme al artículo 56.1 de la LIS: «El grupo fiscal tendrá la consideración de contribuyente».

Este es el sentido que recoge el ya señalado Preámbulo de la LIS, al invocar de forma expresa la configuración del «grupo fiscal como una única entidad».

Lo expuesto es relevante ya que el legislador equipara al grupo fiscal con el contribuyente-sociedad que tributa bajo el régimen individual, lo que permite que se tome en consideración al grupo en su conjunto como una única entidad. Es decir, el grupo-contribuyente es equivalente a la sociedad-contribuyente; lo que no se produce es la equivalencia del grupo con cada una de las sociedades que lo integran. Es decir, de alguna forma, se permite considerar que el grupo en su conjunto estaría produciendo los mismos efectos que si se hubieran fusionado las entidades que lo componen, lo que viene a ser considerado por la doctrina como una especie de «pre fusión», con las limitaciones que impone la LIS.

Algunos autores[56] sostienen que el grupo fiscal no puede considerarse, en sentido estricto, como el verdadero contribuyente del Impuesto sobre Socie-

---

Pág. 43-44: «Por tanto, conforme a lo expuesto, la figura del grupo como sujeto contable único pone de manifiesto, de acuerdo con el Código de Comercio y las NOFCAC, la diferencia entre «eliminaciones» y «ajustes» a realizar para las cuentas anuales consolidadas del grupo, indicando que son operaciones diferentes, identificando los «ajustes» como formas de recalificar las transferencias de resultados entre las empresas del grupo».

56 Simón-Yarza, ME. Sujetos del Impuesto sobre Sociedades. *La tributación en el Impuesto sobre Sociedades*. 1ª Edición. Madrid. La Ley Soluciones Legales. 2024. Pág. 154 a 160.

dades, pese a la literalidad de la norma y a los efectos jurídicos y económicos que el régimen de consolidación conlleva. Esta postura se fundamenta en una concepción restringida del término "contribuyente", equiparándolo a la figura del "deudor" de la obligación tributaria principal. Desde esta óptica, al carecer el grupo fiscal de personalidad jurídica propia, no podría ostentar la condición de sujeto pasivo en sentido formal, ya que la obligación de pago del Impuesto recae en la entidad dominante, con responsabilidad solidaria de las entidades dependientes. Sin embargo, la consideración del grupo fiscal como "contribuyente" trasciende esta visión centrada en la capacidad formal de pago. En el marco del régimen de consolidación fiscal, el grupo fiscal opera como una auténtica unidad contributiva a efectos del Impuesto, constituyendo la base imponible consolidada y determinando la deuda tributaria en función del resultado conjunto de las entidades que lo integran. De este modo, la noción de "grupo fiscal" como contribuyente implica una forma específica de entender y estructurar el Impuesto sobre Sociedades, en la que la unidad económica y fiscal del grupo prevalece sobre la individualidad jurídica de cada entidad, configurando un sujeto tributario de carácter funcional más que estrictamente formal.

De esta forma, la configuración del grupo fiscal como contribuyente es determinante para identificar la renta que genera. En efecto, en la medida en que es el contribuyente el sujeto llamado por la Ley para gravar la renta que genera, es decir, el que realiza el hecho imponible, pone de manifiesto que las operaciones realizadas entre las sociedades que integran dicho contribuyente deban eliminarse hasta que se realice fuera de este, pues hasta ese momento, son operaciones internas. En este sentido, el artículo 4.1 de la LIS indica que el hecho imponible es: « [...] la obtención de renta por el contribuyente, cualquiera que fuese su fuente u origen».

Por lo que, en el caso del grupo fiscal, el hecho imponible se sitúa en la obtención de renta por este contribuyente.

Señala Martín Zamora y Bonson Ponte[57] que:

> «[...] el grupo es algo diferente de lo que resulta como consecuencia de la mera adición de las partes que lo integran, de lo que se desprende

57 Martín Zamora P, Bonson Ponte E. *Los grupos de sociedades: La nueva regulación del Impuesto sobre Sociedades* [...]. Op. cit. Pág. 111.

> que, desde el punto de vista tributario, el grupo debe tener un tratamiento unitario, distinto del que tendrían cada una de las sociedades que lo forman, consideradas de forma independiente. Por ello, se puede decir que la capacidad económica susceptible de imposición se encuentra en el grupo y no en las sociedades individuales».

Es decir, el grupo, aún sin personalidad jurídica propia, es constituido por ley como sujeto pasivo, de forma similar a lo establecido en el artículo 35.4 de la LGT, que reconoce a los entes sin personalidad jurídica la condición de sujeto pasivo, al indicar: «Tendrán la consideración de obligados tributarios, en las leyes en que así se establezca, las herencias yacentes, comunidades de bienes y demás entidades que, carentes de personalidad jurídica, constituyan una unidad económica o un patrimonio separado susceptibles de imposición». La LIS ha considerado como sujeto pasivo a una unidad económica como es el grupo fiscal.

Como se ha ido poniendo de manifiesto, el grupo fiscal, como unidad económica propia, manifiesta una capacidad contributiva distinta a la de las personas jurídicas que abarca[58], mediante la tributación de la base imponible consolidada. ¿Parte la base imponible consolidada del resultado contable consolidado? La respuesta ha de ser negativa, ya que la base imponible consolidada se inicia con la suma de las bases imponibles individuales de las entidades que conforman el grupo, seguramente por la propia complejidad de la consolidación contable, que exigiría un gran esfuerzo y especialización, que acabaría perjudicando la aplicación del régimen fiscal. Sigue siendo, por tanto, totalmente relevante la determinación correcta de los resultados contables individuales y de sus bases imponibles[59].

En este sentido, podría cuestionarse hasta qué punto partir del resultado contable individual desvirtúa el propio concepto del grupo y de la consolidación, tal y como exponía Sáenz de Olazagoitia Díaz de Cerio[60]:

---

58 Blázquez Lidoy A. *El régimen de los grupos de sociedades en la Ley 43/1995 (fundamentos, subjetividad, régimen sancionador y requisitos).* 1ª Edición. Madrid. Centro de Estudios Financieros. 1999. Pág. 65.

59 Álvarez Melcón S. Régimen de consolidación fiscal en el Impuesto sobre Sociedades. En *Manual del Impuesto sobre Sociedades.* 1ª Edición. Madrid. Instituto de Estudios Fiscales. 2003. Pág. 862.

60 Sáenz de Olazagoitia Díaz de Cerio J. *La tributación consolidada de los Grupos de Sociedades. Régimen Vigente y un modelo para su Reforma.* Op. cit. Pág. 280.

> «En conclusión, la utilización de las bases imponibles individuales como medida para la «compensación» cuando unas son positivas o/y otras negativas, desvirtúa el propio concepto de consolidación. Además, restringe la consideración del grupo como «unidad de medida para el gravamen de las sociedades del grupo», a través del régimen de consolidación. No obstante, es necesario advertir que se puede alcanzar el mismo resultado utilizando el proceso alternativo, en cuanto que posteriormente se apliquen adecuadamente los ajustes extracontables. Pero esto no obsta a la conveniencia de utilizar el trayecto adecuado para alcanzar cada destino, en lugar de forzar los vehículos por el empeño de utilizar caminos más transitados».

De hecho, con la reciente modificación del régimen de consolidación y con la incorporación al artículo 62.1.a) de la LIS de las referencias al «grupo fiscal», hay autores[61] que se decantan por considerar que, en realidad, desde el año 2015, con la LIS, la base imponible consolidada en realidad converge al resultado contable consolidado. La determinación de la base imponible consolidada es en realidad un proceso en cadena definido en el artículo 62 de la LIS, que regula un orden de factores que debe ser respetado para su determinación[62] para obtener la base que refleja la verdadera capacidad económica del grupo fiscal.

El grupo fiscal también será el sujeto referente para la determinación de la renta individual previa, que posteriormente será sumada para conformar la base imponible consolidada, tal y como veremos más adelante.

En este sentido se pronuncian la mayor parte de los autores, como por ejemplo López Llopis[63], Peña Álvarez[64] o Sáenz de Olazagoitia Diaz de Cerio[65], cuando ponen de manifiesto que el grupo constituye una unidad eco-

---

61 Ruiz Quintanilla J. Aspectos controvertidos de la base imponible consolidada según la Ley 27/2014, En *Revista de Contabilidad y Tributación n.º 434*. 1ª Edición. Madrid. CEF. 2019. Pág. 84.

62 Esta advertencia es muy importante ya que, la alteración del orden, por ejemplo, procediendo a realizar una eliminación antes de aplicar las exenciones en base imponible individual, supondrían una errónea determinación de la base imponible consolidada.

63 López Llopis E. *El régimen especial de consolidación fiscal en el Impuesto sobre Sociedades* [...]. Op. cit. Pág. 21.

64 Peña Álvarez F. El grupo de sociedades: su problemática fiscal. En *Revista Española de Contabilidad y Fiscalidad n.º 23 y 24*. 1ª Edición. Madrid. AECA. 1978. Pág. 109.

65 Sáenz de Olazagoitia Díaz de Cerio J. *La tributación consolidada de los Grupos de Sociedades. Régimen Vigente y un modelo para su Reforma*. Op. cit. Pág. 148, 150 y 151.

nómica, de tal forma que, aunque existan varias sociedades, económicamente solo existe un único contribuyente, una única empresa. De la misma forma lo pone de manifiesto la propia AEAT[66].

La existencia de un grupo fiscal, como conjunto de sociedades, conlleva la necesidad de nombrar a una entidad que represente al grupo y es por ello por lo que el artículo 56 de la LIS establece quiénes son los representantes del grupo fiscal, indicando en su apartado 2 lo siguiente:

> «La entidad representante del grupo fiscal estará sujeta al cumplimiento de las obligaciones tributarias materiales y formales que se deriven del régimen de consolidación fiscal. Tendrá la consideración de entidad representante del grupo fiscal la entidad dominante cuando sea residente en territorio español, o aquella entidad del grupo fiscal que este designe cuando no exista ninguna entidad residente en territorio español que cumpla los requisitos para tener la condición de dominante».

Es decir, la representante del grupo será la entidad dominante o, en caso de que la sociedad dominante sea no residente en España, la entidad representante del grupo será la que se designe para tales funciones. De la lectura de dicho apartado nos podría surgir la duda, en casos de grupos fiscales con matriz no residente, cuando exista una sociedad en España que pueda tener la consideración de dominante residente, que sea esta entidad directamente la entidad representante del grupo fiscal, sin necesidad de que expresamente el grupo fiscal deba nombrar a dicha sociedad como representante. Sin embargo, no parece viable esta alternativa, en la medida en la que la propia ley hace referencia a entidades que sean dominantes porque ninguna otra entidad pueda tener tal consideración y, de acuerdo con el artículo 58.2.a) de la LIS, con la regulación vigente se permite, tras la reforma fiscal que entró en vigor el 1 de enero de 2015, que las entidades no residentes puedan tener la consideración de sociedades dominantes de un grupo fiscal español, si se cumplen el resto de los requisitos necesarios[67].

---

66 Así lo pone de manifiesto la propia AEAT a lo largo de la Nota relativa a la aplicación por el grupo de consolidación fiscal de bases imponibles negativas y deducciones procedentes de ejercicios anteriores. Agencia Tributaria. 5 de mayo de 2023.

67 De acuerdo con el criterio de la DGT (e.g. V3206-15 y V3116-15), para la adopción de dicho acuerdo, la LIS no exige que el acuerdo sea adoptado por el Consejo de Administración u órgano equivalente. Por tanto, puede ser adoptado por una persona u órgano debidamente apoderado para ello.

La importancia de este concepto de grupo fiscal como único contribuyente se desarrolla en detalle posteriormente, mostrando la relevancia de este concepto para la supervivencia del régimen de consolidación fiscal a futuro, al considerar que realmente el régimen no proporciona ventajas fiscales, sino que simplemente despliega los efectos propios como si el grupo se tratara de una única entidad.

3.2.3.1. El grupo como unidad ante la Administración: la responsabilidad solidaria

La unidad del grupo como único contribuyente es tal que incluso el legislador permite que cualquier actuación administrativa dirigida a cualquier sociedad del grupo, afecte directamente al plazo de prescripción del citado grupo fiscal[68], además de que las sociedades responderán solidariamente del pago de la deuda tributaria, sin incluir las sanciones[69]. Es el grupo fiscal una única unidad hasta el punto de que la comprobación por parte de la Administración[70] se hace dirigida al grupo fiscal y no a las sociedades individuales.

En este sentido, es preciso destacar la importancia de la figura de la entidad dominante y/o representante del grupo fiscal en los procedimientos de inspección iniciados contra el grupo fiscal[71], ya que: i) La comunicación de inicio de las actuaciones inspectoras realizada a la entidad dominante interrumpe la prescripción, aun cuando no se haya consignado en la comunicación la referencia al grupo, a las sociedades integrantes del mismo[72]; ii) las actuaciones

68 Artículo 56.4 de la LIS en el que se establece lo siguiente: «Las actuaciones administrativas de comprobación o investigación realizadas frente a cualquier entidad del grupo fiscal, con el conocimiento formal de la entidad representante del mismo, interrumpirán el plazo de prescripción del Impuesto sobre Sociedades que afecta al citado grupo fiscal».

69 De esta forma se desprende del artículo 57 de la LIS: «Las entidades del grupo fiscal responderán solidariamente del pago de la deuda tributaria, excluidas las sanciones».

70 Siendo competente para la comprobación e investigación de las entidades integradas en los grupos que tributen en el régimen de consolidación fiscal el «órgano de la Agencia Estatal de Administración Tributaria que corresponda de acuerdo con sus normas de estructura orgánica, tal y como dispone el artículo 47.3 del RIS».

71 Aguilera Medialdea JJ, Martín Rodríguez JG. *Manual de consolidación fiscal y contable* [...]. Op. cit. Pág. 1218-1222.

72 Sentencia de la Audiencia Nacional de 12 de febrero de 2007, rec. 250/2006.

seguidas con sociedades dependientes, sin expreso y formal conocimiento de la dominante, carecen de virtualidad interruptora respecto al IS del grupo[73]; iii) sin perjuicio de lo anterior, también es preciso tener en cuenta que la diligencia levantada a una entidad dependiente en actuaciones previas a las llevadas a cabo sobre la dominante, marcan el comienzo del cómputo del plazo de la prescripción[74]; de hecho, la exigencia de la deuda a las sociedades integrantes de un grupo fiscal de IS no es necesario realizarse mediante un procedimiento de responsabilidad regulado en los artículos 41, 174 y 175 de la LGT, sino mediante requerimiento de pago a las entidades integrantes del mismo como deudores solidarios regulados en el art. 35.7 de la LGT[75].

De acuerdo con lo expuesto, tomando en consideración la responsabilidad solidaria de las entidades del grupo fiscal, cabría preguntarse, ¿hasta qué punto y hasta cuándo se extiende dicha responsabilidad? Es decir, ¿qué sucedería con aquellas sociedades del grupo fiscal que salen del mismo? En principio, estas sociedades quedarán también sujetas a responsabilidad por el periodo de pertenencia al grupo, siendo esta responsabilidad solidaria, sin perjuicio de las reclamaciones extratributarias (vía civil) que se puedan interponer para exigir al resto de entidades la parte proporcional.

Y, ¿qué ocurre con las entidades que no pertenecen a un grupo fiscal, pero adquieren una explotación económica procedente de una sociedad que sí forma parte de un grupo de consolidación fiscal? A estos efectos, es preciso recordar que el artículo 42.1.c de la LGT establece como responsables solidarios a los siguientes sujetos:

> «Las que sucedan por cualquier concepto en la titularidad o ejercicio de explotaciones o actividades económicas, por las obligaciones tributarias contraídas del anterior titular y derivadas de su ejercicio. La responsabilidad también se extenderá a las obligaciones derivadas de la falta de ingreso de las retenciones e ingresos a cuenta practicadas o que se hubieran debido practicar. […]».

Por tanto, parece que los sujetos que adquieran explotaciones económicas de una entidad perteneciente a un grupo fiscal deberían responder soli-

73 Sentencia del Tribunal Supremo de 15 de diciembre de 2008, rec. 4906/2003.

74 Sentencia de la Audiencia Nacional de 23 de julio de 2009, rec. 141/2006.

75 Resolución TEAC de 19 de enero de 2023, RG 4118/2020.

dariamente por las deudas tributarias de la entidad que forma parte de un grupo y, en la medida en la que, como hemos expuesto, el grupo fiscal es un contribuyente único y la deuda de IS es única por el grupo fiscal, la entidad adquirente de la rama de actividad puede pasar a ser responsable solidaria de la deuda del grupo fiscal.

En el precepto mencionado también se pone de manifiesto lo siguiente:

> «Cuando resulte de aplicación lo previsto en el apartado 2 del artículo 175 de esta ley, la responsabilidad establecida en este párrafo se limitará de acuerdo con lo dispuesto en dicho artículo. Cuando no se haya solicitado dicho certificado, la responsabilidad alcanzará también a las sanciones impuestas o que puedan imponerse [...]».

Es decir, conforme al artículo 175.2 de la LGT[76] sería posible solicitar un certificado limitativo de deudas tributarias para que el adquirente solo deba responder por las deudas que recoja dicho certificado, una forma también de permitir al adquirente ajustar, de acuerdo con las circunstancias en las que se adquiere la rama de explotación, los términos del contrato.

Si embargo, bajo este contexto, de nuevo surgen dudas de cuál puede ser la deuda tributaria que recoja dicho certificado, es decir, las deudas de la entidad que cede la explotación económica (recordemos que un certificado limitativo de deudas tributarias no solo recoge las deudas relacionadas con IS, sino también con el resto de los impuestos) o la totalidad de las deudas del grupo fiscal.

La DGT parece pronunciarse tímidamente en su resolución a Consulta Vinculante de 15 de febrero de 2011[77], en la que se establece el siguiente planteamiento:

---

76 En particular, dicho precepto establece lo siguiente: «El que pretenda adquirir la titularidad de explotaciones y actividades económicas y al objeto de limitar la responsabilidad solidaria contemplada en el párrafo c) del apartado 1 del artículo 42 de esta ley, tendrá derecho, previa la conformidad del titular actual, a solicitar de la Administración certificación detallada de las deudas, sanciones y responsabilidades tributarias derivadas de su ejercicio. La Administración tributaria deberá expedir dicha certificación en el plazo de tres meses desde la solicitud. En tal caso quedará la responsabilidad del adquirente limitada a las deudas, sanciones y responsabilidades contenidas en la misma. Si la certificación se expidiera sin mencionar deudas, sanciones o responsabilidades o no se facilitara en el plazo señalado, el solicitante quedará exento de la responsabilidad a la que se refiere dicho artículo».

77 V0356-11.

> «Entidad que va a suceder en la titularidad o ejercicio de explotaciones o actividades económicas a otra entidad que forma parte de un grupo de sociedad en régimen consolidado. Se ha solicitado el certificado a que hace referencia el artículo 175.2 LGT en relación con la entidad a la que se va a suceder, habiéndose emitido por la Administración tributaria sin que se detalle deuda, sanción o responsabilidad alguna».

Bajo dicho planteamiento se cuestiona: «¿Se ha de pedir el certificado del artículo 175.2 LGT por todas las entidades que componen el grupo?

Esta resolución a la Consulta Vinculante parece poner de manifiesto que exclusivamente se recogerán en el certificado las deudas tributarias derivadas de la propia explotación económica:

> «Como consecuencia de los preceptos anteriores, la certificación deberá contener de manera detallada, para el caso de que existan, las deudas, sanciones y responsabilidades tributarias derivadas del ejercicio de las explotaciones o actividades económicas que van a ser objeto de sucesión.
> Ello quiere decir que si el certificado en cuestión no detalla deudas, sanciones y responsabilidades tributarias, no se producirá sucesión de responsabilidad por las mismas para el caso de que por cualquier causa existieran.
> En definitiva, de la regulación que se ha transcrito se extrae que la certificación se solicita respecto de la explotación y actividad a que se refiere la sucesión. En esta certificación la Administración tributaria deberá incluir las deudas, sanciones y responsabilidades tributarias derivadas de tal explotación y actividad».

Por tanto, parece que bajo este supuesto, la DGT ignora la consideración del grupo fiscal como contribuyente único o evita entrar en la cuestión, en aras de «favorecer» al adquirente, ajeno al grupo fiscal, de una explotación económica, siendo en todo caso cuestionable la materialización en la práctica del contenido de esta resolución a la Consulta Vinculante, en la medida en la que la deuda tributaria por IS de un grupo fiscal que se encuentra a disposición de la Administración Tributaria, quien debe proceder a resolver en cuanto a la expedición del certificado, no dispondría realmente de la cuota parte de deuda tributaria de IS.

En cualquier caso, este parece ser un ejemplo que pone de manifiesto la necesidad de entender correctamente el concepto de grupo fiscal como único contribuyente, tanto en el ordenamiento jurídico que como hemos visto y veremos a continuación sí que parece recoger dicha filosofía, como en las interpretaciones, especialmente de la Administración tributaria, de dicho texto normativo.

3.2.4. LA IMPORTANCIA DE LA FIGURA DEL GRUPO FISCAL COMO UNIDAD

En los apartados anteriores hemos puesto de manifiesto que el grupo fiscal aparece configurado como un ente único, es el contribuyente del IS, de tal forma que la doctrina considera que es el grupo fiscal el sujeto sobre el que deben girar todas las interpretaciones[78], además de que el propio legislador lo ha configurado como el sujeto pasivo contribuyente a efectos del impuesto[79].

La importancia de entender al grupo como único sujeto pasivo[80], y calificar la renta conforme al grupo fiscal nos lleva también a cuestionarnos si el régimen de consolidación fiscal y su interpretación a nivel de grupo podría estar generando una serie de incentivos o ventajas discriminatorias respecto del régimen general del Impuesto, por considerar deducibles determinadas rentas que, en el régimen general, no tendrían cabida.

Todo ello teniendo en cuenta las dificultades de definir al «grupo» como sujeto en la medida en la que no existe como tal una unicidad de concepto en los distintos ordenamientos jurídicos (mercantil, laboral e incluso en el mismo ordenamiento tributario si comparamos la tributación directa y la indirecta)[81] y teniendo en cuenta que el concepto de grupo fiscal nació in-

---

78 Narváez Luque A. Grupos de sociedades: aspectos contables y tributación. En *El control societario en los grupos de sociedades* [...]. Op. cit. Pág. 202: «La principal característica del régimen especial de consolidación fiscal, consiste en la consideración como contribuyente del Impuesto sobre Sociedades del grupo de sociedades, con independencia de las sociedades integrantes del mismo. De esta forma, en el ámbito de este impuesto, las sociedades integrantes del grupo conservarán todas las obligaciones tributarias a excepción, básicamente, del pago de la deuda tributaria derivada del Impuesto sobre Sociedades, que será asumido en exclusiva por el grupo fiscal como contribuyente independiente. La sociedad dominante del grupo sería la entidad responsable del pago de la deuda en nombre del grupo».

79 Artículo 56.1 de la LIS, que, recordemos, indica lo siguiente: «El grupo fiscal tendrá la consideración de contribuyente». Se reconocía ya como sujeto pasivo (no «contribuyente») del impuesto al grupo desde la Ley 43/1995, de 27 de diciembre, del Impuesto sobre Sociedades.

80 Ortega Carballo E, Atienza Pérez A. Interpretación de las «calificaciones» a nivel de grupo fiscal conforme a la normativa contable consolidada. En *Carta tributaria: Revista de opinión n.º 103*. 1ª Edición. Madrid. Aranzadi LA LEY. 2023.

81 Martín Rodríguez JG. *El concepto de Grupo en el Derecho Tributario y Mercantil Contable. Cuestiones pendientes de resolver* [...]. Op. cit. Pág. 25.

cluso antes que el concepto mercantil[82], aunque con escasa repercusión hasta años posteriores. Todo ello en línea con lo comentado anteriormente sobre las entidades del artículo 35.4 de LGT a la que la legislación les da personalidad jurídica a meros efectos tributarios.

En particular, cabría cuestionarse si debe o no buscar el régimen de consolidación fiscal una simetría con respecto al general, de tal forma que, si en el régimen de consolidación fiscal existe una determinada «ventaja», dicho incentivo debe estar reproducido en el general, con el objeto de evitar que el régimen especial pueda resultar en su conjunto una ventaja fiscal discriminatoria respecto de aquellas entidades que tributan individualmente. ¿Es el régimen de consolidación fiscal un sistema de ventajas o realmente constituye un mero diferimiento de rentas para adaptar la renta a la verdadera capacidad económica del grupo fiscal? ¿Pueden considerarse las ventajas del régimen de consolidación fiscal como «asimetrías» prohibidas respecto del régimen general de tributación a nivel individual?

Son cuestiones de difícil respuesta, en la medida en la que la existencia propia de un régimen especial ya supone que deba existir alguna diferencia respecto del régimen general, sin embargo, la cuestión que debe ser analizada es si dichas diferencias podrían ser lo suficientemente relevantes como para entender que el régimen de consolidación fiscal supone una discriminación respecto de aquellas entidades que tributan bajo el régimen general.

3.2.5. LA CONDENA DEL TJUE A LAS ASIMETRÍAS ENTRE REGÍMENES DEL IS

Todas estas cuestiones planteadas han surgido principalmente tras el análisis de determinados pronunciamientos del TJUE. Este tribunal es uno de los que más se ha pronunciado sobre el régimen de consolidación fiscal y la posibilidad de considerar que constituye un régimen discriminatorio tanto respecto del régimen general como en comparación con las entidades que pueden verse afectadas, residentes o no residentes. En sus diversos pronunciamientos el TJUE ha realizado, caso por caso, un análisis comparativo para concluir con la existencia de ventajas que deben ser objeto de equiparación respecto del régimen general.

---

[82] Peña Álvarez F. El grupo de sociedades: su problemática fiscal. En *Revista Española de Contabilidad y Fiscalidad n.º 23 y 24* [...]. Op. cit. Pág. 111.

Por ejemplo, es posible destacar la sentencia del TJUE de 22 de febrero de 2018[83] (Caso X BV y N BV). A través de esta sentencia el TJUE pone de manifiesto que no debe ser admisible la existencia de asimetrías en el régimen de consolidación fiscal en relación con el régimen general.

Concretamente, el TJUE se pronuncia sobre la compatibilidad con el Derecho de la Unión de las diferencias que resultan de la aplicación del régimen especial de consolidación frente al régimen general con respecto a dos cuestiones: **i)** la aplicación de cláusulas antiabuso especiales que se proyectan sobre la deducibilidad de intereses vinculados con operaciones de financiación y adquisición intragrupo de participaciones representativas de fondos propios de entidades, y **ii)** la no deducibilidad de pérdidas cambiarias sobre el valor de participaciones de entidades europeas.

El debate del TJUE se centra en determinar si las «ventajas» del régimen de consolidación fiscal citadas son o no compatibles con el Derecho de la Unión, teniendo en cuenta la posibilidad de trato discriminatorio respecto del régimen individual de tributación.

A través de este pronunciamiento, el TJUE considera lo siguiente:

> «Sin embargo, no puede deducirse de la sentencia de 25 de febrero de 2010, X Holding (C-337/08, EU:C:2010:89), que cualquier diferencia de trato entre sociedades pertenecientes a un grupo fiscal consolidado, por una parte, y sociedades no pertenecientes a dicho grupo, por otra parte, sea compatible con el artículo 49 TFUE. En lo que respecta a las ventajas fiscales distintas de la transmisión de las pérdidas al interior del grupo fiscal consolidado debe examinarse separadamente la cuestión de si un Estado miembro puede reservar esas ventajas a las sociedades que forman parte de un grupo en consolidación fiscal y, por tanto, excluirlas en situaciones transfronterizas (véase, en este sentido, la sentencia de 2 de septiembre de 2015, Groupe Steria, C-386/14, EU:C:2015:524, apartados 27 y 28)».

Es decir, considera que, con carácter general, el régimen de consolidación fiscal resulta compatible con el Derecho de la Unión, lo cual no impide aplicar el denominado «enfoque por elementos»[84], analizando

[83] Asuntos acumulados C-398/16 y C-399/16.

[84] Calderón Carrero JM. El TJUE revisita el régimen de consolidación fiscal de Países Bajos en relación con la deducibilidad de intereses por préstamos intragrupo y

si determinadas ventajas fiscales cuya aplicación solo se permite en los casos de consolidación fiscal supondría una restricción injustificada de las libertades de circulación en el mercado interior, todo ello bajo un «test de proporcionalidad»[85].

Finalmente, la sentencia del TJUE declara la incompatibilidad con el Derecho de la Unión el trato fiscal diferenciado que resulta de la referida medida restrictiva de la deducibilidad de intereses en el marco del régimen general respecto del tratamiento que resulta en relación con las mismas operaciones en el marco del régimen de consolidación fiscal[86].

---

de las pérdidas cambiarias por transmisión de participaciones. En *Revista Interactiva de Actualidad Tributaria (RIA AEDAF) n.º10*. 1ª Edición. Madrid. Aranzadi. 2018.

85 El citado «test de proporcionalidad» parte incluso de pronunciamientos previos del TJUE, tal y como lo expone Calvo Vérgez: «A través de su Sentencia de 25 de febrero de 2010 el Tribunal de Justicia de Luxemburgo vino a justificar la existencia de una diferencia de trato derivada de la legislación fiscal holandesa sobre la base de la concurrencia de una diferente situación objetiva entre un caso interno y otro transfronterizo. En efecto el Tribunal analiza la cuestión relativa a la justificación de la diferencia de trato adoptada por la normativa fiscal holandesa sobre la base de la existencia de una razón imperiosa de interés general que ha de ser adecuada de cara a garantizar el objetivo de la medida adoptada y que no debe ir más allá de lo necesario para su consecución. Nos estamos refiriendo al llamado test de proporcionalidad» (Calvo Vérgez J. La tributación de los grupos de sociedades transfronterizos en el impuesto sobre sociedades a la luz de la reciente jurisprudencia comunitaria. En *Gaceta jurídica de la Unión Europea y de la Competencia n.º 25*. 1ª Edición. Madrid. Einsa. 2012. Pág. 5).

86 En concreto, el criterio que asienta el TJUE es el siguiente: «1) Los artículos 49 TFUE y 54 TFUE deben interpretarse en el sentido de que se oponen a una normativa nacional, como la controvertida en el litigio principal, en virtud de la cual una sociedad matriz establecida en un Estado miembro no está autorizada a deducir los intereses de un préstamo contraído con una sociedad vinculada a fin de financiar una aportación de capital a una filial establecida en otro Estado miembro, mientras que si la filial estuviera establecida en el mismo Estado miembro, la sociedad matriz podría disfrutar de dicha deducción formando con ella una unidad de tributación conjunta.
2) Los artículos 49 TFUE y 54 TFUE deben interpretarse en el sentido de que no se oponen a una normativa como la controvertida en el litigio principal, en virtud de la cual una sociedad matriz establecida en un Estado miembro no está autorizada a deducir de sus beneficios las minusvalías derivadas de las variaciones en el tipo de cambio relativas a los importes de sus participaciones en una filial establecida en otro Estado miembro, cuando esa misma normativa no somete al impuesto, de manera simétrica, las plusvalías derivadas de dichas variaciones».

Téngase en cuenta que, aunque el TJUE no se pronuncia sobre desigualdades fiscales puramente internas, su sentencia ofrece una lógica que puede extrapolarse al análisis de regímenes fiscales nacionales. En efecto, el principio de no discriminación entre sociedades residentes en distintos Estados miembros, basado en la comparabilidad objetiva de situaciones y la exigencia de justificación razonable de las diferencias de trato, puede trasladarse como criterio hermenéutico al ámbito interno, en conexión con los principios constitucionales de igualdad (artículo 14 CE), capacidad económica y generalidad tributaria (artículo 31.1 CE). Así, sin que exista un mandato vinculante derivado del Derecho de la Unión, se podría sostener que las asimetrías internas carentes de justificación suficiente —por ejemplo, en favor de sociedades integradas en determinados grupos o regímenes especiales— deben ser objeto de especial consideración desde una perspectiva constitucional y de justicia tributaria.

Considera Calvo Vérgez[87], respecto del pronunciamiento del TJUE lo siguiente:

> «Estima así el TJUE que aquellas ventajas fiscales que concede un determinado Estado miembro en relación con la inversión efectuada en diversas filiales radicadas en el citado Estado han de ser extendidas y aplicadas de forma simétrica y paritaria a la inversión efectuada en filiales comunitarias. De este modo la deducción de gastos financieros en los que se haya incurrido para la adquisición de participaciones de filiales extranjeras han de resultar deducibles en los mismos términos que cuando a través de tales gastos se están financiando adquisiciones de filiales domésticas».

Recalca el autor las consecuencias del pronunciamiento del TJUE, que no son otras que la búsqueda de un trato equitativo a situaciones que aparentemente son objetivamente comparables. El pronunciamiento y sus consecuencias resultan totalmente relevantes, en la medida en la que es posible su extensión a otro tipo de situaciones para evitar el posible tratamiento discriminatorio.

---

87 Calvo Vérgez J. La tributación de los grupos de sociedades transfronterizos en el impuesto sobre sociedades a la luz de la reciente jurisprudencia comunitaria. En *Gaceta jurídica de la Unión Europea y de la Competencia n.º 25* [...]. Op. cit. Pág. 7.

Por su parte, de acuerdo con autores como Calderón[88], tal declaración de incompatibilidad con el Derecho de la Unión Europea:

> «[…] no sólo trae consigo sus efectos típicos (v.gr, la eventual devolución de ingresos indebidos y/o responsabilidad patrimonial allí donde proceda dependiendo del caso) sino que además podría terminar impactando sobre la regulación del régimen de consolidación fiscal de los distintos Estados miembros que lo establecen y traer consigo cambios en el mismo que pueden determinar el «estrechamiento» de las ventajas fiscales inherentes a dicho régimen».

Es decir, con las interpretaciones del TJUE podríamos estar ante un reconocimiento de un régimen fiscal que, en conjunto, es contrario al principio de no discriminación y que genera ventajas que no son incorporadas en el régimen general. Dicha conclusión nos podría llevar incluso a dudar de la existencia del régimen, en la medida en la que, por ejemplo, una de sus principales «ventajas» consiste en la compensación intraperiódica de rentas generadas por distintas sociedades del grupo, que en todo caso se encuentra prohibida en el régimen general (especialmente desde que el legislador prohibió la compensación de pérdidas de filiales mediante la supresión del régimen de los deterioros de participaciones).

Estas conclusiones no solo pueden constituir un obstáculo en el propio régimen de consolidación fiscal de cada país, sino también en la futura compensación de pérdidas transfronterizas[89], ya que se exigiría analizar cada régimen fiscal general de cada Estado, con el objeto de concluir si una posible compensación de pérdidas entre distintas entidades podría suponer una discriminación respecto del régimen general de tributación.

---

88 Calderón Carrero JM. El TJUE revisita el régimen de consolidación fiscal de Países Bajos en relación con la deducibilidad de intereses por préstamos intragrupo y de las pérdidas cambiarias por transmisión de participaciones. En *Revista Interactiva de Actualidad Tributaria (RIA AEDAF) n.º10* […]. Op. cit. Pág. 10-13.

89 A estos efectos, téngase en cuenta que, mientras que hay países en la Unión Europea que no disponen de un régimen de consolidación fiscal (Bulgaria, República Checa, Croacia, Eslovaquia, Eslovenia, Estonia, Grecia, Hungría, Letonia y Rumanía), hay otros países que permiten expresamente la compensación de pérdidas transfronterizas (Francia e Italia). Estos últimos podrían permitir simplificar en gran medida en estos Estados la implantación de una consolidación común y reparto de pérdidas entre Estados.

En cualquier caso, el pronunciamiento del TJUE citado no hace más que poner de manifiesto una doctrina interpretativa del tribunal que parecía quedar reflejada en sentencias precedentes.

Nos referimos, por ejemplo, a la sentencia de 25 de febrero de 2010[90] (Caso X holding BV) por la que el TJUE analizaba si:

> «se oponen a la normativa de un Estado miembro que permite a una sociedad matriz constituir una unidad fiscal con su filial residente, pero no permite la constitución de dicha unidad fiscal con una filial no residente si los beneficios de esta última no están sometidos a la legislación fiscal de dicho Estado miembro».

Aunque finalmente el Tribunal consideraba que no era contraria a la Unión dicha afirmación, sí que pone de manifiesto la necesidad de analizar situaciones que son comparables:

> «Para que semejante diferencia de trato sea compatible con las disposiciones del Tratado CE relativas a la libertad de establecimiento, es preciso que afecte a situaciones que no sean objetivamente comparables o resulte justificada por una razón imperiosa de interés general (véase, en este sentido, la sentencia de 12 de diciembre de 2006, Test Claimants in the FII Group Litigation, C-446/04, Rec. p. I-11753, apartado 167)»[91].

Nos referimos también a la sentencia de 2 de septiembre de 2015[92] (caso Groupe Steria), en la que se planteaba también una desigualdad entre el régimen individual y el régimen de consolidación fiscal:

> «La demandante señaló en este sentido la desigualdad de trato entre los dividendos percibidos por una sociedad matriz de un grupo en consolidación fiscal, dependiendo de si los dividendos provienen de sociedades que sean ellas mismas miembros de ese grupo fiscal, lo que implica que estén establecidas en Francia, o que provengan de filiales establecidas en otros Estados miembros. En efecto, los dividendos quedan totalmente exentos del impuesto sobre sociedades únicamente en la primera situación, debido a la neutralización, en aplicación del artículo

---

90 Asunto C-337/08.

91 Es preciso tener en cuenta que esta cuestión relativa a la integración de filiales no residentes en el ámbito del régimen de consolidación fiscal es una de las principales cuestiones a determinar en el actual debate en torno a la armonización de las bases imponibles del IS del conjunto de los Estados miembros, en el proyecto de Directiva BICCIS.

92 Asunto C-386/14.

> 223 B del CGI, de la integración —dentro del beneficio de la sociedad matriz— de la parte proporcional de gastos y cargas»[93].

Ante tal situación de desigualdad, el TJUE consideraba lo siguiente:

> «Ahora bien, una diferencia de trato como la controvertida en el litigio principal no puede estar justificada por la necesidad de preservar el reparto equilibrado de la potestad tributaria entre los Estados miembros. En efecto, esa diferencia de trato versa únicamente sobre los dividendos recibidos, percibidos por sociedades matrices residentes, de modo que afecta a la soberanía fiscal de un único Estado miembro (véase, en este sentido, la sentencia Papillon, C-418/07, EU:C:2008:659, apartados 39 y 40)
> [...] En efecto, aunque como sostiene el Gobierno francés, la neutralización de la integración de la parte proporcional de gastos y cargas resulta de la asimilación del grupo constituido por la sociedad matriz y sus filiales a una única empresa con diversos establecimientos, esa neutralización no crea ninguna desventaja fiscal a la sociedad matriz cabecera del grupo fiscal consolidado sino que, por el contrario, como resulta de los apartados 17 a 19 de la presente sentencia, le confiere la ventaja fiscal controvertida en el litigio principal.
> [...] Del conjunto de consideraciones que preceden resulta que procede responder a la cuestión planteada que el artículo 49 TFUE debe interpretarse en el sentido de que se opone a una normativa de un Estado miembro relativa a un régimen de consolidación fiscal en virtud de la cual una sociedad matriz que lo integra disfruta de la neutralización de la integración de una parte proporcional de gastos y cargas fijados de forma uniforme en el 5 % del importe neto de los dividendos percibidos por ella de las sociedades residentes que forman parte de la consolidación, mientras que dicha neutralización le es denegada, en virtud de dicha normativa, respecto a los dividendos que le son distribuidos por sus filiales situadas en otro Estado miembro que, si hubiesen sido residentes, habrían tenido derecho objetivamente a que se les aplicara, opcionalmente, el régimen de consolidación».

Es decir, de nuevo el TJUE considera que las diferencias de trato entre ambos regímenes no pueden ser admitidas a la luz del Derecho de la Unión.

---

[93] En este sentido, resulta interesante tener en cuenta el contenido de la finalmente no aprobada ley de presupuestos del ejercicio 2019, que pretendía incluir una limitación a la exención del artículo 21 de la LIS, reduciéndola al 95%, medida que podría verse influenciada por el contenido de la sentencia del TJUE del grupo Steria, de tal forma que podría interpretarse que el TJUE da el visto bueno a la tributación de los dividendos en cadena.

Con base en lo expuesto, resulta indudable que el pronunciamiento X BV y N BV es coherente con la jurisprudencia del TJUE precedente (X Holding BV y Groupe Steria)[94].

Por tanto, con dichos pronunciamientos europeos se deduce que los regímenes de consolidación fiscal de los Estados miembros, con carácter general, son compatibles con el Derecho de la Unión, como así lo consideran autores con Sanz Gadea[95]. Sin embargo, cuando de los mismos puedan deducirse

---

94 También es coherente con otra jurisprudencia comunitaria tal y como pone de manifiesto Calvo Vérgez, Juan:
«[...] Con carácter general el TJUE ha venido estimando a este respecto a través, entre otras, de su conocida Sentencia Marks & Spencer que, si se otorga a las sociedades la facultad de optar entre el Estado miembro en el que se encuentra situado su establecimiento y otro Estado miembro con la finalidad de imputar sus pérdidas podría llegar a ponerse en serio riesgo el necesario equilibrio que ha de existir en el reparto de la potestad tributaria entre los distintos Estados. Y ello en tanto en cuanto, mientras que la base imponible del Impuesto se vería incrementada en el primer Estado miembro, dicha base mutatis mutandis resultaría minorada en el segundo por el valor de las pérdidas transferidas. En efecto, se originaría así un cierto «riesgo de transferencia de pérdidas» de un Estado a otro que, inevitablemente, terminaría repercutiendo en la recaudación tributaria de los Estados y, por ende, en el propio reparto de poder tributario entre los Estados. Proyectando dicha situación en el marco de un régimen como el de consolidación fiscal, cabría la posibilidad de que la sociedad matriz terminase optando libremente por la constitución de una unidad fiscal con su filial decidiendo con idéntica libertad la disolución de dicha unidad fiscal de un ejercicio a otro. En otras palabras, existiría libertad fiscal para poder elegir el régimen fiscal aplicable a las pérdidas de dicha filial así como el lugar de imputación de las mismas. Y, en tanto en cuanto el perímetro de una concreta unidad fiscal podría llegar a modificarse pudiendo llegar a incluirse en dicha unidad a una filial no residente, podría finalmente estar permitiéndose a la matriz la libre elección del Estado en el que poder imputar las pérdidas de dicha filial. Pues bien, a juicio del Tribunal en el presente caso resulta justificada la restricción fiscal indicada con anterioridad atendiendo únicamente a la consabida necesidad de mantener el reparto del poder tributario entre los distintos Estados miembros.» CALVO VÉRGEZ J. La tributación de los grupos de sociedades transfronterizos en el impuesto sobre sociedades a la luz de la reciente jurisprudencia comunitaria. En *Gaceta jurídica de la Unión Europea y de la Competencia n.º 25* [...]. Op. cit. Pág. 6).

95 SANZ GADEA E. Plusvalías en la transmisión intragrupo transfronteriza de activos. (Análisis de la STJUE de 16 de febrero de 2023, asunto C-707/20). En *Revista de Contabilidad y Tributación n.º 484*. 1ª Edición. Madrid. CEF. 2023. Pág. 116: «La técnica de determinación de la base imponible consolidada, prevista en la Ley 27/2014, procura un tratamiento homogéneo de ciertas operaciones en los ámbitos individual y consolidado, lo que permite evitar conflictos con las libertades comunitarias, en particu-

ventajas fiscales exclusivamente aplicables en el marco de tal régimen especial y que pueden generar diferencias de trato respecto del régimen general y tales diferencias no se justifican adecuadamente, dichas ventajas son contrarias al derecho de la Unión.

Tal y como se ha puesto de manifiesto, más allá incluso de la declaración de incompatibilidad de la discriminación con el Derecho de la Unión, una de las principales implicaciones derivada de este pronunciamiento del TJUE, pasaría por incrementar la complejidad (y reducir el atractivo) del régimen de consolidación fiscal y aumentar los costes de cumplimiento tributario en relación con el mismo[96].

Es decir, el TJUE condena cualquier intento de desigualdad en el tratamiento de la renta en función de si es de aplicación el régimen general o lo es el régimen especial (aunque, como se adelantaba, lo esté tratando con la comparativa de diferentes jurisdicciones), pudiendo estas interpretaciones hacernos cuestionar incluso la existencia del propio régimen de consolidación fiscal. El TJUE condena las asimetrías de tal forma que debe entenderse que cualquier renta negativa que sería fiscalmente deducible en sede de una entidad individual, también debería serlo en el régimen consolidado y viceversa. ¿Existen asimetrías en el régimen de consolidación fiscal en España? Haremos mención a dichas posibles «asimetrías» en los siguientes apartados.

---

lar con la libertad de establecimiento, sin diluir las ventajas que depara el régimen de los grupos fiscales.

Cuestión distinta es que dichas ventajas puedan considerarse justificadas por el hecho de que el grupo fiscal responda a la existencia de una unidad económica, siendo así que la sujeción pasiva está basada, esencialmente, en la personalidad jurídica.

Los problemas abordados por las sentencias del TJUE [STJUE de 16 de febrero de 2023, asunto C-707/20, Caso Gallaher] han derivado de que esa unidad económica puede rebasar el perímetro nacional, en tanto que, de ordinario, las legislaciones que reconocen la tributación consolidada limitan su aplicación a dicho perímetro nacional. Vistas en su conjunto, esas sentencias han constituido una respuesta equilibrada, asumible por las legislaciones nacionales, en particular por la española, como ha quedado expuesto».

96 Calderón Carrero JM. El TJUE revisita el régimen de consolidación fiscal de Países Bajos en relación con la deducibilidad de intereses por préstamos intragrupo y de las pérdidas cambiarias por transmisión de participaciones. En *Revista Interactiva de Actualidad Tributaria (RIA AEDAF) n.º10* [...]. Op. cit. Pág. 12.

3.2.6. EL GRUPO Y EL PRINCIPIO DE NEUTRALIDAD FISCAL

El criterio del TJUE incluso puede tener su fundamento en España en el propio principio de neutralidad fiscal del IS.

El principio de neutralidad exige que la aplicación del IS no altere el comportamiento económico de los contribuyentes, y se configura como un principio esencial inspirado en la propia Constitución Española y estrechamente vinculado a los principios de generalidad e igualdad, tal y como se pone de manifiesto en la propia exposición de motivos de la LIS, en la que se señala lo siguiente:

> «La Ley 43/1995, de 27 de diciembre, del Impuesto sobre Sociedades estableció las reglas esenciales de la actual estructura del Impuesto sobre Sociedades, inspirada en los principios de neutralidad, transparencia, sistematización, coordinación internacional y competitividad. [...] La presente Ley mantiene la misma estructura del Impuesto sobre Sociedades que ya existe desde el año 1996, de manera que el resultado contable sigue siendo el elemento nuclear de la base imponible y constituye un punto de partida clave en su determinación. No obstante, esta Ley proporciona esa revisión global indispensable, incorporando una mayor identidad al Impuesto sobre Sociedades, que ha abandonado hace tiempo el papel de complemento del Impuesto sobre la Renta de las Personas Físicas, pero sin abandonar los principios esenciales de neutralidad y justicia inspirados en la propia Constitución. [...]
> a) Neutralidad, igualdad y justicia. Estos tres principios constitucionales se convierten en objetivo primordial de la actual reforma, de manera que la aplicación de los tributos no genere alteraciones sustanciales del comportamiento empresarial, salvo que el Impuesto resulte indispensable para cubrir determinadas ineficiencias producidas por el propio mercado. Fuera de estos supuestos, el Impuesto sobre Sociedades sigue manteniendo y agudizando su carácter neutral e igualitario».

La LIS hace referencia expresa al contenido de la Ley 43/1995, de 27 de diciembre, en cuya exposición de motivos se explicita en qué consiste este principio de neutralidad y recalca su importancia al indicar:

> «El principio de neutralidad exige que la aplicación del tributo no altere el comportamiento económico de los sujetos pasivos, excepto que dicha alteración tienda a superar equilibrios ineficientes de mercado. Bien se comprende que el principio de neutralidad responde al objetivo económico de la eficacia en la asignación de los recursos económicos. Sin embargo, aunque de naturaleza económica, enlaza perfectamente con los principios constitucionales de generalidad e igualdad, de aquí que conforme el eje de la presente Ley.

Medidas tales como la eliminación de la doble imposición de dividendos, el acercamiento entre la base imponible y el resultado contable, el carácter selectivo de los incentivos fiscales y su justificación con base en equilibrios ineficientes de mercado y la indiferencia del tipo de gravamen frente a la aplicación del beneficio responden, entre otras, al principio de neutralidad».

Es posible apreciar, por tanto, que la propia LIS incluye el principio de neutralidad, inspirado en los principios constitucionales de igualdad y generalidad, como vía para evitar que en función de las distintas estructuras societarias puedan existir tratamientos tributarios distintos y discriminatorios.

Aunque conviene tener presente la interpretación de ciertos autores como Gómez-Olano González que, en relación con el principio de neutralidad y el régimen de consolidación fiscal, consideran lo siguiente:

> «Es decir, la aplicación del principio de neutralidad fiscal dentro del régimen de los grupos de sociedades significa que no debe variar la tributación de una empresa en función de la estructura jurídica que se decida adoptar. O en otras palabras, que un grupo de sociedades sometido al régimen de consolidación fiscal debería ser gravado, en esencia, de la misma forma en que lo sería una única persona jurídica»[97].

Confirma el autor la vinculación con el principio de igualdad, de tal forma que «la capacidad económica de una empresa que se configura a través de una única persona jurídica es idéntica a la de esa misma empresa que decide organizarse a través de un entramado de sociedades (...) en virtud del principio de igualdad, ambas empresas deberían ser gravadas de la misma forma en uno y otro caso»[98].

En cualquier caso, el criterio del TJUE permite incluso dudar de varias cuestiones reguladas en la normativa en el régimen de consolidación fiscal que suponen diferencias respecto del régimen general, como, por ejemplo, a la que ya hemos hecho mención, esto es, al tratamiento de la deducibilidad fiscal de la renta negativa de las entidades del grupo fiscal.

---

97 Gómez-Olano González D. La aplicación de la deducción por reinversión en el régimen de consolidación fiscal. Consideraciones la luz del principio de neutralidad fiscal. En *Revista de doctrina, legislación y jurisprudencia año n.º 21 y n.º 1* [...]. Op. cit. Pág. 254.

98 *Ibid.* Pág. 5.

Todo ello sobre la base de que el grupo fiscal en realidad solo refleja un régimen especial de tributación, no siendo un «ente con vida propia» aunque ostente personalidad jurídica en el ámbito tributario[99].

3.2.7. LA EXPRESIÓN DEL GRUPO FISCAL COMO ÚNICO SUJETO: INEXISTENCIA DE VENTAJAS FISCALES

Sin perjuicio de la anterior concepción, retomando las ideas que deja entrever el autor Gómez-Olano González, también es posible adoptar una interpretación distinta que permite «mantener vivo» el régimen de consolidación fiscal sin que sus particularidades supongan ventajas respecto del resto de entidades, postura que es mantenida por expertos como Ortega Carballo[100]: es posible considerar que el grupo fiscal es un sujeto único, de tal forma que en el régimen de consolidación en realidad no habría ventajas, sino que dichas «ventajas» solo serían la forma más real de hacer tributar a un único sujeto como sería el grupo fiscal[101]. De hecho, en línea con lo que considera López Santacruz, como el grupo fiscal no tiene personalidad jurídica, se le concede de forma expresa la condición de contribuyente en el ámbito del régimen fiscal de consolidación fiscal[102].

---

99 Botella García-Lastra C. *La armonización de la base imponible común consolidada del IS y su incidencia en el sistema tributario español.* 1ª Edición. Navarra. Aranzadi. 2016. Pág. 152.

100 Ortega Carballo E. *Tributación Consolidada.* XXVI Encuentro. Madrid. 2019.

101 De una forma similar se planteaba ya sutilmente por Montejo Alonso, Bosco: «Sin embargo, creemos que en el asunto objeto de análisis tal requisito de identidad y sujeto pasivo sí que concurría, puesto que tanto ventaja fiscal (imputación de la pérdida producida en una filial) como carga correlativa (eliminación de la provisión) se producen en sede del mismo sujeto pasivo del impuesto sobre sociedades francés, Papillon como entidad dominante del grupo fiscal (pues bajo el régimen de consolidación fiscal francés, la sociedad matriz es gravada, como sujeto pasivo, por los beneficios agregados de todo el grupo» Montejo Alonso B. Caso Papillon, Sentencia del TJCE de 27 de noviembre de 2008. En *Anuario Fiscal para abogados. Los casos más relevantes en 2008 de los grandes despachos n.º 1.* 1ª Edición. Madrid. Aranzadi LA LEY. 2009. Pág. 7-8.

102 López Santacruz Montes JA. *Reforma del Impuesto sobre Sociedades 2015.* 1ª Edición. Madrid. Francis Lefebvre. 2015. Pág. 353.

Como se detallará en apartados posteriores en cada caso concreto, esta interpretación consigue superar cualquier «asimetría» y permite considerar que el régimen respeta el principio de neutralidad fiscal y el principio de no discriminación.

Ello es así en tanto que todo lo que ocurre a nivel de grupo fiscal, en realidad es como si ocurriera a nivel de una entidad individual, de tal forma que cualquier «ventaja» no es tal, ya que, por ejemplo, la compensación intra-periódica que permite el régimen de consolidación fiscal en realidad es una manifestación de la compensación de rentas positivas y negativas a nivel individual[103]. Y esto puede extenderse a cualquier otra «ventaja» derivada del régimen, por ejemplo, la inexistencia de obligación de retención por operaciones intragrupo u obligaciones de documentación por las operaciones vinculadas. Y es que, bajo esta interpretación, no estaríamos ante «ventajas», equiparando al grupo como ente con cualquier otra entidad que tribute bajo el régimen individual[104].

A mayor abundamiento, como fundamento de lo anterior, es preciso comparar la similitud del régimen de consolidación fiscal y una operación de fusión[105], de tal forma que, con ambas situaciones, se pretende obtener un único sujeto, siendo el grupo una ficción fiscal, pero que en definitiva debe seguir el mismo tratamiento que una operación de fusión, permitiéndose en dichos casos considerar al sujeto como único. El propio Tribunal Supremo dejó claras las diferencias entre una fusión y el régimen de consolidación fiscal considerando que en el régimen de consolidación

---

103 De alguna manera, se podría plantear que la situación es similar a alegar que existe una vulneración del principio de neutralidad por las diferencias que existen entre el Impuesto sobre la Renta de las Personas Físicas y el IS (sociedad vs. empresario individual); al estar en realidades diferenciadas, no parece que sea posible indicar que existe vulneraciones. Entendemos que la comparativa no puede ser la misma, ya que el grupo fiscal y la entidad individual tributan por el mismo impuesto y dentro del mismo impuesto es donde entendemos que no deberían existir diferencias, más cuando el propio legislador ha regulado al grupo fiscal como el «contribuyente» al igual que la entidad que tributa en régimen individual.

104 Una entidad que realizara una transacción consigo misma no estaría obligada a tener que retenerse a sí misma o a tener que documentar la valoración a mercado estas operaciones.

105 Ucelay Sanz I. *Tributación Consolidada*. XXVI Encuentro. Madrid. 2019.

no se produce la extinción de la personalidad jurídica de las sociedades, a pesar de que quedan sometidas a un único poder de decisión[106].

Las particularidades de las dos interpretaciones expuestas, la de condenar cualquier asimetría entre el régimen general y el especial y la idea de considerar que no existen asimetrías por ser el grupo un único sujeto en comparación con la entidad individual, hacen que sea necesario analizar en cada caso el alcance de su repercusión para la supervivencia del régimen de consolidación fiscal.

En este sentido, podría plantearse hasta qué punto el régimen de consolidación fiscal, bajo la idea de contribuyente único, podría llegar a ser discriminatoria, sobre todo teniendo en cuenta que no todos los grupos contables pueden tener la consideración de grupos fiscales ya que la norma no otorga dicha posibilidad si no se cumplen determinados requisitos que no coinciden con la norma contable. Asimismo, el régimen de consolidación es voluntario y no todas las entidades tienen por qué optar, lo que también podría generar situaciones discriminatorias.

¿Existe discriminación por no integrar a las entidades dependientes no residentes en el concepto de grupo fiscal? El hecho de que exclusivamente entidades residentes en España puedan constituirse como sociedades dependientes del grupo fiscal puede resultar del todo improcedente por considerarse discriminatorio y contrario a la libertad de establecimiento, tal y como ya ocurrió con la consideración de entidad dominante de una entidad no residente[107]. Nada extrañaría que la normativa fuese modificada en el mismo

---

106 Sentencias del Tribunal Supremo números 678/1985 y 9384/1992.

107 La jurisprudencia del TJUE ha sido determinante para la evolución del régimen español de consolidación fiscal, especialmente en la inclusión de entidades no residentes como dominantes o dependientes.
En la sentencia de 18 de noviembre de 1999 (C-200/98, Caso X AB y Y AB contra Riksskatteverket), el Tribunal estableció que las diferencias de trato por el domicilio de las filiales restringen la libertad de establecimiento, debiendo estas gozar de los mismos beneficios que las residentes. Posteriormente, la sentencia de 27 de noviembre de 2008 (C-418/07) declaró que la libertad de establecimiento se opone a excluir del grupo fiscal a filiales nacionales controladas a través de intermedias en otros Estados miembros, lo que en España abrió la puerta a integrar filiales de entidades no residentes en la consolidación fiscal.
Por su parte, la sentencia de 25 de febrero de 2008 (C-337/08, Caso X Holding BV contra Staatssecretaris van Financiën), comparando una situación interna (matriz y filiales

sentido que la modificación normativa relativa a la entidad dominante, en la medida en que podría producirse una vulneración de la libertad de establecimiento[108].

Tomando en consideración lo expuesto, como veremos a lo largo del trabajo, parece que entender al grupo fiscal como un ente único, que en su conjunto debe compararse con la entidad individual, permitiría superar la interpretación sobre la existencia de asimetrías, para lograr integrar el régimen de consolidación fiscal como un régimen que respeta por completo los principios constitucionales y europeos.

---

nacionales) con una comunitaria (matriz nacional y filial extranjera), reconoció que el trato favorable a la primera puede disuadir inversiones y restringir la libertad de establecimiento, si bien aceptó que un Estado permita la unidad fiscal solo con filiales residentes cuando las no residentes no tributen en él, criterio considerado incoherente frente a otras resoluciones.

En la sentencia de 6 de septiembre de 2012 (C-18/11, Caso Philips Electronics UK Ltd), el TJUE admitió el aprovechamiento de pérdidas de filiales extranjeras si no pueden ser deducidas doblemente, y priorizó la libertad de establecimiento frente a restricciones derivadas de la residencia de sociedades intermedias.

La sentencia de 12 de junio de 2014 (C-39/13, C-40/13 y C-41/13) declaró contraria a los arts. 49 y 54 TFUE la normativa que excluye de la unidad fiscal a filiales controladas vía entidades no residentes o que impide su aplicación a sociedades hermanas residentes cuando la matriz común no es residente.

En conjunto, la jurisprudencia anterior a 1 de enero de 2015, junto con pronunciamientos posteriores, constituye la base de la reforma española y respalda propuestas como la Directiva BEFIT, orientadas a evitar vulneraciones del principio de libertad de establecimiento en grupos con filiales no residentes.

108 De hecho, las propuestas de Directivas BICIS y BICCIS recogían un paso más a la unificación de entidades, residentes o no residente, en las que se muestra la materialización de una unión fiscal de todas las entidades residentes en la UE, e incluso la posibilidad de compensación de pérdidas trasfronterizas.

SEGUNDA PARTE
LA RENTA NEGATIVA EN EL RÉGIMEN DE CONSOLIDACIÓN FISCAL ESPAÑOL

Tras el análisis en el apartado anterior de aspectos relevantes del régimen de consolidación fiscal en España que inciden en los siguientes capítulos, en este epígrafe se procede a la exposición del tratamiento de las pérdidas en el régimen de consolidación fiscal español, destacando su problemática y consecuencias jurídicas, profundizando en detalle en el triple concepto de renta negativa concatenada o formas de compensación, realzando la importancia de entender al grupo fiscal como una unidad, conforme a lo expuesto en el capítulo anterior.

De esta forma, a través de los siguientes apartados se pretende llegar a un mayor entendimiento de la compensación de la renta negativa en el régimen de consolidación fiscal, con objeto de alcanzar una mayor comprensión de las posibilidades de efectuar un régimen de compensación de pérdidas transfronterizas.

Capítulo 4
NACIMIENTO DE LA RENTA NEGATIVA CONTABLE Y FISCAL

Las empresas, como operadores económicos y principal motor del mercado, son generadores de beneficios que se reportan a la economía mundial.

Sin embargo, no en todas las ocasiones las entidades generan beneficios, de tal forma que nos encontramos con situaciones en las que los gastos exceden de los ingresos y lo que se produce es una pérdida contable. A estos efectos, resulta conveniente diferenciar contablemente el concepto de pérdida de la definición de gasto. Esta pérdida contable puede resultar en una base imponible fiscal negativa o no, en función de si esa pérdida contable es fiscalmente deducible. Por ello, desde un punto de vista fiscal, también es preciso diferenciar entre renta negativa contable que es fiscalmente deducible y renta negativa contable que no tendrá la consideración fiscal de deducible, siendo necesario partir de una definición del concepto de «renta negativa» en el régimen general del IS para acabar con el entendimiento de las pérdidas en el régimen de consolidación fiscal.

Lo anterior, tomando en consideración que el régimen de consolidación fiscal no parte del resultado contable consolidado, sino que se configura a partir del resultado contable individual de cada una de las entidades que conforman el grupo fiscal, con las particularidades expuestas del artículo 62.1.a) de la LIS.

4.1. RENTA NEGATIVA CONTABLE

La Primera Parte del Marco Conceptual del PGC[109], define el concepto de «gasto» como:

> «[...] decrementos en el patrimonio neto de la empresa durante el ejercicio, ya sea en forma de salidas o disminuciones en el valor de los activos, o de reconocimiento o aumento del valor de los pasivos, siempre que no tengan su origen en distribuciones, monetarias o no, a los socios o propietarios, en su condición de tales».

A pesar de que el citado PGC incluye definiciones que pueden considerarse excesivamente teóricas, estas son relevantes en la práctica a los efectos de considerar su existencia y poder llevar a cabo un reflejo práctico adecuado[110].

De esta forma, los gastos, con carácter general, recogen partidas que se asocian a «inversiones» o «salidas» producidas por los empresarios para conseguir generar ingresos en un plazo cierto. Por tanto, de acuerdo con el contenido del PGC, un gasto parece constituir una disminución del capital de la empresa con el objetivo último de obtener ingresos en el futuro.

Por su parte, el concepto de «pérdida» incluye un nivel más en la configuración del resultado del ejercicio, ya que la pérdida contable se identifica con una disminución del activo de la empresa, es decir, con una minoración de los bienes y derechos de la entidad[111]. Esto es, las que se corresponden con la enajenación de elementos patrimoniales y las pérdidas por deterioro del valor de los activos.

En definitiva, «los gastos son los recursos que se emplean en servicios o bienes que se consumen con el fin de generar utilidades, mientras que las pérdidas conllevan gastos que no suponen utilidades»[112].

En cualquier caso, tanto los gastos como las pérdidas van a generar el mismo efecto, la minoración del patrimonio de la empresa, y pueden hacer que el resultado del ejercicio de la entidad esté constituido mayoritariamente por

---

109 Apartado 4º «Elementos de las cuentas anuales».

110 Lizanda Cuevas JM, Sotelo López JJ. *Práctica fiscal y contable en el Impuesto sobre Sociedades*. 1ª Edición. Madrid. Ciss. 2017. Pág. 79.

111 López Cabia D. *La pérdida contable*. [Internet]. Economipedia. 2017.

112 *Ibid.*

«renta negativa» (resultado negativo del ejercicio) en la medida en la que las partidas de gasto y pérdidas contables supongan una proporción mayor respecto de los ingresos de la compañía. En sentido contrario, es posible registrar gastos/pérdidas durante el periodo pero que finalmente el resultado del ejercicio (cuenta 129 del PGC) no quede reducido a un resultado del ejercicio negativo.

Tomando en consideración lo anterior, es preciso tener en cuenta también que el concepto de «renta negativa» puede coincidir o no en el ámbito contable y fiscal. Desde el punto de vista fiscal, un gasto o una pérdida contable puede no considerarse fiscalmente deducible de acuerdo con las reglas de la LIS, por lo que nos encontraremos con supuestos de resultados negativos contables que no van a generar renta negativa desde el punto de vista fiscal[113].

4.2. RENTA NEGATIVA FISCAL

El punto de partida de la base imponible del IS es el resultado contable, de acuerdo con el artículo 10.3 de la LIS.

Reflejado en la contabilidad el gasto o la pérdida contable, desde el punto de vista fiscal, puede que dicha renta negativa no se considere fiscalmente como tal, y, además, dicha consideración puede existir de forma permanente o de forma temporal. En este último caso, no es pérdida o gasto fiscal en un periodo impositivo determinado, sin embargo, sí lo será en un periodo impositivo posterior cuando se cumplan ciertos requisitos. A estos efectos, hablamos de la existencia de «diferencias temporarias» que generan en la entidad la posibilidad de registrar en su contabilidad «activos por impuesto

---

113 Incluso nos encontramos con el supuesto contrario, es decir, gastos fiscales que son reconocidos en los procedimientos de inspección y por los tribunales en el proceso de regularización de una determinada operación, como se desprende de la sentencia del Tribunal Supremo de 1 de octubre de 2020, rec. 4443/2018, por el que el Tribunal Supremo crea un gasto a los meros efectos de la base imponible. Esta interpretación de los tribunales podría chocar con el principio de inscripción contable. En cualquier caso, como se verá a lo largo del trabajo, el propio régimen de consolidación fiscal también puede generar gastos fiscales que no estén como tal reflejados en las cuentas individuales de las entidades, pudiendo cuestionar el principio de inscripción contable.

diferido»[114]. Analizaremos este concepto contable y sus consecuencias en mayor profundidad en posteriores apartados del presente trabajo.

Autores como Mora Lavandera[115] o Lizanda Cuevas y Sotelo López, ponen de manifiesto los requisitos fundamentales para que se considere fiscalmente deducible un gasto o pérdida contable[116]:

- La justificación documental de la anotación contable.
- La contabilización del gasto.
- Su imputación a la base imponible en el ejercicio de su procedencia.
- La correlación de los gastos con los ingresos de la empresa, esto es, que el gasto esté orientado o dirigido a la obtención de ingresos (incluso aunque no haya ingresos contabilizados en el mismo ejercicio que los gastos)[117].
- La consideración real del gasto, es decir, que se corresponda con una operación efectivamente realizada por la entidad.

114 Nos referimos a la cuenta 474 del PGC, «Activos por diferencias temporarias deducibles, créditos por el derecho a compensar en ejercicios posteriores las bases imponibles negativas pendientes de compensación y deducciones y otras ventajas fiscales no utilizadas, que queden pendientes de aplicar en la liquidación de los impuestos sobre beneficios».

115 Mora Lavandera A. *Contabilidad financiera: Análisis y supuestos prácticos.* 1ª Edición. Navarra. Aranzadi. 2021.

116 Lizanda Cuevas JM, Sotelo López JJ. *Práctica fiscal y contable en el Impuesto sobre Sociedades* [...]. Op. cit. Pág. 80-81. Los criterios recogidos por dichos autores han sido extraídos principalmente de la jurisprudencia y de la doctrina administrativa (entre otras, destacan las Sentencias del Tribunal Supremo de 24 de octubre de 2013, rec. 4880/2011, de 16 de abril de 2013, rec. 2143/2010, y de 24 de diciembre de 2012, rec. 88/2009).

117 El principio de correlación de ingresos y gastos exige que los gastos generados tengan relación con los ingresos de la actividad, de tal forma que se niega la deducibilidad de todo gasto que no devengue su correlativo ingreso en la propia entidad que genera dicho gasto. Sin perjuicio de lo anterior, es preciso citar la sentencia de la Audiencia Nacional, de fecha 3 de noviembre de 2015 (rec. 478/2012), que en virtud de las circunstancias concretas del caso y de las pruebas aportadas por el contribuyente, consideró, en contra de lo sostenido por la Administración y por el TEAC, que procedía la deducción en el IS de la sociedad target de los gastos de asesoramiento para llevar a cabo la venta de sus acciones mediante una oferta pública de adquisición, en la medida en que los contratos suscritos se llevaron a cabo en beneficio de la actividad económica general de la target y que tenían por objeto un plan de negocio destinado a la obtención de unos mayores ingresos. Es decir, permite la deducción de gastos que, a priori, no estaban correlacionados con los ingresos de la actividad.

En definitiva, en opinión de los citados autores:

> «Únicamente tendrán la consideración de gastos fiscalmente deducibles a efectos del Impuesto sobre Sociedades, aquellos gastos contables que correspondan a operaciones reales, estén correlacionados con la obtención de ingresos, estén debidamente contabilizados, hayan sido imputados temporalmente con arreglo a devengo y estén debidamente justificados con arreglo a lo dispuesto en el artículo 106 de la LGT y siempre que no se trate de gastos no deducibles de acuerdo con los dispuesto en el artículo 15 de la LIS, siendo los órganos de comprobación quienes deberán valorar la suficiencia de los medios de prueba aportados»[118].

Parece que los requisitos mencionados para que un gasto sea fiscalmente deducible pueden ser también tomados en consideración para determinar la deducibilidad de las pérdidas contables. Sin embargo, teniendo en cuenta la definición antes citada del concepto «pérdida», entendida como gastos que no suponen utilidad y que, en principio, no generarían ingresos, podríamos dudar de si **i)** debe ser de aplicación el principio de correlación de ingresos y gastos también a las pérdidas contables o si **ii)** una pérdida contable debe ser considerada siempre fiscalmente deducible, con independencia de los requisitos para que un gasto sea fiscalmente deducible, salvo que la norma fiscal establezca lo contrario[119].

Pues bien, no parece que el legislador fiscal pretenda convertir en no deducible el concepto de pérdida contable, por no existir correlación entre los ingresos y gastos, sino considerar que las mismas siempre van a ser fiscalmente deducibles, salvo que se incurra en alguno de los supuestos reconocidos por la norma fiscal como pérdidas fiscalmente no deducibles, de forma permanente o diferida[120].

---

118 Lizanda Cuevas JM, Sotelo López JJ. *Práctica fiscal y contable en el Impuesto sobre Sociedades* [...]. Op. cit. Pág. 82.

119 Nos referimos, por ejemplo, a la excepción de deducibilidad fiscal de la renta negativa derivada de la transmisión de participaciones recogida en el artículo 21.6 de la LIS en la que expresamente se establece que la pérdida derivada de dicha transmisión no será fiscalmente deducible si se cumplen ciertos requisitos.

120 En este sentido, se podría incluso plantear que no es necesario que una pérdida contable se encuentre debidamente contabilizada para que sea fiscalmente deducible, en la medida en la que el artículo 11.2 de la LIS exige que los «gastos» estén contabilizados para que sean fiscalmente deducibles, pero, conforme a lo expuesto, es posible diferenciar entre el concepto de pérdida y la definición de gasto, en cuanto a su utilidad. En cual-

Llegados a este punto, mencionados los contrastes entre gasto y pérdida contable y su deducibilidad fiscal, es preciso diferenciar también entre compensación contable y compensación de bases imponibles negativas. Ambos son concepciones totalmente distintas que pueden llevar a la confusión de que uno es el reflejo del otro.

¿Coincide la compensación de bases imponibles negativas con la compensación contable de ingresos y gastos? Indudablemente la respuesta ha de ser negativa, en la medida en la que la compensación de bases imponibles negativas es una noción «creada» por el legislador fiscal, en su labor de determinar la vía por la que calcular la cuota tributaria de las entidades, que innegablemente procede de la existencia de una renta negativa, pero que en todo caso es una renta fiscal, tomando en consideración los ajustes extracontables definidos en la LIS, pudiendo coincidir o no con el resultado contable negativo de la entidad.

En esta línea se han pronunciado autores como Calvo Vérgez[121], que considera que la compensación de bases imponibles negativas es un concepto exclusivamente fiscal a efectos de proceder a determinar la cuota tributaria y plenamente independiente de «la compensación o saneamiento contable que pueda llegar a tener lugar en cumplimiento de la legislación mercantil»[122].

---

quier caso, tanto pérdidas como gastos se contabilizan en el resultado del ejercicio de una entidad de la misma forma, esto es, con un grupo 6, que identifican las partidas de gastos de la entidad.

121 Calvo Vérgez J. *La reforma del Impuesto sobre sociedades*. 1ª Edición. Madrid. Instituto de Estudios Fiscales. 2016. Pág. 362.

122 En el mismo sentido, Cordero González Em. *Las Bases Imponibles Negativas en el Impuesto sobre Sociedades*. 1ª Edición. Navarra. Aranzadi. 2017. Pág. 193.
También es posible destacar la opinión de Lucas Martínez, Mariano que considera lo siguiente: «En el ejemplo anterior, hemos supuesto que las pérdidas contables obtenidas por una de las sociedades del Grupo Fiscal coincidían con su Base Imponible Negativa. Esto no tiene por qué ocurrir necesariamente así. Por el contrario, lo normal será que ambas magnitudes no coincidan como consecuencia de los ajustes extracontables que deban practicarse en la Base Imponible por la aplicación de los distintos preceptos del TRLIS (gastos fiscalmente no deducibles, amortizaciones aceleradas o libertades de amortización, por solo citar algunos)» (Lucas Martínez M. Provisiones por depreciación de la cartera en la tributación del grupo fiscal. En *Carta Tributaria-Monografías n.º 21*. 1ª Edición. Madrid. Aranzadi LA LEY. 2007. Pág. 9).

Una vez reflexionado sobre el concepto de «renta negativa» o resultado negativo del ejercicio a nivel contable y a nivel fiscal, es preciso centrarnos en dicho concepto desde el punto de vista del régimen de consolidación fiscal.

Como se ha puesto de manifiesto, la base imponible del grupo fiscal se constituye mediante la suma de bases imponibles individuales (ajustada por los «requisitos» y «calificaciones» conforme al grupo fiscal) a las que, tras proceder a efectuar las eliminaciones e incorporaciones, entre otros aspectos, se procede a su minoración mediante la compensación de bases imponibles negativas.

Tal y como se detalla a lo largo del presente trabajo, el concepto de «renta negativa» en el régimen de consolidación fiscal implica la necesidad de distinguir entre tres concepciones distintas: i) la renta negativa contable o fiscal, es decir, la generación de renta negativa por gastos o pérdidas que finalmente, fruto del juego de la compensación con otras rentas individuales positivas va a generar un resultado positivo o negativo, ii) base imponible individual negativa, es decir, la existencia de renta negativa a nivel individual que constituyen una base imponible individual negativa, que será compensada con las bases imponibles negativas o positivas del resto de integrantes del grupo fiscal, y iii) la base imponible negativa del grupo fiscal, esto es, las rentas negativas generadas a nivel consolidado que integrarán la base imponible negativa del grupo fiscal. La importancia de la distinción de las distintas fases en las que se sitúan dichos conceptos implicará el diferente tratamiento fiscal en sede del grupo fiscal.

Por tanto, en el régimen de consolidación fiscal se podría realizar una clasificación de la compensación de la renta negativa en las tres categorías siguientes[123], que se detallarán en los posteriores apartados:

---

123 De una forma similar lo interpretan autores como Calvo Vérgez J. *La Fiscalidad de los Grupos de Empresas en el Impuesto sobre Sociedades* [...]. Op. cit. Pág. 330-331 y Sanz Gadea E. El Impuesto sobre Sociedades en 2011. En *Revista de Contabilidad y Tributación n.º 348*. 1ª Edición. Madrid. CEF. 2012. Pág. 20; que consideran que existen tres compensaciones de pérdidas: i) la relativa a la formación de la base imponible consolidada, ii) la concerniente a la base imponible consolidada negativa, iii) la compensación correspondiente a las bases imponibles negativas pendientes de compensación en el instante de la incorporación de una sociedad al grupo fiscal.

- Renta negativa contable o fiscal: Renta negativa derivada de la realización de ciertas operaciones por las entidades del grupo que generarán gasto o pérdida, que finalmente formarán o no una base imponible negativa individual por cada entidad, que es calificada a nivel de grupo fiscal. Por ejemplo, una pérdida fiscal derivada de la liquidación de una participada en el grupo fiscal es una renta negativa contable, fiscalmente deducible, con impacto en la base imponible negativa individual.
- Base imponible negativa individual: Renta negativa, tras su integración con las rentas positivas, generada individualmente por cada sociedad y que se integra y compensa con el resto de las bases imponibles individuales del resto de entidades que conforman el grupo de consolidación fiscal, que se integra en la base imponible consolidada del grupo. Por ejemplo, sociedad A, que forma parte del grupo fiscal, genera una base imponible individual negativa de 100 u.m., mientras que la sociedad B, entidad que también forma parte del grupo, genera una base imponible positiva de 40 u.m. En esta «compensación», el resultado negativo obtenido será de 60 u.m.
- Base imponible negativa del grupo: Renta negativa generada por el propio grupo de consolidación fiscal, que se integra como base imponible negativa del grupo fiscal, y que permitirá, bajo ciertas circunstancias, ser compensada por el grupo fiscal. Por ejemplo, el grupo fiscal antes citado, con una base imponible consolidada previa de 60 u.m., no realiza ningún ajuste adicional en la declaración consolidada, de tal forma que esas 60 u.m. se convierten en base imponible negativa del grupo fiscal.

Se analizan a continuación las particularidades de cada una de las fases de compensación mencionadas en el régimen de consolidación fiscal. En todo caso, en el análisis se debe tener presente la configuración de la base imponible consolidada que, en líneas generales, parte de la suma de bases imponibles individuales de las entidades que se integran en el grupo fiscal (ajustadas y con las particularidades que se exponen en los apartados siguientes), para posteriormente proceder a practicar las eliminaciones e incorporaciones que correspondan conforme a la normativa contable consolidada. Es relevante tener en mente la citada configuración para el entendimiento de los próximos apartados.

Capítulo 5
RENTA NEGATIVA DERIVADA DE GASTOS Y PÉRDIDAS GENERADAS EN SEDE INDIVIDUAL, INTEGRADA EN LA BASE IMPONIBLE INDIVIDUAL

5.1. INTRODUCCIÓN

Como primera compensación a analizar encontramos la derivada de la integración de un gasto o una pérdida contable y fiscal por cada una de las sociedades que forman parte del grupo fiscal, que podrá generar o no una base imponible negativa individual por cada entidad.

Tomando en consideración lo expuesto en el bloque anterior descriptivo de los aspectos relevantes del régimen de consolidación fiscal, la importancia de la calificación de la renta viene derivada de la necesidad de considerar el artículo 62.1.a) de la LIS, que, como se adelantaba, establece lo siguiente[124]:

---

124 Es importante tener en cuenta lo que establece el autor Ruiz Quintanilla en cuanto a la redacción del precepto: «Según fuentes consultadas, en el momento de redacción del borrador del texto de la nueva LIS, se planteó la posibilidad de que la BIC pudiera determinarse siguiendo el procedimiento de la base imponible individual, es decir,

«Las bases imponibles individuales correspondientes a todas y cada una de las entidades integrantes del grupo fiscal, teniendo en cuenta las especialidades contenidas en el artículo 63 de esta Ley. No obstante, los requisitos o calificaciones establecidos tanto en la normativa contable para la determinación del resultado contable, como en esta Ley para la aplicación de cualquier tipo de ajustes a aquel, en los términos establecidos en el apartado 3 del artículo 10 de esta Ley, se referirán al grupo fiscal».

¿Debemos entender que actúa este precepto como una especie de artículo 10.3 de la LIS pero específico para la consolidación fiscal de grupos? Recordemos que el artículo 10.3 de la LIS es el precepto que permite abrir la puerta a la integración del resultado contable como pre base imponible del Impuesto sobre la que se practican los ajustes fiscales[125].

El artículo 62.1.a), como ya se ha manifestado, exige que los requisitos y calificaciones de las operaciones se refieran al grupo fiscal, a pesar de que este primer análisis se realiza a nivel individual por cada entidad, en su base imponible individual. Es decir, en un primer momento, la norma fiscal exige «ajustar» la renta, y ello hacerlo según su tratamiento en el seno del grupo fiscal, con el objetivo último de hacer considerar al grupo como una única entidad[126], de tal forma que la configuración de la base imponible individual

---

partiendo del resultado contable consolidado, al que se aplicarían los ajustes fiscales correspondientes para conformar una BIC previa, a la que posteriormente se agregarían las eliminaciones e incorporaciones. No obstante, la dificultad de este procedimiento parece que radicaba en el mantenimiento de un adecuado control y seguimiento de los ajustes fiscales y de sus reversiones posteriores, los cuales, aunque se aplicarían en sede consolidada, tendrían su origen en las sociedades individuales que formaban parte del grupo. Por tanto, una vez desechada esta idea, se optó por incluir el anterior párrafo transcrito que parece ser una especie de solución híbrida que a continuación se analiza en detalle». (Ruiz Quintanilla J. Aspectos controvertidos de la base imponible consolidada según la Ley 27/2014, En *Revista de Contabilidad y Tributación n.º 434.* [...] Op. cit. Pág. 84)

125 La integración de la contabilidad como punto de partida se incorpora al Impuesto sobre Sociedades desde la Ley 43/1995, de 27 de diciembre, del Impuesto sobre Sociedades, ya que con anterioridad la propia ley del impuesto definía las partidas de ingreso y gasto.

126 Martín Rodríguez JG. Los grupos empresariales en el Derecho Tributario: pasado, presente y futuro. En *Carta Tributaria: Revista de Opinión n.º 8.* 1ª Edición. Madrid. Aranzadi LA LEY. 2015. Pág. 11: «En el art. 62 de la LIS se incluye algunos cambios puntuales tendentes a perfeccionar el régimen, considerando el grupo como una única entidad [...]».

no es más que una transformación de la misma por su pertenencia al grupo, poniendo de manifiesto que el grupo existe ya desde el momento inicial del cálculo de la base imponible consolidada. Es decir, desde la consideración del grupo como unidad fiscal, por su acogimiento al régimen, a todos los efectos, el grupo es el contribuyente.

La redacción de este artículo permite reforzar el principio de unidad económica que sirve de fundamento al régimen especial de consolidación fiscal[127].

El precepto habla, por un lado, de «calificaciones»[128], de tal forma que la renta debe ser «calificada» en la base imponible individual con el tratamiento que la misma tenga a nivel de grupo. Por otro lado, el artículo se refiere a los «requisitos», es decir, a que cualquier requerimiento de la normativa fiscal debe ser analizado también a nivel de grupo fiscal[129]. La importancia práctica de lo anterior lleva a la necesidad de conocer bien la calificación de la renta a nivel de grupo fiscal, tomando en consideración la normativa contable consolidada, con objeto de identificar correctamente la base imponible individual de la entidad. Así, por ejemplo, como detallaremos más adelante, una venta intragrupo con pérdida valor de las participaciones en entidades del grupo fiscal debe calificar como deterioro fiscal y no como pérdida derivada de la enajenación de la participación, atendiendo a la normativa contable consolidada a la que llama el propio legislador fiscal.

Además de lo anterior, como sucede en el régimen general, la renta negativa debe tener la consideración de fiscalmente deducible para poder inte-

---

127 López Llopis E. *El régimen especial de consolidación fiscal en el Impuesto sobre Sociedades* [...]. Op. cit. Pág. 162.

128 En el propio modelo 220 se recoge una casilla que incluye las «correcciones al resultado contable al considerar los requisitos o calificaciones contables referidos al grupo fiscal», permitiendo adaptar la base individual a las calificaciones y requisitos según el grupo fiscal. Es una consideración relevante ya que, llevado al extremo, cualquier operativa podría verse a nivel de grupo, con sus implicaciones. Asimismo, es importante destacar que no nos encontramos con una «eliminación» sino con una corrección de la base, por lo que dicha «corrección» no va a tener efectos futuros, no se procederá a su incorporación.

129 Por ejemplo, en cuanto a los requisitos, nos referimos a los requisitos que exige la normativa para entender deducibles las atenciones a clientes o proveedores, esto es, que no exceden del 1% del importe neto de la cifra de negocios. Dicho importe se ajustará en base imponible individual teniendo en cuenta la cifra de negocios a nivel de grupo fiscal.

grarla en la base imponible negativa individual que podrá conformar la base imponible del grupo fiscal, siendo relevante si la no deducibilidad fiscal tendrá carácter permanente o temporal, lo que supondría, en caso de ser temporal, su integración en ejercicios futuros. Por ejemplo, el artículo 11 de la LIS establece diferentes criterios de imputación temporal, por ejemplo, en caso de ventas a plazos o ventas con pérdidas, que pueden impactar en la integración de la renta, si esta previamente ha calificado como renta del grupo fiscal.

Observamos, por tanto, que el legislador exige al grupo fiscal realizar una doble comprobación para que finalmente esta renta negativa pueda dar paso al segundo tipo de compensación de renta negativa en el régimen de consolidación fiscal: en primer lugar, calificar la renta tomando en consideración a nivel individual los requisitos y calificaciones referidos al grupo fiscal, y, en segundo lugar, analizar si la renta, calificada a nivel de grupo como renta negativa, puede considerarse fiscalmente deducible en la base imponible individual y, por ende, en la base imponible consolidada del grupo fiscal.

Para este doble análisis, en todo caso resulta conveniente recordar la importancia del entendimiento del grupo como único sujeto pasivo, expuesto en la primera parte del trabajo, con objeto de determinar cómo debe realmente procederse a la calificación de la renta, a su deducibilidad y a entender las particularidades propias del régimen de consolidación fiscal. Bajo dicha óptica, la del grupo como sujeto único, deben analizarse los apartados siguientes.

5.2. CALIFICACIÓN DE LA RENTA NEGATIVA A NIVEL DE GRUPO FISCAL

Como primer paso para configurar la base imponible individual de la sociedad integrada en el grupo fiscal, se debe determinar si la operación va a generar una renta negativa contable que va a tener la consideración de fiscalmente deducible a nivel individual, por ser calificada de tal forma a nivel de grupo fiscal o si, por el contrario, la misma no va a ser deducible fiscalmente, de forma temporal o de forma permanente, o directamente, no va a tener la consideración de renta a nivel de grupo fiscal.

Por tanto, previo al análisis de la deducibilidad o imputación a nivel de grupo de las rentas negativas a nivel individual, resulta preciso analizar la calificación de la renta a nivel de grupo y, una vez analizada la calificación de esta como renta negativa, porque así se considera a nivel de grupo, deberá determinarse la integración de la misma a nivel individual y su deducibilidad.

Esto es relevante porque por la recalificación de la renta, de acuerdo con los criterios de grupo, podemos encontramos con que determinados preceptos de deducibilidad fiscal no serían aplicables, porque directamente la renta sea tratada de manera diferente, como veremos a continuación.

De acuerdo con el artículo 62.1.a) de la LIS, el legislador pone de manifiesto que los «requisitos o calificaciones» se deben referir al grupo fiscal, es decir, que cada operación individual que realice la sociedad deberá integrarse conforme a la valoración de esta a nivel de grupo como sujeto pasivo único, de tal forma que la calificación e integración dependerá de si en el grupo dicha operación va a generar o no renta y si dicha operación debe o no integrarse en la base imponible.

En este sentido, cualquier renta, positiva o negativa, debe integrarse teniendo en cuenta la consideración del grupo, lo que implica que, al analizar cada una de las operaciones realizadas por alguna de las entidades del grupo, sea necesario diferenciar entre operaciones internas y operaciones externas, ya que las primeras podrían calificar de forma distinta a nivel de grupo y, por tanto, tener unas consecuencias distintas en función de su consideración a nivel individual. Dentro de las operaciones internas además es posible encontrar dos tipos, aquellas operaciones internas entre compañías que generan una renta (que, en función de cada caso, deba o no ser eliminada) y aquellas otras que no generan renta alguna, sino que se generen ingreso y gastos recíprocos. Las relevantes a estos efectos serán las operaciones que puedan generar una renta distinta a nivel de grupo que a nivel individual.

Téngase en cuente que, cuando el problema no procede de la diferente «calificación» de la renta, sino que es una renta derivada de una operación interna que tiene la misma calificación a nivel individual y consolidado, en una fase posterior de la determinación de la base imponible consolidada se procedería a la eliminación de esta renta del grupo fiscal, como se matizará en apartados siguientes. Por ejemplo, una venta de un inmueble entre entidades del mismo grupo fiscal, que genera en la entidad transmitente una renta positiva, cuya calificación de la operación es igual en sede individual que a nivel consolidado (califica con una venta de un inmueble), será una renta integrada en la base imponible consolidada previa del grupo fiscal, que será posteriormente eliminada para generar la base imponible consolidada del grupo fiscal.

No existiría tal problema en los casos de operaciones realizadas con terceros, ya que, a nivel individual y a nivel de grupo, dichas rentas negativas tendrían la misma consideración.

Si se realizara una interpretación literal de la regla del artículo 62.1.a) de a LIS, y la misma fuera llevada al extremo, sería posible afirmar que cualquier operación generada intragrupo no debería producir renta explícita, en ningún momento, pues cualquier actuación del grupo tendría la calificación de operación realizada consigo mismo, de tal forma que dicha renta nunca debería aflorar (debería ser objeto de eliminación/corrección). Dicha afirmación se extendería hasta que las entidades dejen de formar parte del grupo fiscal.

Esta interpretación debería ser acorde con el precepto citado, en la medida en la que se pretende conseguir que el grupo fiscal sea realmente un único sujeto pasivo, que actúa de forma similar a una entidad que absorbe a otra, es decir, un único ente que actúa por todas las entidades que lo conforman.

Si bien es cierto que con dicho precepto la norma exige que todo sea analizado a nivel de grupo, no es menos cierto que si la interpretación del precepto se llevara al extremo, **i)** no se estaría teniendo en cuenta la posibilidad futura de que las entidades abandonaran el grupo y debiera efectuarse un adecuado reparto de los derechos y obligaciones de cada entidad; y **ii)** la existencia de eliminaciones e incorporaciones dejaría de tener sentido, ya que, al ser operaciones realizadas por uno mismo que no generan renta, no existiría nada que fuera necesario eliminar ni, lógicamente, incorporar con posterioridad, en la medida en la que todo sería corregido a través del artículo 62.1.a) de la LIS[130].

En cualquier caso, la idea que parece ser la intención del legislador del concepto de único contribuyente, el grupo fiscal, no es otra que la de considerar que todas las operaciones internas no van a generar en principio efectos fiscales, de tal forma que, a través de un medio u otro (ajustes, eliminaciones, etc.), el grupo fiscal solo va a generar renta por todas sus operaciones externas, con terceros, no produciéndose nada por la parte de la renta que se de-

---

130 El modelo 220 recoge expresamente una casilla para incorporar las correcciones por aplicación del citado precepto, casilla distinta a las eliminaciones e incorporaciones.

vengue a nivel intragrupo, ya que en realidad, se le debería dar el tratamiento de renta generada contra sí mismo, por el mismo contribuyente[131].

De la lectura del precepto parece coherente considerar que los efectos que pueda desplegar en todo caso han de referirse al grupo de consolidación fiscal y no al grupo mercantil, más amplio, al que pudiera pertenecer el grupo fiscal; es decir, el grupo cuyos estados financieros serían configurados *ad hoc* de acuerdo con el artículo 72.1 de la LIS[132]. De lo anterior se desprende que deberán tomarse en consideración los ajustes de la consolidación contable exclusivamente de las entidades que forman el grupo fiscal, de tal forma que operaciones internas según normativa contable no lo serán desde el punto de vista de la normativa fiscal[133] tal y como se detalla a continuación, con las particularidades que se exponen.

Interesa realizar un último apunte, antes de poner ejemplos prácticos sobre la cuestión analizada, sobre las «eliminaciones e incorporaciones» referidas

---

131 Autores como López-Santacruz comparten esta idea considerando lo siguiente: «De acuerdo con esta prevalencia de la calificación contable del grupo frente a la calificación contable individual, ello supone que a efectos de determinar la BI individual de las entidades del grupo: – ingresos y gastos registrados correctamente a nivel individual no se integran en la BI al no tener esa misma calificación a nivel de grupo, – ingresos y gastos no registrados a nivel individual según una correcta aplicación del PGC, sin embargo, se integren en la BI al tener esa calificación de ingreso o gasto a nivel de grupo». (López-Santacruz Montes JA. *Cuestiones conflictivas del Impuesto sobre Sociedades*. Jornada Gómez-Acebo & Pombo. Madrid. 2019).

132 En este sentido, Martín Rodríguez JG. *Las reservas de capitalización y de nivelación: empresas individuales y grupos*. 1ª Edición. Madrid. Wolters Kluwer. 2019. Pág. 193: «El ámbito de aplicación de esta regla (eliminaciones/incorporaciones), según se deduce del tenor de la letra a) del apartado 1 del artículo 62 de la LIS, únicamente debe desplegar efectos respecto de aquellos ingresos/gastos cuyo registro y valoración en contabilidad individual difiera de la que tendrían a efectos de consolidación, pero solo referido a las sociedades que conformen el grupo fiscal y no al mercantil, es decir, los incluidos en los estados financieros a los que hace referencia el apartado 1 del artículo 72 de la LIS».

133 Y en este sentido se deduce de las interpretaciones de la DGT, por ejemplo, en consulta V2670-20, de 24 de agosto, en la que se pronuncia sobre la posible eliminación de un dividendo repartido con carácter previo a la integración de las sociedades en el grupo de consolidación fiscal (que sí eran ya grupo contable) a efectos de analizar al año siguiente del reparto el incremento de los fondos propios del grupo fiscal de cara a la reserva de capitalización. Del criterio de la DGT se desprende que el contenido de las NOFCAC solo se asume por la norma fiscal desde que todas las entidades forman un grupo fiscal.

en la normativa fiscal a la normativa contable mercantil (a las NOFCAC en normativa nacional, y NIIF en normativa internacional). A nivel contable, el grupo contable procede a realizar ajustes partiendo del balance y del resultado del ejercicio de las entidades a nivel individual, cada año, no existiendo un libro mayor a nivel consolidado de cada ejercicio. Por ello, a nivel contable, el ejercicio de la consolidación exige que, en ciertas situaciones, determinadas partidas deban eliminarse mediante la reversión de los asientos contables realizados a nivel individual e incorporarse mediante el ejercicio de «volcar» de la cuenta de reservas (en la que pudiera encontrarse el resultado eliminado) a una cuenta de resultado del ejercicio para su «realización». Por ejemplo, nos referimos a supuestos de transmisiones internas de elementos patrimoniales con resultados que son eliminados en el ejercicio de la transmisión, pero cuyo resultado se integra al ritmo de la amortización del elemento o con su transmisión. A nivel fiscal, la cuestión es similar a la descrita, teniendo en cuenta que la «realización» de un resultado no será más que un ajuste extracontable como «eliminación» o «incorporación» que permita adaptar el resultado del ejercicio, y, por ende, la base imponible consolidada del grupo fiscal.

Diferente a lo anterior, es decir, a las eliminaciones e incorporaciones, son las «correcciones» del artículo 62.1.a) de la LIS a las que estamos haciendo referencia en este apartado[134]. La mayor parte de las consultas de la DGT,

---

134 En este contexto, téngase en cuenta que ninguno de los Estados miembros de la Unión Europea en los que existe un régimen de consolidación fiscal parece incluir un precepto similar a nuestro artículo 62.1.a) de la LIS, lo que dificultaría la integración de bases bajo un futuro modelo único en todos los Estados. Aunque en Francia sí que parecen tratar al grupo fiscal de forma similar a cómo lo tratan en España, es decir, como un único sujeto y único contribuyente del Impuesto y en Alemania parece recogerse dicho precepto por la vía del pacto que deben acordar las entidades y que hace que los «dividendos» dejen de calificar como tal, para analizarse a nivel de grupo (teniendo este pacto el reflejo incluso en la contabilidad, es decir, no a los solos efectos fiscales). Asimismo, en Alemania se regula como parte del régimen de consolidación fiscal la necesidad de que las sociedades integrantes acuerden un *profit and loss pooling agreement*, que en definitiva consiste en la cesión de todas las pérdidas y ganancias de las dependientes a la dominante, de forma similar a la compensación intraperiódica que se produce en España. En relación con los dividendos, se entiende que el grupo no reparte dividendos, ya que la renta ha subido directamente a la sociedad dominante por este sistema. Este tratamiento de los dividendos en el seno del grupo es interesante especialmente cuando, desde el punto de vista del régimen individual, existan limitaciones a la exención en el reparto de beneficios, ya que en el seno del grupo no sería de aplicación tal limitación. Esta «recalificación» de los

cuando hacen referencia a una «corrección» por la vía del artículo 62.1.a) de la LIS, hacen mención a la «homogeneización». No existe como tal un concepto fiscal de «homogeneización», por lo que parece lógico atender al concepto contable de «homogeneización», recogido en los artículos 16 a 19 de las NOFCAC[135]. Esta fase de la consolidación contable no hace más que unificar criterios y calificaciones, atendiendo como norma general a la dominante[136], con objeto de convertir todas aquellas partidas que puedan ser tratadas de forma diferente a nivel individual y a nivel consolidado. La «homogenización» parece que es lo que se utiliza como argumento por la DGT para proceder a realizar las correcciones por el artículo 62.1.a) de la LIS.

Llegados a este punto, para un mejor entendimiento de la «calificación de la renta a nivel de grupo», se muestra necesario analizar algunos ejemplos de las interpretaciones de la doctrina sobre la calificación de determinadas operaciones que pueden generar renta negativa en una sociedad del grupo fiscal, así como citar algunas particularidades del precepto en relación con la citada renta negativa, y sus repercusiones en la base imponible individual. El objetivo es desarrollar este punto desde una perspectiva más práctica, aclarando los aspectos que sean posibles y exponiendo las dudas e interpretaciones razonables en función de cada caso.

5.2.1. ARTÍCULO 62.1.A) DE LA LIS *VERSUS* PRINCIPIO DE INSCRIPCIÓN CONTABLE

Previo al detalle de casos concretos en los que nos podríamos encontrar una diferente calificación contable y fiscal y que, en principio, debieran implicar un ajuste en la base imponible individual de las entidades del grupo fiscal vía «corrección», conviene matizar la relevancia de analizar los efectos en consonancia con el principio general de inscripción contable que rige en el artículo 11 de la LIS.

---

dividendos se asimila a un artículo 62.1.a) de la LIS. Además, en este caso el acuerdo no solo tiene efectos fiscales si no también reflejo en las cuentas anuales.

135 Homogeneización temporal, valorativa, por operaciones internas y para realizar la agregación.

136 Aguilera Medialdea JJ, Martín Rodríguez JG. *Manual de consolidación fiscal y contable* [...]. Op. cit. Pág. 56.

En concreto, el artículo 11.3 de la LIS reconoce un auténtico principio de inscripción contable para los gastos al indicar lo siguiente:

> «1.º No serán fiscalmente deducibles los gastos que no se hayan imputado contablemente en la cuenta de pérdidas y ganancias o en una cuenta de reservas si así lo establece una norma legal o reglamentaria, a excepción de lo previsto en esta Ley respecto de los elementos patrimoniales que puedan amortizarse libremente o de forma acelerada [...]».

De esta forma, nos podríamos encontrar con supuestos en los que, de acuerdo con el artículo 62.1.a) de la LIS, como vemos a continuación, se genera un resultado negativo o no se genera resultado a pesar de estar contabilizado, ello porque a nivel individual su calificación es distinta a la que tiene a nivel consolidado.

El problema se centra sobre todo en aquella renta negativa no registrada contablemente a nivel individual (o contabilizada con un importe distinto a nivel consolidado) y su posible deducibilidad fiscal. ¿Debe considerarse, por tanto, que dicho gasto no es fiscalmente deducible, derivado del criterio general del artículo 11.3 de la LIS? ¿O al proceder dicha renta negativa de una calificación a nivel de grupo fiscal fruto de una norma específica del régimen de consolidación, debe ser integrada sin perjuicio de su contabilización?

Autores como Ruiz Quintanilla[137] se pronuncian sobre la importancia de la nueva redacción del artículo 62.1.a) de la LIS y la forma en la que esta nueva redacción puede chocar directamente con la regla general de deducción exclusivamente de gastos que se encuentran debidamente contabilizados. En particular, en relación con el artículo 62.1.a) de la LIS y el principio de inscripción contable, plantea lo siguiente:

> «Este texto es idéntico al de la normativa derogada (TRLIS). Sin embargo, tanto la interpretación anterior, con el antiguo TRLIS, como la actual, de este apartado 3 del artículo 10 de la LIS, siempre se ha entendido en referencia a los ajustes fiscales que se debían realizar al resultado contable individual, pero nunca se interpretó que esta norma amparara la realización de correcciones al resultado contable en la declaración del impuesto y de manera extracontable, lo cual deviene en la obtención de un resultado contable corregido distinto al que figuraba en las cuentas

---

137 RUIZ QUINTANILLA J. Aspectos controvertidos de la base imponible consolidada según la Ley 27/2014, En *Revista de Contabilidad y Tributación n.º 434.* [...] Op. cit. Pág. 77-112.

> anuales de la sociedad. Por ello no se acaba de entender que la remisión que el artículo 62.1 a) de la LIS hace a este artículo 10.3 de la LIS justifique una modificación extracontable del resultado contable individual para determinar la base imponible consolidada».

Sin embargo, considerando el criterio de las consultas de la DGT, como se expone a continuación, y el hecho de que el artículo 62.1.a) de la LIS es una regla especial[138], es posible afirmar que la renta negativa reconocida a nivel consolidado, aún no contabilizada a nivel individual, va a tener efectos en base imponible individual, para responder correctamente con los mandamientos del artículo 62.1.a) de la LIS.

Un argumento adicional en apoyo de lo anterior sería considerar que, en cualquier caso, estando registrado el gasto/renta negativa a nivel consolidado (que además debería quedar reflejado a nivel fiscal con las cuentas *ad hoc* creadas para la presentación del impuesto de acuerdo con el artículo 72 de la LIS), este estaría contabilizado y registrado, pudiendo, por tanto, ser fiscalmente deducible.

Se indica a continuación otro supuesto más específico. En aquellos casos en los que la renta se hubiera imputado en una partida de reservas (patrimonio neto), por ejemplo, casos en los que una entidad del grupo se integraba contablemente como entidad asociada (no como dependiente, por no cumplir los requisitos mercantiles para considerarse como tal), siendo aplicable el método contable de integración de puesta en equivalencia[139], y posteriormente pasa a ser considerada filial tras una adquisición adicional de participación. En este caso, debe proceder a aplicar el método de integración global a la citada filial, teniendo en cuenta que a nivel de grupo fiscal formaría parte del mismo al año siguiente de su adquisición. El resultado generado por el cambio de método contable (que implica determinar a valor razonable la participación) generaría un resultado (positivo o negativo) que en el año de incorporación estaría registrado en reservas. Podría entenderse que las citadas reservas deben formar parte de la base imponible consolidada

[138] Lex specialis derogat generali.

[139] Este método consiste en sustituir o actualizar el valor contable de la inversión de una sociedad matriz en una subsidiaria, teniendo en cuenta el neto patrimonial de la filial y no el coste de adquisición de la inversión.

en el primer año de entrada de la filial al grupo fiscal, por ser renta generada con la incorporación de la sociedad como filial y como parte del grupo fiscal (en caso de cumplir los requisitos).

No parece irrelevante, por tanto, analizar de qué manera el principio general de inscripción contable puede afectar al entendimiento de la renta (positiva o negativa) de las entidades conforme a las calificaciones dadas con base en el grupo fiscal.

5.2.2. ADQUISICIÓN DE SOCIEDADES DEL GRUPO: COMPRAVENTA DE ACTIVOS Y PASIVOS

Una de las interpretaciones más extremas que podría darse del artículo 62.1.a) de la LIS sería la que nos lleva a pensar que la adquisición de las participaciones de una sociedad que se integra en un grupo de acuerdo con el artículo 42 del Código de Comerio (y, por ende, de acuerdo con el artículo 58 de la LIS, en la medida en que cualquier adquisición de una filial del grupo fiscal supondría su integración en el grupo contable) no es en realidad una compraventa de valores sino una adquisición de activos y pasivos, de acuerdo con la normativa contable aplicable en cuentas consolidadas (NOFCAC).

En concreto, una adquisición a nivel contable de una entidad del grupo se registra en cuentas anuales consolidadas conforme al método de adquisición que se recoge en la Norma de Registro y Valoración 19ª del PGC a la que se remiten los artículos 22 a 26 de las NOFCAC[140], que no hace más que poner de manifiesto una adquisición de activos y pasivos de la sociedad adquirida en el momento en el que se obtiene el control (a pesar de que lo que se produce es una adquisición de acciones/participaciones de la entidad), es decir, en el momento en el que la entidad pasa a formar una parte más del grupo.

El método de adquisición contable se puede resumir, con carácter general, en las siguientes etapas:

140 A nivel internacional habría que atender a la NIIF 3 «Combinaciones de negocio».

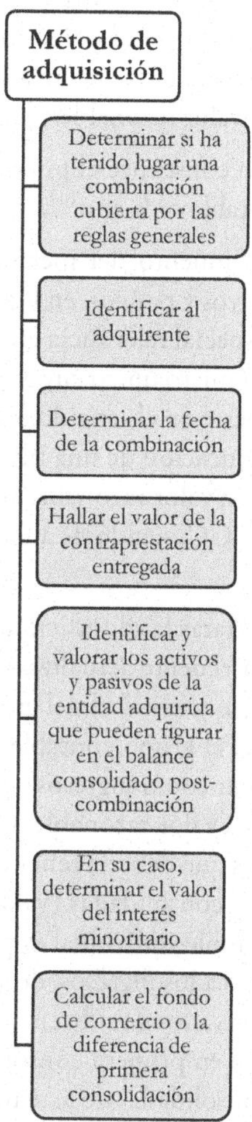

Fuente: Elaboración propia

Con el citado método las entidades adquieren a otras entidades que formarán parte del grupo de consolidación contable mediante la fórmula de adquisición de sus activos y pasivos a valor razonable, con independencia del porcentaje de participación adquirido, siempre y cuando exista «control» en los términos indicados.

La forma de incorporar los activos y pasivos de las entidades es similar a la configuración de un balance de fusión, pudiendo por ello asimilar la consolidación contable a una «pre fusión», es decir, a la adquisición de los activos y pasivos de la dependiente a valor razonable.

El método de adquisición constituye el punto de partida para iniciar las fases de la consolidación contable cada año[141].

De esta forma, el entendimiento del método de adquisición descrito como una adquisición de activos y pasivos, en lugar de una compra de acciones/participaciones, cobra especial relevancia en el plano fiscal a raíz del entendimiento del grupo como sujeto único cuyas «calificaciones» atenderán al grupo fiscal según lo dispuesto en el artículo 62.1.a) de la LIS. Así es como asumen las NOFCAC la adquisición de una filial, como una compra de activos y pasivos que se registra a valor razonable en primera consolidación de acuerdo con la NRV 19ª del PGC, siendo de aplicación el llamado «método de adquisición».

Hablamos, por tanto, de tratar la adquisición de filiales como compra de activos y pasivos, con su consecuente actualización de valores con la adquisición, con independencia de qué entidad del grupo fiscal sea la que compre a la filial. Ello implicaría que el grupo contable, una vez constituido como grupo fiscal, debiera reconocer como ingresos y gastos fiscales los que se derivan de los activos y pasivos a valor razonable. Por ejemplo, nos referimos a la amortización de los activos que debería tener en cuenta el valor del activo registrado en cuentas anuales consolidadas (valor razonable), incrementando el gasto en la base imponible individual y, por ende, consolidada. Esta circunstancia afectaría incluso a los ingresos, de tal forma que la imputación de determinados ingresos derivados de subvenciones que formaban parte de los fondos propios de la filial en primera consolidación deberían ser extraídos de la base imponible consolidada, de acuerdo con el artículo 28 de las NOFCAC.

Esta interpretación parece ser acorde con el artículo 62.1.a) de la LIS que exige que las «calificaciones y requisitos» se analicen a nivel de grupo. En

---

141 Cada año es necesario «construir» de cero la consolidación contable del grupo, partiendo de los balances agregados individuales de las compañías, es decir, no se parte del balance consolidado del año anterior en ningún caso.

este caso, la «calificación» a nivel de grupo no es otra que una compraventa de activos y pasivos y no una adquisición de valores.

Sin perjuicio de lo anterior, resultan evidentes los problemas que la citada interpretación podría desplegar, ya que el vendedor de las acciones de la filial, como norma general, solo habrá tributado un 1,25% por la venta de las acciones o no hubiera podido deducir, en su caso, la renta negativa, por aplicación del artículo 21 de la LIS (siempre que se cumplan los requisitos para aplicar la exención al 95% de la renta). Por ello, con la citada interpretación se podría estar procediendo a la actualización del valor de los activos y pasivos de la filial adquirida sin que hubiere mediado casi tributación por parte del vendedor de «los activos y pasivos». De esta forma, la posible diferencia por consolidación que pudiera generar un fondo de comercio, no debería, bajo este contexto, ser fiscalmente deducible[142]. Sin embargo, si se atiende al entendimiento de la compraventa de las acciones como una compra de activos y pasivos (en línea con la calificación contable), los gastos contables contabilizados en consolidación contable por el deterioro/amortización del fondo de comercio, debieran ser tenidos en consideración.

Este podría ser un ejemplo de interpretación que podría provocar una confrontación con el principio de inscripción contable, como adelantábamos, ya que permitiría integrar gastos que no estarían registrados contablemente a nivel de cuentas anuales individuales, aunque sí lo estarían en cuen-

---

142 Artículo 15 de la Resolución de 9 de febrero de 2016, del Instituto de Contabilidad y Auditoría de Cuentas, por la que se desarrollan las normas de registro, valoración y elaboración de las cuentas anuales para la contabilización del Impuesto sobre Beneficios:
«1. En el reconocimiento inicial, el valor contable del fondo de comercio de consolidación será superior a la base fiscal, cuando una parte, o su totalidad, no sea deducible. En este caso, no se reconocerá el pasivo por impuesto diferido asociado a dicha diferencia. Sin embargo, los pasivos por impuesto diferido relacionados con un fondo de comercio, se registrarán siempre que no hayan surgido de su reconocimiento inicial.
2. Si en el reconocimiento inicial del fondo de comercio su valor contable es inferior a su base fiscal, se reconocerá el activo por impuesto diferido correspondiente en la medida en que sea probable la obtención de ganancias fiscales futuras que permitan su aplicación. Dicho reconocimiento se realizará como parte de la contabilización inicial de la adquisición, afectando por tanto, al valor inicial del fondo de comercio.
3. El efecto impositivo que pueda surgir de la diferencia negativa de consolidación será tratado de acuerdo con las normas generales para el registro de las diferencias temporarias».

tas anuales consolidadas. Como se avanzaba, podría admitirse la no vulneración del principio de inscripción contable en la medida en la que las cuentas anuales consolidadas (o las creadas para dar cumplimiento al artículo 72 de la LIS, que debiera ser similar a las cuentas anuales consolidadas) reflejarían el apunte contable.

Esta interpretación podría ser coherente con el tratamiento fiscal de una fusión, de tal forma que el grupo fiscal se convertiría en una adquisición de activos y pasivos con efectos fiscales similares a los que se producen con una operación de fusión[143], sin llegar a la extinción jurídica de las entidades. De hecho, esta figura podría incluso asimilarse a otras figuras jurídicas internacionales, por ejemplo, la que recoge el derecho tributario canadiense, denominada la figura del «*amalgamation*», que permite, fiscalmente, crear una ficción de unidad fiscal (de activos y pasivos) con objeto de compensar pérdidas fiscales, sin que las entidades individualmente pierdan su forma jurídica[144].

5.2.3. OPERACIONES INTRAGRUPO RECÍPROCAS

Nos referimos a operaciones entre las entidades del mismo grupo fiscal que van a generar un ingreso en una entidad del grupo fiscal y un gasto/pérdida en otra por transacciones entre ellas (por ejemplo, por prestación de servicios intragrupo, como puede ser un alquiler de inmuebles). Es decir, operaciones que realmente no generan renta intragrupo.

Tradicionalmente, la DGT en sus diversas consultas venía considerando que este ingreso y gasto debía ser eliminados de la base imponible de las entidades individuales y ello debido a un «error» en la calificación de los resultados que generaba la transacción a nivel de grupo fiscal como si se tratara de una «renta» y no de ingresos y gastos recíprocos, afectando directamente al adecuado entendimiento de las eliminaciones e incorporaciones.

Una interpretación acorde con el precepto supuso la necesidad del cambio de criterio en la interpretación de los «ingresos y gastos recíprocos»,

---

143 Pero con actualización de los valores y sin que el transmitente, siempre que cumpla los requisitos del artículo 21 de la LIS, haya tributado.

144 Income Tax Act (R.S.C., 1985, c.1 (5th Supp.)).

a través de la cual la DGT[145] acabó considerando que los ingresos y gastos recíprocos no debían ser objeto de eliminación.

De acuerdo con Ruiz Quintanilla, exclusivamente son objeto de eliminación las denominadas partidas intragrupo asimétricas[146], es decir, aquellas capaces de generar renta/resultados (no aquellas que generan ingreso y gasto en cada una de las entidades que participan en la operación).

De esta forma, la DGT toma en consideración que las «calificaciones y requisitos» han de referirse al grupo fiscal, de tal forma que dichos ingresos y gastos recíprocos, no generan resultados en el grupo fiscal, es decir, son ingresos y gastos recíprocos que a nivel de grupo no constituirán renta, ni positiva ni negativa, por lo que no puede ser objeto de eliminación. Este cambio de criterio, acertado según nuestro entendimiento, en la medida en la que evita que exista desplazamientos patrimoniales, permite considerar que no se procede a eliminar la renta, positiva o negativa, de la operación, en la medida en que la operación generaba ingreso y gastos recíprocos (son gastos que se compensan a nivel de base imponible individual).

Por tanto, parece que el gasto que para una sociedad del grupo puede suponer este tipo de operaciones no va a considerarse «renta negativa» conforme al entendimiento del grupo como único sujeto pasivo, ello tras la aplicación de las reglas de «calificación» a nivel de grupo, fruto de la propia compensación del ingreso y el gasto que permite el neteo de la operación a nivel de grupo fiscal.

---

145 Destacan las resoluciones a las Consultas Vinculantes de 27 de julio de 2015, V2400-15 y de 30 de diciembre de 2015, V4163-15, cuyo criterio se ve modificado a partir de la resolución a la Consulta Vinculante de 17 de junio de 2016, V2751-16, aunque aún exista algún pronunciamiento contradictorio posterior de la DGT como, por ejemplo, el recogido en la resolución a la Consulta Vinculante de 19 de julio de 2016, V3420-16. La existencia de criterios dispares, a pesar de que la DGT ya ha asentado un criterio definitivo, hace que se vea necesario motivar el cambio de criterio por la DGT cuando este se produzca, de acuerdo con el artículo 68.1 del Real Decreto 1065/2007, de 27 de julio, por el que se aprueba el Reglamento General de las actuaciones y los procedimientos de gestión e inspección tributaria y de desarrollo de las normas comunes de los procedimientos de aplicación de los tributos. Esta necesidad de motivación debe ir acompañada de una eliminación del resto de consultas de la DGT que no recogen el criterio actual para evitar generar inseguridad jurídica.

146 Ruiz Quintanilla J. Aspectos controvertidos de la base imponible consolidada según la Ley 27/2014, En *Revista de Contabilidad y Tributación n.º 434.* [...] Op. cit. Pág. 102.

5.2.4. VENTA DE PARTICIPACIONES INTRAGRUPO – CASO PARTICULAR DE VENTA DE «ACCIONES O PARTICIPACIONES PROPIAS»

Como vemos, en determinadas circunstancias, la renta negativa/positiva derivada de la transmisión de elementos no va a ser tal si se tiene en cuenta la calificación de la operación a nivel de grupo[147]. En este caso nos referimos a la calificación de la transmisión de valores de entidades del grupo, es decir, a las acciones propias.

Con carácter general, el concepto de acciones propias hace referencia a las que posee una entidad dependiente sobre su entidad dominante. Téngase en cuenta que, mientras que la venta de acciones de la dominante por una dependiente calificaría de forma clara como «acciones propias», puede resultar menos intuitivo si es la dominante quien vende acciones de la entidad dependiente ya que, bajo este escenario, lo que se produce es la venta de una «ficción contable», en la medida en la que la entidad dominante no tiene a nivel consolidado las acciones de la entidad dependiente, sino sus activos y pasivos. En cualquier caso, es claro que con la venta se extrae del grupo elementos propios del mismo.

El criterio de las NOFCAC (aplicable vía artículo 62.1.a) de la LIS) pone de manifiesto cuándo ha de «realizarse» el resultado derivado de la venta de acciones propias. En particular, el artículo 36 de las NOFCAC establece que cualquier resultado procedente de su enajenación que se haya registrado en la cuenta de pérdidas y ganancias, deberá eliminarse ajustando las reservas de la sociedad que haya realizado la operación.

A nivel fiscal, de acuerdo con la regulación actual, como hemos expuesto, en un grupo fiscal, los requisitos y calificaciones se analizan a nivel de grupo. Ello implica que las operaciones (intragrupo o con terceros) efectuadas con acciones propias no generan renta al ser tratadas a nivel de grupo, contablemente, como variaciones de fondos propios[148], siendo esta la interpretación adoptada por la DGT en sus sucesivas consultas. Por ejemplo, la V0448-16, en la que se cuestiona el tratamiento de la renta derivada de la transmisión

---

147 Para un mayor detalle de esta cuestión, ver Ortega Carballo E, Atienza Pérez A. Interpretación de las «calificaciones» a nivel de grupo fiscal conforme a la normativa contable consolidada. En *Carta tributaria: Revista de opinión n.º 103* [...]. Op. cit.

148 Artículo 36 de las NOFCAC.

de participaciones de A por la sociedad B a la propia sociedad A, teniendo en cuenta que estas sociedades se encuentran en un grupo de consolidación fiscal en la que A es la dominante. En la consulta se indica lo siguiente:

> «De acuerdo con el artículo 62.1.a) de la LIS, a la hora de determinar las bases imponibles individuales correspondientes a las entidades integrantes del grupo fiscal, los requisitos y calificaciones establecidos tanto en la normativa contable para determinar el resultado contable, como en la LIS para la determinación de la base imponible, irán referidos al grupo fiscal. Teniendo en cuenta esta circunstancia, las acciones que posee la entidad B de la entidad dominante, tienen la consideración de acciones propias a nivel de grupo fiscal. Teniendo en cuenta que las operaciones con acciones propias no generan resultado contable, ello significa que en la base imponible de la entidad B no se genera un resultado con ocasión de esta operación, ni, por ende, en el ámbito fiscal, sin que proceda por tanto analizar la existencia de plusvalía alguna en la referida transmisión».

Es decir, en la medida en que a nivel de grupo no existe renta, no se procede a aplicar la exención del artículo 21 de la LIS ni tampoco se tendría que realizar una eliminación, al calificar dicha operación como una transmisión de acciones propias que no genera resultados[149].

Siguiendo el criterio de la DGT, por ejemplo, la V0245-16, incluso la venta de «acciones propias» a terceros ajenos al grupo tampoco parece generar renta a nivel de grupo fiscal:

> «La entidad consultante, en mayo de 2015, ha efectuado la venta y transmisión a terceros extraños al grupo fiscal de acciones propias que tenía en cartera [...] De lo que se desprende que la transmisión de acciones propias realizada por la entidad consultante no tendrá efectos en la base imponible del Impuesto sobre Sociedades por cuanto la incidencia positiva o negativa no determina un resultado a computar en la cuenta de pérdidas y ganancias, sino una simple variación del patrimonio neto de la entidad, dado que no tiene la condición de ingreso o gasto a que se refiere el artículo 36 del Código de Comercio y, por tanto, tampoco tiene esta condición a efectos del Impuesto sobre Sociedades».

Es evidente, por tanto, que la transmisión de acciones poseídas por la matriz en el seno del grupo fiscal es calificada por la DGT como acciones propias, por lo que dicha actuación no tiene incidencia en la base imponible de las entidades individuales y, por ende, en la base imponible del grupo.

---

149 En la misma línea, las Consultas V4073-15 y V876-16.

Esto nos lleva a la conclusión de que, debido al proceso de «calificación» de la renta, la aplicación plena del artículo 21 de la LIS, en un grupo fiscal, parece quedar reducida a las transmisiones de participaciones de entidades matrices respecto de sus dependientes, ya que la venta intragrupo o a un tercero de unas participaciones de las entidades dependientes respecto de la dominante del grupo fiscal supondría la calificación de venta de acciones propias y, por consiguiente, una operación que no generaría renta, ni positiva ni negativa, a nivel de grupo, y que debería ser corregida por el artículo 62.1.a) de la LIS[150].

De las interpretaciones expuestas parece darse a entender que solo en caso de que las entidades dependientes tengan participaciones de la dominante podría darse este supuesto de «acciones propias». Es decir, no se aplicaría tal criterio si es la dominante la que transmite su participación en las entidades dependientes. Sin embargo, bajo nuestro punto de vista y de nuevo atendiendo a la normativa contable de consolidación[151], en este caso también se podrían plantear la consideración de acciones propias las poseídas por la dominante respecto de sus dependientes, en la medida en la que la unidad de todas las entidades forma el grupo fiscal, como único contribuyente, lo que implicaría que este no tuviera participaciones en entidades, sino que en todo caso las tuviera sobre sí mismo (aunque en realidad, como adelantábamos, lo que se posee es una «ficción contable» de las acciones de las dependientes, porque en realidad se poseen a nivel consolidado sus activos y pasivos). De hecho, esta interpretación alcanza más fuerza si retomamos la teoría del su-

150 En la medida en la que no procede la aplicación de la exención del artículo 21 de la LIS, ni la eliminación de la renta, la forma correcta de «extraer» la renta del IS consolidado (porque no podemos dejar al margen el hecho de en consolidación se parte de la contabilidad individual de las sociedades, donde sí vamos a tener dicha renta) se efectuará como indican las instrucciones del modelo 220: «De manera que, en primer lugar, el resultado contable debe ser corregido en todo aquello en lo que por estar la entidad en un grupo fiscal, los requisitos o calificaciones contables deben variar. Este cambio viene reflejado en la nueva partida: «Correcciones al resultado contable al considerar los requisitos o calificaciones contables referidos al grupo fiscal (art. 62.1 a) LIS)» que aparece en la página 12 del Modelo con las casillas [01230] para los aumentos y [01231] para las disminuciones. Un ejemplo de los ajustes que deberían consignarse en estas casillas serían los derivados de las ventas de acciones de la entidad dominante del grupo».

151 El artículo 29 de las NOFCAC aplica con cualquier venta de acciones de las entidades del grupo, sin pérdida de control.

jeto único del grupo fiscal como contribuyente, cuyas actuaciones consigo mismo no debería producir efectos fiscales de ningún tipo, en la medida en la que cualquier operación interna no debería generar nada a nivel de grupo fiscal. La dominante no es el grupo, sino que lo son todas las entidades en su conjunto.

Recordemos que el artículo 29 de las NOFCAC hace referencia a los casos de venta de participaciones intragrupo sin pérdida de control (es decir, se mantiene más del 50% de participación), mientras que el artículo 31 se refiere a la venta de participaciones con pérdida de control[152]. Solo en el primer caso se podría estar produciendo la venta intragrupo de acciones propias, y provocaría que la posible renta que pudiera ponerse de manifiesto se difiera hasta la pérdida de control. De acuerdo con el artículo 29 de las NOFCAC, se exige eliminar el resultado, por su calificación, mientras que, de acuerdo con el artículo 31 de las NOFCAC, la venta a terceros «realiza» el resultado en las cuentas anuales consolidadas.

Es decir, la cuestión, no pacífica, se debería centrar en aclarar si en este caso de participación de la dominante en las dependientes, la configuración de la renta a nivel de grupo debería llevarse a cabo mediante el proceso de «calificación» del artículo 62.1.a) de la LIS, igual que ocurre con las acciones de una dependiente sobre una dominante, o debería llevarse a cabo

---

152 El criterio a nivel de grupo fiscal parece atender a la calificación contable a nivel consolidado, sin embargo, haciendo esto nos encontramos con la problemática de que la «pérdida» de control no será la misma a nivel de grupo contable (por debajo del 50% de participación) que a nivel de grupo fiscal (por debajo, como norma general, del 75%). Es decir, en la medida en la que la «pérdida» de control no se identifica de la misma forma a nivel contable que a nivel fiscal podrían existir dos interpretaciones: una primera que permitiría considerar venta de acciones propias (que no generarían resultado) solo en los casos en los que las entidades del grupo fiscal transmitan acciones de otras entidades del grupo fiscal hasta el 75% de la participación. Una venta de una entidad ajena al grupo fiscal (por porcentaje inferior al 75%), debería ser una venta que generaría renta que debiera integrarse en la base imponible (sin perjuicio de posible exención por el artículo 21 de la LIS). Una segunda interpretación nos llevaría a atender por completo a la normativa contable consolidada, de tal forma que a nivel contable consolidado toda venta hasta el 50% será una venta intragrupo que no generaría resultado.
No parece que la DGT haga ningún matiz al respecto. Sin embargo, en línea con lo expuesto en apartados previos, la primera de las interpretaciones parece ser más coherente con el artículo 62.1.a) de la LIS, que se refiere a «calificaciones y requisitos» atendiendo al «grupo fiscal».

mediante el proceso de la exención/eliminaciones[153], siendo esta última alternativa la que parece ser defendida en la actualidad por la doctrina[154], sin perjuicio de existir argumentos para defender la aplicación del concepto de «acciones propias» conforme a lo expuesto.

En definitiva, de acuerdo con las interpretaciones doctrinales, con la LIS, todas las operaciones con acciones propias, las acciones que se posee sobre la entidad dominante, llevadas a cabo en el grupo fiscal no generan renta, por lo que no se aplica la exención del artículo 21 de la LIS ni tampoco se «elimina» la renta que derive de estas, sino que exclusivamente se «corrige» en la declaración. Si se realizan transmisiones a terceros (ajenos al grupo) de acciones propias, parece, de acuerdo con el criterio de la DGT, que tampoco se va a generar renta alguna[155].

Sin perjuicio de lo anterior, a efectos comparativos, conviene precisar el contenido establecido por la anterior norma que regulaba el Impuesto, el Real Decreto Legislativo 4/2004, de 5 de marzo, por el que se aprueba el texto refundido de la Ley del Impuesto sobre Sociedades («TRLIS») y el tratamiento dado antes de la entrada en vigor del artículo 62.1.a) de la LIS.

El artículo 71.1 TRLIS no hacía referencia a que las «calificaciones y requisitos» se analizaban a nivel de grupo, medida introducida con la nueva LIS. Ello implicaba que, conforme a la normativa anterior, la renta generada por la transmisión de acciones propias pudiera ser objeto de eliminación,

---

153 Esta interpretación alcanzaría más relevancia si, por cualquier circunstancia, el legislador incorporar alguna medida por la que limitara la exención del artículo 21 de la LIS y la posible eliminación de rentas intragrupo, similar a la que se incluía en el proyecto de ley de presupuestos del ejercicio 2019, a través de la cual, se pretendía integrar en sede del grupo fiscal el 5% de la renta generada por aplicación del artículo 21 de la LIS.

154 Por ejemplo, V2409-18, de 6 de septiembre.

155 En esta línea, la consulta V2978-15 también establece que los requisitos y calificaciones para aplicar el artículo 21 LIS se tienen que referir al grupo fiscal. En este sentido, y de acuerdo con las anteriores interpretaciones, el reparto de dividendos de una sociedad del grupo a otra, analizando la operación siempre desde una perspectiva de grupo, en sentido estricto debería suponer un traspaso de renta de una «parte» del sujeto pasivo a otra, dentro del mismo, es decir, debería tratarse como las «acciones propias». Sin embargo, no es así, se trata como reparto de dividendo al que le resulta de aplicación el artículo 21 de la LIS.

teniendo en cuenta que bajo el TRLIS no se regulaba la exención en base imponible por dividendos y plusvalías.

En este sentido podemos citar, por ejemplo, la consulta V3332-13[156], donde no calificaba como «venta de acciones propias a terceros» sino como «venta de acciones que se posee de la dominante a un tercero», de tal forma que la renta sí se integraba en la base imponible individual.

Asimismo, en la consulta V2378-14[157] se cuestiona el tratamiento de la renta derivada de la transmisión de acciones propias intragrupo y la DGT con el TRLIS interpretaba que la renta generada por la operación intragrupo se debía eliminar de la base imponible consolidada hasta que las acciones salieran del grupo o se rompiera el grupo.

Por tanto, en la medida en la que el TRLIS no incluía una mención expresa de que las calificaciones y requisitos se analizan a nivel de grupo, las operaciones internas con acciones propias generaban renta a efectos fiscales que podía ser eliminada de la base imponible consolidada pero que, con posterioridad, debería ser incorporada, según las circunstancias, ya que la venta de acciones que una dependiente tenía de la dominante no se consideraba transmisión de acciones propias[158].

---

156 «En particular, la sociedad X es una sociedad residente en España, íntegramente participada por la entidad consultante y perteneciente al grupo fiscal antes citado, que en el año 2013 ha vendido a terceros (ajenos al grupo fiscal) acciones de la entidad consultante que mantenía en su activo, con una antigüedad media superior al año. [...] Por tanto, dado que en la base imponible individual de la entidad X se incluirá el resultado correspondiente a la venta a terceros de las acciones de la entidad consultante, dominante del grupo fiscal, dicho resultado, de acuerdo con lo establecido en el artículo 71 del TRLIS no será objeto de eliminación en la base imponible del grupo fiscal, al no corresponder con una operación interna entre entidades del mismo».

157 «Dicha transmisión generará una renta por la diferencia entre el valor fiscal de la participación a nivel del grupo fiscal y el valor de transmisión de dicha participación, con independencia del valor que tenga dicha participación en la entidad A, a nivel de su declaración individual. En el caso de que esta renta sea positiva, se eliminará en la base imponible consolidada en los términos establecidos en el artículo 72.1 del TRLIS».

158 Sin perjuicio de lo anterior, es posible citar las interpretaciones de diversos tribunales que comenzaban ya a poner de manifiesto que este tipo de operaciones no podían generar renta a nivel de grupo fiscal, destacando, por ejemplo, la sentencia de la Audiencia Nacional, de 11 marzo 2004, Rec. 1374/2001, por la que se indicaba lo siguiente:

De esta forma, es posible observar la relevancia de la «calificación» correcta a nivel de grupo de la renta generada, ya que la forma de «extraer» o «integrar» la renta dependerá de dicha calificación, pudiendo observar en el presente caso, de forma resumida, las siguientes diferencias, atendiendo a los pronunciamientos actuales de la DGT:

«En suma, la postura de la Inspección es que las participaciones en el capital de la sociedad dominante figuran en el activo del Balance consolidado, tanto si las tiene en cartera la dominante como si figuran en cualquiera de las sociedades dominadas y se consideran a estos efectos como acciones propias de la sociedad dominante en cartera, siendo indiferente, a los efectos de la consolidación, cuál de las sociedades de dicho grupo posea las acciones, ya que en cualquier caso representa a acciones propias en cartera. En otras palabras, a efectos del grupo fiscal consolidado, la operación consiste en la reducción con amortización de acciones propias, cualquiera que sea la poseedora de las mismas, tesis de la inspección que comparte el TEAC y esta Sala considera acertado. Otro argumento se añade al anterior, que el Plan General de Contabilidad establece que "la amortización de acciones propias dará lugar a la reducción del capital por el importe nominal de dichas acciones. La diferencia positiva o negativa, entre el precio de adquisición y el nominal de las acciones deberá cargarse o abonarse, respectivamente, a cuentas de reservas. Por tanto no se reflejará en la cuenta de pérdidas y ganancias del Grupo fiscal consolidado", declaración que es congruente con la naturaleza del grupo consolidado y que no por ello se opone al reconocimiento de la personalidad jurídica propia y del patrimonio separado en las sociedades que lo integran. En armonía con esa previsión que actúa sobre el ámbito de la contabilidad, el ya repetido artículo 130.1.c) del Reglamento del Impuesto limita la consideración de disminución patrimonial al disponer que "no se computarán como disminuciones patrimoniales a efectos de este Impuesto:...c) Las cantidades retiradas por los socios asociados o participes en concepto de reducción de capital, distribución de beneficios o reparto del patrimonio social, o como consecuencia del rescate de sus acciones por la propia sociedad", concepto que, si bien no es estrictamente predicable del caso que ahora nos ocupa, sí puede dar lugar a la aplicación analógica del precepto, por existir una "identidad de razón" justificativa de la entrada en juego de esta norma. En consecuencia, tal como afirma la resolución impugnada, en el supuesto de consolidación fiscal se produce una equiparación entre la sociedad dominante y las dominadas, a los efectos que aquí interesan, de tal forma que la operación realizada consiste en la adquisición de acciones propias, cualquiera que sea la sociedad poseedoras de las mismas, de manera que la citada operación no puede generar fiscalmente una disminución patrimonial, según se desprende de la Ley de Sociedades Anónimas antes indicada».

Operaciones	LIS	TRLIS
Venta de acciones de la dominante por filiales a otra sociedad del grupo o a terceros	Se califica como venta de acciones propias.	No se califica como venta de acciones propias, sino que se califica como venta de acciones de la dominante por la dependiente.
Venta de acciones propias intragrupo	No genera renta fiscal, no hay nada a lo que aplicar el artículo 21 LIS ni nada que eliminar. Sí se tendrá que efectuar una corrección al resultado contable en la declaración.	Genera renta fiscal que puede ser eliminada en base imponible consolidada y que se tendrá que incorporar cuando las acciones salgan del grupo o se rompa el grupo.
Venta de acciones propias a terceros	No genera renta fiscal, no hay nada a lo que aplicar el artículo 21 LIS ni nada que eliminar. Sí se tendrá que efectuar una corrección al resultado contable en la declaración. No consideramos que este criterio sea acorde con el artículo 29 de las NOFCAC.	Genera renta fiscal que no puede ser eliminada en base imponible consolidada ya que es fruto de una operación con terceros ajenos al grupo.

Fuente: elaboración propia

5.2.5. INSTRUMENTOS FINANCIEROS: LA COBERTURA CONTABLE

Como otro ejemplo de la importancia de la correcta calificación de la renta negativa, también es preciso destacar la calificación de las coberturas contables[159] en grupos fiscales que, en caso de generar renta (positiva o negativa) va a desplegar los efectos fiscales que se deriven de su consideración contable a nivel consolidado, destacando, por ejemplo, el criterio de la DGT en su Consulta V0048-17, de 13 de enero, en la que se indica lo siguiente:

> «En este sentido, los ingresos y gastos recíprocos, una vez homogeneizados, y en la medida en que no producen renta alguna a nivel

159 Recordemos que una cobertura contable se refiere a toda operación donde uno o varios instrumentos financieros, denominados instrumentos de cobertura, son designados para cubrir un riesgo específicamente identificado.

> consolidado, no deben ser objeto de eliminación. De lo contrario, se estaría generando una situación de desplazamiento patrimonial entre las entidades intervinientes en la operación, que resultaría contrario a la filosofía del régimen de consolidación fiscal. Por tanto, de acuerdo con lo señalado, las operaciones intragrupo que no generen renta a nivel de grupo consolidado no serán objeto de eliminación en la base imponible individual de las entidades integrantes del mismo.
>
> El pasivo financiero objeto de consulta no produce resultados en la contabilidad individual de la entidad consultante, al designarse como cobertura de flujos de efectivo[160], pero sí produce resultados a nivel consolidado, al designarse como cobertura de la inversión neta de negocios en el extranjero. Tal y como dispone el artículo 62.1.a) de la LIS, los requisitos o calificaciones establecidos en la normativa contable o fiscal se referirán al grupo fiscal, a la hora de determinar la base imponible individual. Por tanto, en el presente caso, la base imponible individual de X debe ajustarse a la calificación de la cobertura que corresponda en sede del grupo fiscal, es decir, la base imponible de X se ajustará para dar al pasivo financiero el tratamiento correspondiente a las coberturas de la inversión neta de negocios en el extranjero.
>
> Así, los resultados generados por la cobertura de la inversión neta de negocios en el extranjero, puesto que deriva de una operación interna que genera renta a nivel consolidado fiscal, serán objeto de eliminación».

Es decir, casos en los que a nivel individual las entidades del grupo fiscal no han generado renta alguna pero que, a nivel consolidado, sí que es posible identificar un resultado, considerando que en estos casos la citada renta debe reflejarse en la base imponible consolidada.

Asimismo, es posible destacar consultas en las que la DGT interpreta que, por aplicación de las «calificaciones y requisitos» a nivel de grupo fiscal, determinadas operaciones de cobertura que generan un resultado a nivel individual no despliegan efectos fiscales en la medida en la que, a nivel de grupo, no existiría renta alguna (por ejemplo, V2155-16, de 19 de mayo[161]).

---

160 Es una cobertura de la exposición a la variación de los flujos de efectivo que se atribuye a un riesgo particular asociado con un activo o pasivo previamente reconocido, o a una transacción prevista altamente probable, y que puede afectar al resultado del ejercicio.

161 «De conformidad con el precepto transcrito, los requisitos o calificaciones establecidos en la normativa contable o fiscal se referirán al grupo fiscal a la hora de determinar las bases imponibles individuales. Ello supone realizar una homogeneización con el objeto de que la base imponible individual de cada entidad que forme parte del grupo de consolidación fiscal, tenga en cuenta, precisamente, su pertenencia al referido grupo. Por tanto,

Como adelantábamos, en las citadas consultas se establece un concepto, «homogeneización», sin especificar su significado, definición que no parece verse tampoco amparada en la normativa contable, esto es, las NOFCAC[162].

Derivado de lo anterior, podría darse el caso de que la entidad tenga que integrar en su base imponible individual un resultado que no se refleja a nivel individual pero sí a nivel de grupo fiscal. Las complejidades de la «calificación» a nivel de grupo podrían generar que una determinada renta negativa a nivel consolidado, por una cobertura contable, aparentemente pueda ser integrada a nivel de base imponible individual de una entidad, pero que en todo caso se encuentre dicha entidad con el problema de que dicho «gasto» derivado de la renta negativa no se encuentre debidamente contabilizado a nivel individual. Como ha quedado expuesto en apartados previos, parece que el artículo 11.3 de la LIS y el principio de inscripción contable podrían casar con estas interpretaciones en la medida en la que sí que existe un registro contable a nivel de cuentas anuales consolidadas (o, en caso de ser distintas, en las cuentas preparadas con base en el artículo 72 de la LIS).

---

aquel gasto registrado en la cuenta de pérdidas y ganancias individual de A, que no forme parte del resultado consolidado mercantil por cuanto está registrado en el patrimonio neto a nivel del grupo mercantil, tampoco formará parte de la base imponible del grupo fiscal teniendo en cuenta el perímetro de configuración de este, por cuanto no formará parte de la base imponible individual de acuerdo con lo señalado en el artículo 62.1.a) de la LIS».

162 Ruiz Quintanilla J. Aspectos controvertidos de la base imponible consolidada según la Ley 27/2014, En *Revista de Contabilidad y Tributación n.º 434.* [...] Op. cit. Pág. 85-86: «Por último, el término «homogeneización» se emplea constantemente en cada una de estas consultas con el fin de justificar la interpretación del artículo 62.1 a) de la LIS anteriormente expuesta, sin indicar ni su significado ni referencia a norma alguna como anteriormente indicamos. No obstante, si acudimos a las NOFCAC, en esta norma las homogeneizaciones en consolidación se regulan en los artículos 16 a 19, con las respectivas siguientes denominaciones: temporal, valorativa, por las operaciones internas y para realizar la agregación. Pues bien, del examen del contenido de los referidos artículos, ninguno de ellos ampara o justifica las conclusiones reflejadas en las consultas, las cuales, como se ha expuesto, están determinando unos criterios que permiten modificar gastos o ingresos contables de las bases imponibles individuales para consignarlos en la base imponible consolidada».

5.2.6. TRANSMISIÓN DE ELEMENTOS PATRIMONIALES CON PÉRDIDA

Como otro caso más de la importancia de una correcta calificación, es posible destacar la renta derivada de la transmisión de elementos patrimoniales.

Por ejemplo, podemos encontrarnos con casos en los que una entidad pretenda transmitir un elemento patrimonial que califique como una existencia en su balance a otra entidad que lo registre como tal. En ocasiones, podríamos encontrarnos también con casos en los que la transmisión intragrupo de un elemento patrimonial para la entidad transmitente constituye renta derivada de la transmisión de un elemento patrimonial que, por ejemplo, califique como inversión inmobiliaria, pero que, según la entidad adquirente del elemento, la calificación del inmovilizado adquirido no será como tal sino como «existencias». Es decir, que cada parte de la transacción califique el elemento transmitido de forma diferente en función del destino que se le dé o se pretenda dar al elemento transmitido. Como regla general, la normativa contable entiende que la calificación del activo en una transmisión intragrupo será la que tenga en el adquirente del elemento patrimonial.

Una vez que una entidad del grupo tiene el activo, en la medida en la que, a nivel de grupo, según las NOFCAC[163], el inmovilizado deba calificar como «existencias», la renta negativa que pudiera surgir podría ser objeto de imputación fiscal en el ejercicio de la transmisión del elemento, en la medida en la que no sería de aplicación el artículo 11.9 de la LIS[164], que no aplica a existencias.

Es más, ahondando en la calificación contable de la renta negativa derivada de la venta de un elemento patrimonial, es posible advertir la particularidad contable de que, a nivel consolidado, la citada pérdida se reclasifica como un deterioro a efectos consolidados[165].

---

163 Artículo 43 de las NOFCAC: «Se considerarán operaciones internas de existencias todas aquellas en las que una sociedad del grupo compra existencias a otra también del grupo, con independencia de que para la sociedad que vende constituyan existencias, inmovilizado o inversiones inmobiliarias. [...]».

164 Este es el criterio de autores como López-Santacruz (LÓPEZ–SANTACRUZ MONTES JA. *Cuestiones conflictivas del Impuesto sobre Sociedades*. Jornada Gómez-Acebo & Pombo. Madrid. 2019). Material didáctico.

165 Artículo 42 de las NOFCAC.

Es decir, atendiendo a las NOFCAC, tanto en transmisión interna de existencias como de elementos patrimoniales que no constituyen existencias, cuando se genera una pérdida, a nivel consolidado esta califica como deterioro y no como pérdida derivada de la transmisión, en la medida en la que el elemento patrimonial realmente no sale del grupo, sino que solo manifiesta una pérdida interna, esto es, un deterioro.

En consecuencia, los citados deterioros que se puedan registrar sobre activos que no califiquen como existencias no serán, de acuerdo con la LIS, fiscalmente deducibles (artículo 13 de la LIS), de tal forma que el cambio de calificación a nivel de grupo implica que una pérdida califique como deterioro, que en todo caso será fiscalmente no deducible.

Conforme a lo anterior, es preciso destacar la consulta de la DGT V2352-23, en la que expresamente se pregunta sobre la transmisión intragrupo de existencias con pérdida y la DGT pone de manifiesto lo siguiente:

> «De acuerdo con el artículo 62.1.a) de la LIS, anteriormente reproducido, a la hora de determinar las bases imponibles individuales correspondientes a las entidades integrantes del grupo fiscal, los requisitos y calificaciones establecidos tanto en la normativa contable para determinar el resultado contable, como en la LIS para la determinación de la base imponible, irán referidos al grupo fiscal.
>
> Teniendo en cuenta esta circunstancia, si el importe de la pérdida derivada de la transmisión de las existencias a otra entidad del grupo fiscal se correspondiese, en los términos del artículo 43 de las NOFCAC, con una pérdida por deterioro de valor manifestada en el ejercicio en el que se realiza la transmisión intragrupo, ello exigirá, en su caso, el correspondiente reconocimiento en las cuentas consolidadas, sin que proceda su eliminación con arreglo a las NOFCAC y, por ende, sin que proceda su eliminación a efectos de la determinación de la base imponible consolidada. Dicho deterioro contable tendrá la consideración de fiscalmente deducible por aplicación de lo dispuesto en los artículos 10.3, 13, 62 y 64 de la LIS.
>
> No obstante, si el importe de la pérdida generada en la operación interna fuese superior al valor de la pérdida por deterioro, dicho exceso deberá ser objeto de eliminación, a efectos de determinar la base imponible del grupo fiscal, de acuerdo con el artículo 64 de la LIS, previamente trascrito. Su posterior integración en la base imponible consolidada se producirá con ocasión de la transmisión de las existencias frente a terceros, o bien, en ejercicios posteriores, cuando se manifieste una nueva depreciación de las existencias, hasta alcanzar o superar el valor de aquellas pérdidas.

> En todo caso, si las existencias deterioradas recuperasen su valor, y dichas existencias continuasen en el seno del grupo fiscal, el importe correspondiente a dicha recuperación de valor deberá integrarse en la base imponible del grupo fiscal, en los términos establecidos en los artículos 17 y 42 de las NOFCAC y 11.6 de la LIS».

El criterio señalado por la DGT refleja, por tanto, la interpretación del artículo 62.1.a) de la LIS, poniendo de manifiesto que una transmisión intragrupo de existencias con pérdida no es una operación que deba ser eliminada, sino que recalifica como deterioro y la citada pérdida será fiscalmente deducible en el grupo fiscal, debiendo, en su caso, integrar la reversión del deterioro fiscalmente en caso de que se recupere su valor[166].

En la medida en la que las transmisiones intragrupo con pérdida califican a nivel contable como deterioros, esta recalificación de la renta parece implicar que el criterio de imputación temporal al que hacemos referencia en apartados posteriores, el artículo 11.9 de la LIS, nunca sea de aplicación en grupos que apliquen el régimen especial de consolidación fiscal. La citada renta negativa, aunque derive de un elemento amortizable (el citado precepto permite integrar la renta negativa al ritmo de la amortización del activo), en ningún momento se integra como fiscalmente deducible hasta que el activo salga del grupo fiscal.

5.2.7. CRÉDITOS INTRAGRUPO

Como un ejemplo adicional que muestra la importancia de la «calificación» de las operaciones a nivel de grupo fiscal, es necesario ahondar en la correcta calificación de determinados créditos intragrupo. La existencia de este tipo de créditos podría llevarnos a la conclusión de que, si se analiza a nivel de grupo fiscal, no existe ningún resultado a tener en cuenta a nivel de grupo ya que el deudor y el acreedor serían el mismo sujeto pasivo, por lo que no tendrían impacto las limitaciones al deterioro del crédito recogidas en el

---

166 Ortega Carballo E, Atienza Pérez A. Interpretación de las «calificaciones» a nivel de grupo fiscal conforme a la normativa contable consolidada. En *Carta tributaria: Revista de opinión n.º 103* [...]. Op. cit.

artículo 13.1.2º de la LIS[167]. Cualquier deterioro sobre el crédito intragrupo no podrá tener la consideración de gasto fiscalmente deducible, incluso si nos referimos al crédito intragrupo que surge cuando una entidad de un grupo fiscal aporta resultado negativo a la base imponible consolidada, al que haremos referencia en apartados posteriores.

En cualquier caso, la posible condonación de un crédito intragrupo es relevante también en la medida en la que, como norma general, una condonación de créditos entre entidades independientes supone la consideración de gasto no deducible para la donante y la existencia de un ingreso tributable en la donataria. Sin embargo, cuando la condonación se produce entre empresas del mismo grupo, como norma general, la operación se recalifica: por un lado, nos podemos encontrar con que la calificación de la renta se trata como aportación a fondos propios[168], si es la matriz la que condona el crédito a la filial, o una distribución de dividendo si es la filial la que condona a la matriz

---

167 «No serán deducibles las siguientes pérdidas por deterioro de créditos: [...] 2.º Las correspondientes a créditos adeudados por personas o entidades vinculadas, salvo que estén en situación de concurso y se haya producido la apertura de la fase de liquidación por el juez, en los términos establecidos en la Ley 22/2003, de 9 de julio, Concursal».

168 Es preciso destacar la doctrina del ICAC en relación con las condonaciones que distingue el tratamiento de estas operaciones en función de si quien realiza la aportación es el socio o un tercero (doctrina finalmente plasmada a través de la Resolución del ICAC de 5 de marzo de 20219, artículo 9):
– Cuando es realizada por un socio a la sociedad en la que participa, el ICAC en sus diversas consultas viene interpretando que dicha operación se asimila a una ampliación de capital, de tal forma que la sociedad donataria realmente experimenta un aumento de sus fondos propios, y la entidad donante aumenta el valor de su participación (consulta núm. 5 del BOICAC núm. 79 del año 2009, consulta núm. 6 del BOICAC núm. 79 de septiembre 2009 y consulta núm. 7 del BOICAC núm. 113 de marzo 2018).
– Sin embargo, cuando la condonación/donación es realizada por un tercero, que no tiene vinculación alguna con la sociedad donataria, el ICAC considera que es de aplicación la norma general recogida en la NRV 18, es decir, que la entidad donataria deberá imputar un ingreso y la entidad donante un gasto (consulta núm. 4 del BOICAC núm. 79 del año 2009 y consulta núm. 7 del BOICAC núm. 75 del año 2008).
Fiscalmente, las condonaciones o las «aportaciones a fondo perdido» se asimilan a aportaciones a fondos propios, destacando, por ejemplo, la V1790-17, de 10 de julio: «De acuerdo con este razonamiento, la aportación a fondo perdido por la sociedad dominante a las sociedades D y E, en las que participa al 100%, tendrá la consideración de aportación a los fondos propios de la entidad participada no constituyendo un gasto para la entidad donante ni un ingreso para las entidades donatarias. Por lo tanto, de acuerdo

el crédito. Este criterio aplica con independencia de si las entidades forman o no un grupo fiscal, pero va en línea con el artículo 62.1.a) de la LIS al tratar la operación como un movimiento de fondos propios. En cualquier caso, conforme al criterio administrativo, si el porcentaje de la matriz sobre la filial no alcanza el 100%, surgirá un ingreso no eliminable y un gasto no deducible a nivel individual en cada entidad[169], criterio interpretativo que parece quebrar la unidad del grupo fiscal como sujeto único, aunque en realidad parece entenderse con la citada operación que lo que se produce, por el porcentaje de «socios externos» es una operación con terceros, no eliminable.

En cualquier caso, como se indicaba, esta calificación no procede del artículo 62.1.a) de la LIS y de la aplicación del régimen de consolidación fiscal, sino de la consideración de que las entidades forman parte de un grupo contable. Es decir, si bien es cierto que las conclusiones de la calificación de la operación de condonación son relevantes, no derivan propiamente de la existencia de un grupo de consolidación fiscal, sino de la participación que exista entre las entidades, de tal forma que la definición de la operación no procede realmente de la «calificación» a nivel de grupo fiscal, sin perjuicio de ir acorde con las citadas «calificaciones» a nivel de grupo fiscal que exige el precepto. Empero, los efectos en consolidación que recoge la DGT, esto es, las consecuencias de la integración de un ingreso no eliminable y de un gasto no deducible fiscalmente en entidades del grupo fiscal, no parecen ir en sintonía con la concepción del grupo como único contribuyente.

---

con lo establecido en los preceptos anteriores, dichas operaciones no han de ser objeto de eliminación para obtener la base imponible del grupo fiscal».

Este es el criterio que también mantiene la DGT, por ejemplo, en su consulta V3151-15, de 19 de octubre o V5469-16, de 28 de diciembre.

En esta línea, el no reconocimiento del crédito podría ser interpretado por la Administración tributaria como que existió una condonación del mismo, sin embargo, de acuerdo con lo expuesto, no parece que esto genere ninguna repercusión fiscal, salvo que el crédito se encontrase deteriorado o existan socios terceros, ya que entonces sí que generaría renta en la sociedad deudora, de acuerdo con las interpretaciones de la DGT y el ICAC.

169 Mientras que el gasto no es objeto de deducción, por ser considerado una liberalidad, el ingreso se integra en la base imponible individual, no siendo ningún de los conceptos eliminables en el régimen de consolidación de acuerdo con el criterio de la DGT, V0621-10, de 30 de marzo, V2341-13, de 15 de julio y V0233-14, de 31 de enero.

5.2.8. ENTIDADES ASOCIADAS (MÉTODO DE LA PARTICIPACIÓN O PUESTA EN EQUIVALENCIA) Y MULTIGRUPO (MÉTODO DE INTEGRACIÓN PROPORCIONAL)

Como se ha ido comentado, parece que el artículo 62.1.a) de la LIS «abre» una puerta a la consolidación contable, de tal forma que nos podríamos plantear qué pasa con los resultados generados a nivel contable consolidado por las entidades que, aun no formando parte del régimen de consolidación fiscal, sí integran el perímetro de la consolidación contable[170], como entidades asociadas o multigrupo, porque el grupo no tiene el control, pero sí ejerce una influencia significativa o control conjunto.

Así, por ejemplo, en relación con las entidades multigrupo, de acuerdo con las NOFCAC, el grupo contable debe proceder a eliminar las partidas en la proporción a su participación en la entidad que controla mediante gestión conjunta. No parece que estas eliminaciones vayan a tener efecto en el grupo fiscal, salvo en un supuesto en el que la entidad que a nivel contable es gestionada mediante control conjunto, forme parte del grupo fiscal porque el grupo fiscal tenga más de un 75% de participación (recordemos que se exige también más del 50% de los derechos de voto, aunque aun así podría darse el control conjunto). En este caso, parece que, a nivel de grupo fiscal, las operaciones deberían analizarse teniendo en cuenta la citada proporcionalidad.

En relación con una entidad asociada, en este caso cabría preguntarse si habría que tener en cuenta los resultados generados por el cambio de valor de la participación[171], aunque parece que, en la medida en la que la entidad no se integre en el grupo fiscal, sus resultados no tendrán efectos fiscales.

De nuevo podría surgir la duda en relación con los resultados que se ponen de manifiesto por la adquisición de control de una entidad que previamente formaba parte de perímetro de la consolidación contable como entidad multigrupo o asociada. De acuerdo con el artículo 58 de las NOFCAC, en la medida en la que la entidad asociada o multigrupo pase a tener la consideración de entidad dependiente a la que aplicar el método de integración

---

170 Artículo 13 de las NOFCAC: «El perímetro de la consolidación estará formado por las sociedades que forman el conjunto consolidable y por las sociedades a las que se les aplique el procedimiento de puesta en equivalencia».

171 Artículo 55 de las NOFCAC.

global, la compra de valores de nuevo se transforma en una compra de activos y pasivos de la entidad, y, por consiguiente, a nivel de grupo, se genera un resultado por la valoración a valor razonable de la participación (en coherencia con el hecho de que el grupo compre activos y pasivos, resultado que no se genera cuando un tercero transmite en bloque los valores de una entidad que se integrará en un grupo contable y fiscal). La cuestión es determinar si el citado resultado formaría parte de la base imponible del grupo fiscal. Si bien es cierto que, a nivel consolidado las adquisiciones de sociedades generan resultados, estas a nivel de grupo fiscal no se integran hasta el año siguiente (cuando ya el resultado califica como reservas, aunque no hay que olvidar lo ya analizado en apartados previos en relación con el principio de inscripción contable del artículo 11.3 de la LIS en relación con el artículo 62.1.a) de la LIS anteriormente desarrollado).

5.2.9. SOCIOS EXTERNOS *VERSUS* ARTÍCULO 62.1.A) DE LA LIS

Una última cuestión relevante en relación con el artículo 62.1.a) de la LIS es su integración con la existencia del concepto contable «socios externos»[172] a nivel contable consolidado. Es relevante tenerlo presente en la medida en la que es un concepto contable que se refleja en las cuentas anuales consolidadas y no hace más que poner de manifiesto la participación de los socios minoritarios, que no tienen el control contable sobre la filial del grupo. Esta partida de «socios externos» forma parte del patrimonio neto consolidado[173] y su valor será la parte proporcional que les corresponde del valor razonable de los elementos adquiridos en la fecha de adquisición.

En el régimen de consolidación fiscal, una vez cumplidos los requisitos por las entidades para su aplicación, la integración de las rentas es total, no en proporción al porcentaje de participación en las sociedades, de tal forma que un grupo fiscal tributa como un ente único por la totalidad de las rentas, aunque su participación no alcance el 100% en todas las filiales.

---

[172] Artículo 27 de las NOFCAC.

[173] Salvo que se hubiera pactado la compra por parte del grupo de sus participaciones, en cuyo caso serían un pasivo financiero.

La problemática que podría darse de una interpretación literal del artículo 62.1.a) de la LIS es que, en la medida en la que a nivel contable consolidado se procede a reconocer a los «socios externos» la parte que se corresponde con su participación en los fondos propios de la filial[174], podría entenderse que procede también repartir dichos fondos propios (incluido el resultado del ejercicio consolidado) a nivel fiscal.

5.2.10. INTERPRETACIONES

Expuestos los ejemplos previos, es posible apreciar la importancia de la «calificación» a nivel de grupo ya que influirá en las partidas que van a tener la consideración de fiscalmente deducibles en la base imponible individual y que, finalmente, parece que no hacen más que aproximar casi por completo el resultado contable individual de las entidades al resultado contable consolidado, generando una base imponible consolidada que se acerca en mayor medida a un auténtica tributación consolidada.

De esta forma, atendiendo a lo expuesto, de acuerdo con lo planteado, parece que nos podríamos encontrar con las siguientes posibles interpretaciones el artículo 62.1.a) de la LIS:

Una primera interpretación que considere que solo se integrarán por la vía del artículo 62.1.a) de la LIS los resultados consolidados que se generen por las entidades que forman parte del grupo fiscal por cumplir los requisitos de la LIS, no consignándose aquellos que se correspondan con entidades que sí integran el perímetro de la consolidación contable pero no el fiscal. Es decir, en primer lugar, si las operaciones son entre sociedades del grupo fiscal, en su caso, se despliegan los efectos del artículo 62.1.a) de la LIS. En segundo lugar, si las operaciones son entre una sociedad que forma parte del grupo fiscal y otra que no (porque sea no residente o porque tenga menos del 75%), los efectos no se «corrigen» aunque sean del grupo contable.

Una segunda interpretación nos llevaría a considerar que debe proceder a integrarse todo lo que esté a nivel contable consolidado, en la medida en la

174 De acuerdo con los artículos 45 y 46 del Código de Comercio, los socios externos se deben valorar en función de su participación en el valor razonable de los activos adquiridos y pasivos asumidos.

que las «calificaciones» y «requisitos» a las que hace referencia la normativa fiscal, no hacen más que dar entrada al resultado contable consolidado.

El entendimiento del «grupo fiscal» como contribuyente nos haría decantarnos por la primera interpretación, pero no es menos cierto que el artículo 62 de la LIS abre la puerta al resultado contable consolidado.

Analizada la «primera fase» que exige el artículo 62.1.a) de la LIS, el siguiente paso consiste en determinar si la renta, calificada conforme al grupo fiscal, es deducible fiscalmente en la base imponible individual.

5.3. DEDUCIBILIDAD FISCAL DE LA RENTA NEGATIVA EN BASE IMPONIBLE INDIVIDUAL

Una vez que se procede a calificar la renta en sede individual, de acuerdo con el prisma del grupo fiscal, será necesario determinar si finalmente dicha renta, que resulta negativa, se debe integrar en la base imponible individual, de acuerdo con los criterios de imputación temporal y su deducibilidad. Dicho de otra manera, una vez que se ha procedido a la calificación de la pérdida desde el punto de vista de grupo, procede determinar si se integra en la base imponible porque sea fiscalmente deducible.

Por tanto, resulta necesario hacer especial mención, sin ánimo de ser exhaustivo, a las reglas especiales de deducibilidad fiscal de renta negativa que pueden afectar a la base imponible negativa individual y, por ende, al grupo fiscal. Es decir, la cuestión que interesa es si efectivamente la pérdida/gasto calificado como tal se mantiene a efectos de la determinación de la base imponible. Dentro de este contexto, si el resultado en base imponible es negativo, porque los gastos/pérdidas deducibles exceden de los ingresos fiscales, la sociedad tendrá una base imponible negativa individual.

Además, de acuerdo con el criterio expuesto del artículo 62.1.a) de la LIS, este análisis se debe llevar a cabo, en la determinación de la base imponible individual, pero a nivel de grupo fiscal.

5.3.1. LIMITACIONES A LA DEDUCIBILIDAD FISCAL DE LA RENTA NEGATIVA REGULADAS POR LA LIS, ANALIZADAS A NIVEL DE GRUPO FISCAL

5.3.1.1. Gastos no deducibles

Como se ha expuesto en apartados previos, todo gasto contable debe entenderse como gasto fiscalmente deducible, salvo que la LIS establezca lo contrario. De esta forma, si cualquiera de los gastos/pérdidas calificadas como tal por la entidad, no fuera fiscalmente deducible conforme a la LIS, debería, en su caso, ajustarse en la declaración.

De igual forma que en el régimen general, las entidades se verán limitadas a nivel individual principalmente por el contenido de los artículos 12, 13, 14, 15 y 16 de la LIS, siempre analizados a nivel de grupo fiscal, teniendo en cuenta que en este punto entraría en juego de nuevo el artículo 62.1.a) de la LIS que viene a considerar que los «requisitos» deben ser analizados a nivel de grupo fiscal. En este sentido, serán de aplicación los límites del artículo 15, 16, 63 y 67 de la LIS.

Mención especial cabría hacer a los gastos no deducibles del artículo 16 de la LIS, apartado 5, que tiene su reflejo en el régimen de consolidación fiscal en el artículo 67 de la LIS, que incluyen una cláusula especial regulada en cuanto a la deducibilidad fiscal de los gastos financieros, que establece un límite adicional para la deducibilidad fiscal de los gastos financieros vinculados a adquisiciones apalancadas de participaciones en entidades cuando, tras la adquisición, la entidad adquirida se incorpore al grupo de consolidación fiscal al que pertenece la adquirente o se fusione con esta última.

En este sentido, se establece que los gastos financieros netos se deducirán con el límite adicional del 30% del beneficio operativo de la propia entidad que realizó la adquisición, sin incluir en dicho beneficio operativo el correspondiente a: **i)** la entidad adquirida; o **ii)** cualquier otra entidad que se fusione con la entidad adquirente o que se incorpore al grupo fiscal de la misma, en los periodos impositivos que se inicien en los cuatro años posteriores a dicha adquisición.

Cuando se trate de una sociedad adquirente que tribute en régimen de consolidación fiscal, este límite adicional se referirá al grupo fiscal, es decir, los gastos financieros derivados de deudas destinadas a la adquisición de participaciones en entidades que se incorporen a un grupo de consolidación fiscal, se deducirán con el límite adicional del 30% del beneficio operativo del grupo fiscal adquirente, pero, como ya se ha señalado anteriormente, sin incluir en dicho beneficio operativo el correspondiente a la entidad adquirida o cualquier otra que se incorpore al grupo fiscal en los periodos impositivos que se inicien en los cuatro años posteriores a dicha adquisición[175].

No obstante lo anterior, la LIS prevé que este límite adicional no será aplicable si el endeudamiento derivado de la operación no excede del 70% del coste de adquisición de las participaciones y la deuda se minora, desde el momento de la adquisición, al menos en la parte proporcional que corresponda a cada uno de los ocho años siguientes hasta que la deuda alcance el 30% del precio de adquisición.

Adicionalmente, conviene tomar en consideración la limitación a la deducibilidad de determinados gastos asociados a operaciones híbridas, conforme al artículo 15 bis de la LIS. Con base en dicho precepto, la calificación fiscal del grupo en diferentes jurisdicciones podría dar lugar a una asimetría, limitando el legislador la deducibilidad del gasto en el seno del grupo fiscal.

5.3.1.2. Deducibilidad de la renta negativa derivada de la transmisión de participaciones

La deducibilidad de la renta negativa también se encuentra limitada por el contenido del artículo 21.6 de la LIS[176], en lo que se refiere a la renta

---

[175] Gracia Espinar E, Viñas Rueda L. Sobre la posible vulneración del derecho comunitario por parte de la norma española que limita la deducibilidad de los gastos financieros. En *Práctica Fiscal para Abogados n.º 1*. 1ª Edición. Madrid. Aranzadi LA LEY. 2017. Pág. 6-7: «La razón de ser de esta limitación adicional es restringir la deducibilidad de los gastos financieros que se soporten en operaciones de adquisición apalancadas (LBOs), impidiendo que los beneficios operativos de la entidad adquirida compensen los gastos financieros derivados de su adquisición, y es por ello que se establece que los mencionados gastos se deducirán con el límite adicional del 30 por ciento del beneficio operativo de la propia entidad o grupo fiscal adquirente (sin incluir en dicho beneficio operativo el correspondiente a la actividad desarrollada por la entidad adquirida para el supuesto de que posteriormente ésta se incorpore al grupo fiscal de la adquirente o se fusione con la misma, en los cuatro años posteriores a la adquisición)».

[176] Téngase presente que este precepto se encuentra actualmente en el punto de mira del Tribunal Constitucional. En particular, recientemente, la Audiencia Nacional, me-

negativa derivada de la transmisión de participaciones, intragrupo o a terceros, que cumplan los requisitos para aplicar la exención del artículo 21 de la LIS.

En este punto es relevante partir de una premisa: como hemos indicado previamente, la venta de elementos patrimoniales (como puede ser la venta de participaciones/acciones) con pérdida, a nivel de grupo fiscal, debe calificar como un deterioro, de acuerdo con las NOFCAC y el artículo 62.1.a) de la LIS. Siendo así, en caso de transmisiones de participaciones «cualificadas» conforme al artículo 21 LIS, el análisis de la deducibilidad fiscal se centraría no en el citado precepto sino en el artículo 13 de la LIS. Por tanto, la limitación mencionada del artículo 21.6 de la LIS solo será aplicable para las pérdidas que no cumplan los requisitos para calificar como «deterioro» a nivel consolidado (principalmente entidades que no formen parte del grupo fiscal).

Además, si, de acuerdo con lo expuesto en apartados previos, se atendiera a la calificación a nivel de grupo de la renta derivada de la venta de participaciones del grupo, considerando que todas las participaciones intragrupo constituyen «acciones propias», no sería necesario acudir a la interpretación del artículo 21.6 de la LIS, en la medida en la que dicha renta directamente no sería tal a nivel de grupo, por lo que no se exigiría analizar su deducibilidad fiscal. Sin embargo, al solo extender la doctrina las consecuencias de las «acciones propias» a las poseídas por dependien-

---

diante Auto de 14 de julio de 2025, ha planteado cuestión de inconstitucionalidad ante el Tribunal Constitucional respecto del artículo 3.Dos.7 del Real Decreto-ley 3/2016, que introdujo el apartado 6 del artículo 21 LIS, prohibiendo la deducción de pérdidas por transmisión de participaciones exentas. El tribunal considera que esta limitación incide directamente en la base imponible del IS y, por tanto, en el deber de contribuir del artículo 31.1 CE, lo que podría vulnerar el límite material del artículo 86.1 CE aplicable a los decretos-leyes. Es decir, la posible resolución no sería una cuestión de fondo, sino de forma. La cuestión se fundamenta en la doctrina del TC (SSTC 78/2020 y 11/2024), que ya declaró inconstitucionales preceptos tributarios aprobados por esta vía. De estimarse la inconstitucionalidad, los contribuyentes podrían solicitar la rectificación de sus autoliquidaciones y la devolución de ingresos indebidos, si bien la práctica reciente del TC limita los efectos de sus sentencias a quienes hubieran impugnado previamente, lo que lleva a aconsejar la impugnación de forma preventiva las autoliquidaciones afectadas antes del pronunciamiento del Tribunal.

tes sobre dominantes, es relevante la interpretación de este precepto ya que, el mismo es aplicado en base imponible individual con anterioridad a la eliminación de la renta[177], afectando a la configuración de la base imponible a nivel individual. Es decir, el ajuste en todo caso debería realizarse en base imponible individual, sin darle la opción al contribuyente a que sean aplicables las eliminaciones[178].

De acuerdo con el precepto citado, no se integrarán en la base imponible las rentas negativas derivadas de la transmisión de la participación en una entidad, respecto de la que se cumplan principalmente los requisitos de participación mínima del 5%, durante un periodo superior a un año.

Dicho precepto se ve matizado por el artículo 21.8 de la LIS, que permite la deducción de la renta negativa en caso de «extinción de la entidad participada, salvo que la misma sea consecuencia de una operación de reestructuración».

Téngase en cuenta que el artículo 21.6 de la LIS en sede del grupo fiscal no aplica a entidades de nueva creación que se incorporan al grupo fiscal en mitad de un ejercicio, y que son transmitidas antes de que trascurra un año, pero en todo caso, si es una entidad del grupo fiscal, le sería aplicable el criterio de recalificación de la renta como deterioro.

---

177 García Rozado González B. Análisis de la aplicación del artículo 21 de la LIS en el régimen de consolidación fiscal. En *Carta Tributaria: Revista de Opinión n.º 34.* 1ª Edición. Madrid. Aranzadi LA LEY. 2018. Pág. 5: «Pues bien, con anterioridad a su entrada en vigor, las rentas generadas por dividendos y transmisiones de cartera dentro del régimen de consolidación fiscal se integraban en la base imponible y, posteriormente, eran objeto de eliminación a través del mecanismo de la consolidación fiscal. Actualmente, el panorama es completamente distinto, ya que, si resulta aplicable el régimen de exención, ya no existen rentas pendientes de eliminar a nivel de grupo fiscal, con lo que se produce una situación neutral entre el régimen individual de tributación y el régimen de consolidación fiscal. Solo cuando no se cumplen los requisitos del artículo 21 de la LIS, entonces la consolidación fiscal, a través del mecanismo de eliminación de operaciones internas, genera la eliminación de las rentas correspondientes a dividendos o transmisiones entre entidades del mismo grupo fiscal».

178 Calvo Vérgez J. *La Fiscalidad de los Grupos de Empresas en el Impuesto sobre Sociedades* [...]. Op. cit. Pág. 294.

Autores como García-Rozado[179] y López-Santa Cruz[180] analizan los efectos de la transmisión de participaciones a las que le resulta de aplicación el artículo 21 de la LIS en sede de un grupo fiscal, cuando previamente se había producido también una transmisión de participaciones a la que aplicar dicho precepto (que, bajo la redacción actual, aplicaría a transmisiones de entidades que no forman parte del grupo fiscal).

En primer lugar, se analiza la transmisión de participaciones entre entidades del grupo fiscal cuando, en el momento de la transmisión, en la entidad transmitente se cumplieron los requisitos del artículo 21 de la LIS. En este caso, se plantea qué ocurre con posterioridad, si se vuelven a transmitir las participaciones por parte de la entidad adquirente, por cuanto, a su vez, se pueden cumplir o no los requisitos del artículo 21 de la LIS.

Si en la entidad adquirente del grupo no se cumplen los requisitos del artículo 21 de la LIS al realizar la transmisión[181], la renta positiva o negativa se integrará en la base imponible individual de la entidad adquirente. Sin embargo, es preciso matizar que la renta negativa también podrá ser objeto de integración si la transmisión se produce con posterioridad al plazo del año desde que se perdieron los requisitos del artículo 21 de la LIS (tras sucesivas ventas de la participación que reduzcan el porcentaje por debajo del 5%), siendo, por tanto, deducible en la base imponible individual[182].

Asimismo, considera García-Rozado que, si en el momento de la transmisión realizada dentro del grupo fiscal quedó diferida una renta positiva en la entidad transmitente, esta, en principio, se integrará en la base imponible del

---

179 García-Rozado González B. Análisis de la aplicación del artículo 21 de la LIS en el régimen de consolidación fiscal. En *Carta Tributaria: Revista de Opinión n.º 34* [...]. Op. cit. Pág. 6-7.

180 López-Santacruz Montes JA. *Cuestiones conflictivas del Impuesto sobre Sociedades*. Jornada Gómez-Acebo & Pombo. Madrid. 2019.

181 Porque la entidad adquirente realice transmisiones sucesivas de participaciones quedando, en un determinado momento, su participación por debajo del 5 % o de 20 millones de euros.

182 García-Rozado González B. Análisis de la aplicación del artículo 21 de la LIS en el régimen de consolidación fiscal. En *Carta Tributaria: Revista de Opinión n.º 34* [...]. Op. cit. Pág. 6-7: «salvo que se transmita a una entidad ajena al grupo fiscal pero que pertenezca a su mismo grupo mercantil, al resultar aplicable el artículo 11.10 de la LIS».

grupo fiscal conforme a lo previsto en el artículo 65 de la LIS. No obstante, cabría plantearse si, en este caso, esa renta positiva debiera quedar igualmente exenta al 95% o no ser fiscalmente deducible en caso de ser negativa, teniendo en cuenta que las reglas generales del artículo 21 de la LIS señalan que, a efectos del plazo de mantenimiento de las participaciones, el mismo se computará a nivel de grupo mercantil. En particular, considera García-Rozado que:

> «Podría plantearse que, si el incumplimiento inicial se produjo simplemente porque no había transcurrido el plazo del año y el mismo se ha cumplido dentro del grupo mercantil, la renta positiva generada en la primera transmisión no debiera integrarse en la base imponible al haberse cumplido los requisitos del artículo 21 de la LIS dentro del grupo mercantil»[183].

Igualmente, considera García-Rozado que: «en la medida en que en la entidad transmitente no se cumplían los requisitos del artículo 21 de la LIS por el plazo de un año y este se haya cumplido con posterioridad dentro del grupo mercantil conforme al artículo 42 del Código de Comercio, podría plantearse que las rentas negativas no debieran integrarse nunca en la base imponible». Parece lógico que dicha renta no deba ser objeto de integración, en la medida en la que el grupo fiscal en su conjunto sí cumpla los requisitos del artículo 21 de la LIS.

En definitiva, parece posible concluir lo siguiente:

183 Esta interpretación es coherente con la consulta de la DGT V2196-18, de 24 de julio, que establece lo siguiente: «En relación con el requisito previsto en la letra a) del apartado 1 del artículo 21 de la LIS, se cumple el requisito referido al porcentaje de participación poseído. Asimismo, en relación con el requisito relativo al plazo de tenencia de la participación, la participación en la entidad M, si bien se transmite en un plazo inferior al año desde su constitución, cabe indicar que las participaciones por ella poseídas se poseen por el grupo español desde el año 2010. En este sentido, aunque la entidad M es de nueva creación, la participación en las entidades participadas se ostenta desde el año 2010 por parte del grupo mercantil, por lo que es razonable que pueda entenderse cumplido el requisito establecido en la letra a) del artículo 21 de la LIS, en relación con el tiempo de tenencia de la participación. Por lo tanto, en la medida en que se cumplan los requisitos de antigüedad y porcentaje de participación y el resto de requisitos previstos en el citado artículo 21, será de aplicación la exención prevista en el artículo 21 de la LIS a la transmisión de las participaciones en la entidad M por parte de la entidad consultante».

	1° transmitente	Adquirente (2° transmitente)	Efecto en 2° transmisión
¿Cumple artículo 21 LIS la transmisión?	Sí	Sí	Aplicación del artículo 21 LIS: exención/no deducible
¿Cumple artículo 21 LIS la transmisión?	Sí	No	No exención/sí renta negativa (> 1 año)
¿Cumple artículo 21 LIS la transmisión?	No	Sí	Aplicación del artículo 21 LIS: exención/no deducible Además, en 1° transmisión, si se incorpora la renta que fue eliminada, debiera aplicar el artículo 21 de la LIS ahora, al cumplirse los requisitos a nivel de grupo.
¿Cumple artículo 21 LIS la transmisión?	No	No	No exención/sí renta negativa

Fuente: Elaboración propia

Por otro lado, en relación con la deducibilidad fiscal de la renta negativa en el régimen de consolidación fiscal, resulta preciso relacionar el contenido del artículo 21.6 de la LIS con el artículo 62.2 de la LIS, que establece lo siguiente:

> «El importe de las rentas negativas derivadas de la transmisión de la participación de una entidad del grupo fiscal que deje de formar parte del mismo se minorará por la parte de aquel que se corresponda con bases imponibles negativas generadas dentro del grupo fiscal por la entidad transmitida y que hayan sido compensadas en el mismo».

Con dicha regulación parece evidente que el legislador en todo caso lo que pretende es evitar un doble aprovechamiento de las pérdidas, siendo deducido como base imponible negativa por la entidad que se transmite (que podría ser objeto de compensación automática con bases positivas de otras sociedades del grupo) y a través de una pérdida derivada de la transmisión de la participación a un tercero[184].

---

[184] CALVO VÉRGEZ J. *La Fiscalidad de los Grupos de Empresas en el Impuesto sobre Sociedades* [...]. Op. cit. Pág. 264.

Sin embargo, es posible dudar de la aplicación actual de dicho precepto en sede de un grupo, en la medida en la que, como se ha expuesto, la venta de participaciones en un grupo fiscal como norma general podría generar renta negativa fiscalmente no deducible (también incluso por la calificación de la renta como deterioro). Es decir, el artículo parece que intenta evitar que el grupo fiscal pueda deducirse dos veces las pérdidas de la filial, de tal forma que sí que permite su deducción una sola vez, a pesar de que en el régimen general dichas pérdidas no son en ningún caso deducibles, bien por aplicación del artículo 21.6 de la LIS, o bien porque el deterioro de cartera no es ya fiscalmente deducible.

Una primera interpretación de dicho precepto en relación con el 21.6 de la LIS es considerar que, al no haber modificado el legislador su redacción, parece que se estaría permitiendo que las entidades pudieran deducirse fiscalmente las pérdidas derivadas de la venta de participaciones, debiendo reducir dicha pérdida con las bases imponibles negativas generadas dentro del grupo fiscal por la entidad y que han ido objeto de compensación, de la misma forma que el legislador permite que el grupo fiscal pueda deducirse pérdidas de las filiales integradas en el grupo fiscal, a diferencia de lo que ocurre en el régimen general. Esta interpretación, sin embargo, podría adentrarnos en la citada «asimetría» prohibida por el TJUE, a pesar de que ya incurrimos en ella con el deterioro de cartera.

Una segunda interpretación se decantaría por considerar que la citada renta negativa generada por una transmisión de participaciones de filiales se minora en las bases imponibles negativas generadas por la sociedad en el seno del grupo fiscal y el exceso no será una renta negativa fiscalmente deducible, en aplicación de dicho precepto, salvo que derivara de una liquidación de una sociedad. En este sentido, Ruiz considera lo siguiente:

> «Además, el artículo 62.2 establece que el importe de las rentas negativas derivadas de la transmisión de la participación de una entidad del grupo fiscal que deje de formar parte del mismo se minorará por la parte de aquel que se corresponda con BINs generadas dentro del grupo fiscal por la entidad transmitida y que hayan sido compensadas en el mismo. Esta previsión fue añadida a la norma con efectos desde 1 de enero de 2013 y es una manifestación más de la preocupación del legislador de evitar el doble aprovechamiento de pérdidas. No obstante, dadas las limitaciones introducidas con efectos 1 de enero de 2017 a la deducibilidad de las pérdidas en las transmisiones de entidades partici-

padas antes comentadas, el ámbito de aplicación de esta previsión se vería prácticamente anulado»[185].

Parece, por tanto, que la interpretación más acorde con el régimen de consolidación fiscal es la de considerar que prima en este caso el criterio general de no deducibilidad fiscal, sin perjuicio de quedar reducida la aplicación del artículo 62.2 de la LIS a supuestos de liquidación de entidades del grupo fiscal. Esta interpretación es a su vez coherente con la prohibición del TJUE de la existencia de asimetrías en el régimen de consolidación fiscal respecto del régimen general, a pesar de que el artículo 62.2 de la LIS sea un precepto «especial» respecto del régimen general y a pesar de verse modificado con la reforma del artículo 21 de la LIS. En todo caso, conviene recordar que, si atendemos a la idea de considerar que el grupo es un sujeto único, no debería plantearse la deducibilidad de la renta negativa, ya que la misma directamente no existe cuando esta derive de una transmisión de participaciones de sociedades del grupo fiscal.

5.3.1.3. Especial mención a los deterioros de cartera en el grupo fiscal

Es relevante tomar en consideración la deducibilidad fiscal de los deterioros, no por ellos en sí mismos, sino porque, como hemos adelantado, todas las pérdidas internas generadas en el grupo fiscal van a calificar como deterioro, al ser de aplicación las NOFCAC, debiendo seguir sus reglas de aplicación.

Actualmente no existe un criterio fiscal que permita considerar que el deterioro derivado de cualquier elemento patrimonial, excepto las existencias, pueda ser fiscalmente deducible, ni a nivel individual ni a nivel de grupo fiscal.

Por tanto, cualquier deterioro dotado por entidades del grupo fiscal por su participación en otras entidades del grupo debe ser objeto de ajuste extra-

---

185 En este sentido, Ruiz Cabanes J C. Las pérdidas en el Impuesto sobre Sociedades 2017: activos financieros, moneda extranjera y otras limitaciones. En *Estrategia Financiera n.º 350*. 1ª Edición. Madrid. Wolters Kluwer. 2017. Pág. 12.
Asimismo, es preciso tener en cuenta que, antes de introducir esta limitación en la norma, el Tribunal Supremo ya había aplicado este criterio bajo la premisa de evitar el doble aprovechamiento de pérdidas en la sentencia de 16 de mayo de 2013 en el rec. 5114/2010.

contable en base imponible, con objeto de poner de manifiesto su no deducibilidad.

1. Deducibilidad fiscal de los deterioros de cartera:

Sin embargo, con anterioridad a 1 de enero de 2013, en el régimen general del IS, las entidades podían deducir las pérdidas por deterioro que dotaban por la merma de valor de sus filiales, internacionales y/o nacionales.

En concreto, durante los ejercicios anteriores a 1 de enero de 2013, no era necesario que existiera una imputación contable, ya que el deterioro fiscal resultaba deducible, siempre que fuera como consecuencia de una reducción en los fondos propios en la filial que se correspondiera con pérdidas del ejercicio.

De esta forma, cuando era posible «deducir» las pérdidas de la filial, resultaba interesante realizar la comparativa entre el régimen general con deducción de deterioro y el régimen de consolidación fiscal en el que lo que se integraba era la base imponible negativa de las entidades, no el deterioro, análisis que tenía en cuenta los ajustes al resultado contable para determinar la base imponible[186].

Con objeto de evitar que el régimen de consolidación fiscal supusiera un doble aprovechamiento de la pérdida, por la dotación del deterioro y por la compensación de bases entre sociedades del grupo, la pérdida por deterioro de cartera era eliminada. Solo era posible incorporar la eliminación cuando se dieran alguna de las siguientes circunstancias: **i)** la obtención de ingresos por la sociedad participada que conllevaba a que el doble aprovechamiento se compensara con el doble cómputo de la renta positiva; **ii)** la asunción del derecho a compensar la base imponible negativa que había ocasionado el deterioro de valor por parte de la sociedad participada excluida que evitaba

---

[186] Ruiz Blázquez, Pedro. «La consolidación contable y la consolidación fiscal». La Ley 3719/2006. Pág. 2-3. En particular, el autor considera que el límite que existía en el régimen general a la dotación de cartera, el valor de la inversión llevaba a considerar que solamente si la provisión por depreciación de cartera era superior a las bases imponibles negativas, era más ventajoso el régimen individual: «Cuando las bases imponibles se originan en la sociedad dominante, no se produce el efecto anterior, ya que no hay otra sociedad perteneciente al grupo fiscal, que pueda dotar la provisión, por lo que el régimen de consolidación fiscal es más ventajoso [...]».

que el grupo pudiera hacer efectivo dicho doble aprovechamiento de la renta negativa al no disponer de la base imponible negativa generada[187]. Dicha medida refleja un objetivo similar al propósito del actual artículo 62.2 de la LIS, al que nos hemos referido con anterioridad, ya que en todo caso lo que parece buscar el legislador es evitar la doble integración de pérdidas.

Ello además encuentra su fundamento en la similitud entre la base imponible negativa de la entidad y las pérdidas por deterioro, que ponen de manifiesto autores como Zayas y Muñoz[188].

---

187 Zayas Zabala JL, Muñoz Domínguez M. Pérdidas por deterioro de valor de las entidades del Grupo en el régimen de consolidación fiscal. En *Carta tributaria: Monografías n.º 4*. 1ª Edición. Madrid. Aranzadi LA LEY. 2011. Pág. 9: «Tal y como se ha expuesto en el apartado anterior, la finalidad de la norma al exigir la eliminación de la pérdida por deterioro de valor correspondiente a entidades dependientes en la determinación de la base imponible del Grupo fiscal no es otra sino el tratar de evitar que una misma renta negativa se integre dos veces en dicha base imponible: (i) una, a través de la compensación de la BIN individual procedente de las pérdidas generadas por las sociedades dependientes y (ii) otra, por medio de la pérdida por deterioro de valor deducible fiscalmente en la sociedad poseedora de las participaciones». En el mismo sentido, Lucas Martínez M. Provisiones por depreciación de la cartera en la tributación del grupo fiscal. En *Carta Tributaria-Monografías n.º 21* [...]. Op. cit. Pág. 20-21. También en la misma línea, *Ibid.* Pág. 37-38.

188 Zayas Zabala JL, Muñoz Domínguez M. Pérdidas por deterioro de valor de las entidades del Grupo en el régimen de consolidación fiscal. En *Carta tributaria: Monografías n.º 4*. Op. cit. Pág. 4-5: «Mediante las modificaciones introducidas, el legislador introduce una mayor vinculación entre la pérdida por deterioro de valor de participaciones en entidades del Grupo y la posible base imponible negativa de la sociedad participada, si bien la una no llega a ser un fiel reflejo de la otra. Dicha situación, de estrecha —aunque no total— vinculación, queda evidenciada en algunas características del nuevo régimen fiscal y en la interpretación que, hasta la fecha, la Administración ha efectuado del mismo:

• Como punto principal de discrepancia entre la pérdida por deterioro y la BIN de la sociedad participada cabe destacar el hecho de que la norma únicamente mencione la necesidad de ajustar el importe de los fondos propios por los gastos no deducibles, olvidándose de mencionar las partidas de ingresos no computables que también supondrían una alteración de la base imponible de la sociedad participada.

• Frente a lo anterior, y aunque la norma no hace diferenciación entre los ajustes realizados por diferencias permanentes y temporales, la Dirección General de Tributos (en adelante DGT) se ha pronunciado en el sentido de entender que debe considerarse la totalidad, sobre la base de que todos ellos afectan a la determinación de la base imponible de la sociedad participada (Resolución de 30 de marzo de 2009, V0623–09).

La semejanza de ambos conceptos implicaba, por tanto, el tener que proceder a eliminar el doble cómputo de la pérdida a nivel consolidado, siendo esta la interpretación acogida por la DGT[189].

• En esa misma resolución, la DGT ha aclarado que, como consecuencia de lo anterior, en el ejercicio en que dichos gastos adquieran la condición de deducibles, bien porque la norma fiscal establece un criterio de imputación temporal diferente o porque dichos gastos hayan sido aplicados a su finalidad, el valor de los fondos propios deberá corregirse (en este caso, a la baja) a efectos de calcular la posible corrección por deterioro.

• En la misma línea, y aproximando en cierto modo el importe del deterioro y de la BIN de la sociedad participada, la DGT se ha decantado por apartarse de los criterios contables vigentes a este respecto e interpretar que, a efectos del cálculo de los Fondos Propios, deben considerarse los fondos propios individuales (Resolución de 12 de abril 2010, V0687-10).

Como límite, se establece que el importe fiscalmente deducible no podrá superar el importe de la diferencia que resulte de comparar el valor de la participación a efectos fiscales (coste originario minorado en las cantidades deducidas en ejercicios anteriores) con los fondos propios de la participada al cierre del ejercicio, corregidos por las plusvalías tácitas existentes en el momento de la adquisición y que subsistan al cierre del ejercicio.

Con respecto al régimen fiscal de las posteriores recuperaciones de valor deben tenerse en cuenta fundamentalmente dos previsiones normativas:

• En primer lugar lo dispuesto en el propio artículo 12.3 del TRLIS, según el cual las cantidades deducidas «se integrarán como ajuste positivo en la base imponible del período impositivo en el que el valor de los fondos propios al cierre del ejercicio exceda al del inicio». Aunque la norma solo hable de la obligación de revertir este ajuste en la base imponible del período en el que el valor de los fondos propios al cierre exceda al del inicio, entendemos que el hecho de que las cantidades deducidas minoren el valor fiscal de las participaciones, tal y como estipula el artículo 12.3, exigirá que dichos ajustes se tengan en cuenta de cara a la determinación de la renta fiscal generada en una eventual transmisión.

• Por otro, lo dispuesto en el artículo 19.6 del TRLIS, según el cual, la recuperación de valor (fiscal) de los elementos patrimoniales que hayan sido objeto de una corrección de valor se imputará en el período impositivo en el que se haya producido dicha recuperación, sea en la entidad que practicó la corrección o en otra vinculada a la misma».

189 *Ibid.* Pág. 7: «Frente a este nuevo inconveniente literal habría que acudir de nuevo a la interpretación finalista de la norma pues, si el propósito del régimen es evitar que una misma renta, en este caso negativa, sea aprovechada por partida doble en la base imponible del Grupo, debería resultar indiferente que dicha duplicidad se derivase de un resultado negativo o de un ajuste extracontable negativo efectuado en la sociedad tenedora de la participación. Es más, la eliminación de la pérdida por deterioro fiscal calculada atendiendo a los criterios establecidos por el artículo 12.3, en su nueva redacción, permitiría una mayor adecuación a la finalidad señalada ya que, como hemos señalado anteriormente, mediante el cambio normativo se logra una mayor correlación entre la pérdida por deterioro fiscal-

Asimismo, en la medida en la que los deterioros derivaban de participaciones en entidades ya integradas en el grupo fiscal, que generaban ya renta negativa compensable a nivel de grupo, la eliminación debía practicarse en todo caso[190]:

> «La eliminación debe practicarse independientemente de que las pérdidas contables obtenidas por la sociedad participada hayan dado lugar a unas Bases Imponibles Negativas o no, ya que en ambos casos se computa dos veces en la Base Imponible del Grupo Fiscal la misma renta negativa: dotación de la provisión en la dominante y pérdidas contables en la dependiente. Lo que ocurre es que cuando las pérdidas contables de la sociedad participada no dan lugar a una BIN, es porque se estarán practicando ajustes extracontables positivos al resultado contable de dicha sociedad, de manera que las citadas pérdidas contables estarán compensando los referidos ajustes, por lo que, al final, dichas pérdidas también se han computado en la Base Imponible del Grupo Fiscal».

Siguiendo un criterio de coherencia fiscal, lo que en todo caso era evidente es que la renta negativa objeto de eliminación también provocaba eliminar la reversión que se generase en ejercicios posteriores[191].

---

mente deducible en la sociedad dominante y la BIN generada en dicha sociedad participada. Este criterio ha sido mantenido de forma expresa por la DGT en la contestación a la resolución de 1 de marzo de 2010 (Resolución V0369–10), en la que se reconoce la necesidad de eliminar de la base imponible consolidada la deducción que se haya practicado por aplicación del artículo 12.3 del TRLIS, en la medida en que dicha deducción tiene la consideración de depreciación de la participación en una entidad del Grupo».

190 Lucas Martínez M. Provisiones por depreciación de la cartera en la tributación del grupo fiscal. En *Carta Tributaria-Monografías n.º 21* [...]. Op. cit. Pág. 20-21.

191 *Ibid.* Pág. 19-20: «Pues bien, como consecuencia de lo anterior, el exceso de provisión que tendrá lugar en la sociedad dominante cuando la sociedad participada obtenga beneficios contables tampoco puede ser ingreso a nivel consolidado (contable y fiscal), ya que ello supondría computar dos veces el mismo ingreso o renta positiva. En la consolidación contable el exceso de provisión también se elimina antes de realizar la eliminación inversión-fondos propios, mientras que en la consolidación fiscal el exceso de provisión debe eliminarse, igual que la exclusión de la dotación, por una doble vía: 1ª La parte de la provisión que no fue fiscalmente deducible en la BI individual de la sociedad dominante (la que se corresponde con la depreciación del fondo de comercio financiero): mediante un ajuste extracontable negativo en dicha base imponible (es decir, revierte el impuesto anticipado que se generó al eliminar la depreciación del fondo de comercio financiero). 2ª El resto de la provisión (la que se corresponde con un aumento del valor teórico contable de la participación): mediante la incorporación de la eliminación que se realizó en su día».

2. No deducibilidad del deterioro de cartera:

La Ley 16/2013[192], introdujo, a partir de los ejercicios iniciados el 1 de enero de 2013, la consideración como gastos no deducibles en el IS las pérdidas por deterioro de los valores representativos de la participación en el capital o en los fondos propios de entidades, ello sin perjuicio de que, desde el punto de vista contable, el tratamiento no se hubiera modificado. Con dicha nueva regulación, cesaba el problema del doble cómputo de pérdidas que podía surgir en el régimen de consolidación fiscal.

Adicionalmente, se estableció un régimen transitorio[193] para regular la recuperación de los deterioros de valor que fueron fiscalmente deducibles en periodos anteriores a 2013. De este modo, los deterioros registrados en periodos anteriores «se integrarán en la base imponible del período en el que el valor de los fondos propios al cierre del ejercicio exceda al del inicio, en proporción a su participación, debiendo tenerse en cuenta las aportaciones o devoluciones de aportaciones realizadas en él, con el límite de dicho exceso».

También deben integrarse en la base imponible como recuperación del deterioro, «por el importe de los dividendos o participaciones en beneficios percibidos de las entidades participadas, excepto que dicha distribución no tenga la condición de ingreso contable».

Es decir, se estableció un sistema de reversión del deterioro que tenía relación con el incremento de fondos propios de la filial[194]. La LIS mantuvo el tratamiento fiscal de los deterioros en participaciones de entidades filiales contemplado en la Ley 16/2013, en particular, en su artículo 13.2[195].

Con efectos para el 1 de enero de 2016, el Real Decreto-Ley 3/2016 introdujo diversas medidas relativas al IS. En particular, se establecía un mecanismo de reversión de los deterioros de participaciones de entidades efec-

---

192 Ley 16/2013, de 29 de octubre, por la que se establecen determinadas medidas en materia de fiscalidad medioambiental y se adoptan otras medidas tributarias y financieras.

193 Disposición transitoria cuadragésima primera de la Ley 16/2013, de 29 de octubre.

194 De acuerdo con la DGT, Consulta V3153-15, de 19 de octubre, era posible eliminar la reversión de un deterioro que fue fiscalmente deducible.

195 La redacción originaria del precepto era la siguiente: «No serán deducibles: [...] b) Las pérdidas por deterioro de los valores representativos de la participación en el capital o en los fondos propios de entidades».

tuados con anterioridad al año 2013 a través de la Disposición Transitoria 16ª de la LIS, que obligaba a integrar en la base imponible las recuperaciones de valor de la entidad participada, considerando a tal efecto que dicha recuperación de valor debía atribuirse en primer lugar a deterioros fiscalmente deducibles. De forma idéntica, las distribuciones de dividendos o participaciones en beneficios obligaban a efectuar un ajuste positivo, salvo que no se registrara un ingreso contable.

Parece que dicha reversión obligatoria era en cierto modo una aplicación retroactiva de la no deducibilidad de las pérdidas de valor por deterioro de acciones y participaciones[196].

Además, con dicho Real-Decreto Ley se introdujo una excepción a la limitación de las bases imponibles negativas para estas reversiones, que solo aplica cuando «las pérdidas por deterioro deducidas durante el período impositivo en que se generaron las bases imponibles negativas que se pretenden compensar hubieran representado, al menos, el 90 por ciento de los gastos deducibles de dicho período»[197].

Recientemente, el citado Real-Decreto Ley ha sido declarado inconstitucional conforme a la sentencia del Tribunal Constitucional 11/2024, de 18 de enero, que estima la cuestión de inconstitucionalidad número 2577-2023, considerando la inconstitucionalidad y nulidad de las medidas aprobadas a través de la citada norma sobre la base de un motivo formal (la figura del Real-Decreto Ley alternando elementos esenciales del tributo), sin entrar a valorar motivos de fondo[198]. A pesar de esta declaración de inconstitucionalidad por motivos formales, es evidente que el legislador pretende llegar a aplicar la reversión de los citados deterioros o bien por la propia recuperación o bien porque se regule mediante ley su integración.

---

[196] Monzón Sánchez J. *La Reversión Obligatoria de los Deterioros de Cartera.* [Internet]. Econtables. 2017.

[197] Ruiz Cabanes J C. Las pérdidas en el Impuesto sobre Sociedades 2017: activos financieros, moneda extranjera y otras limitaciones. En *Estrategia Financiera n.º 350.* [...]. Op. Cit. Pág. 6. El autor considera que esta excepción es «poco relevante en la práctica».

[198] Arias Plaza R, Atienza Pérez Á. *Publicada la sentencia del Tribunal Constitucional en la que se declara la inconstitucionalidad de determinadas medidas introducidas por el Real Decreto-ley 3/2016* [Internet]. Gómez-Acebo y Pombo. 2024.

En este sentido, es relevante el criterio actual de la Audiencia Nacional, en su sentencia de 14 de octubre de 2024[199], que se ha pronunciado sobre la tributación concreta de la entidad recurrente de la anulación del Real-Decreto Ley 3/2016 llevada a cabo por la sentencia del Tribunal Constitucional, obligando a reconfigurar la tributación en los aspectos que hayan resultado afectados, que deberán ser sustituidos por otros resultantes de la norma jurídica previa a la modificación de la misma por el Real-Decreto Ley anulado.

Y en este contexto, esta limitación, declarada inconstitucional, se ha vuelto a incorporar para el ejercicio 2024 y siguientes, mediante la modificación de la disposición transitoria decimosexta de la LIS por la disposición final octava de la Ley 7/2024, de 20 de diciembre[200]. Con esta medida, se integrará, como mínimo, por partes iguales en la base imponible correspondiente a cada uno de los tres primeros períodos impositivos que se inicien a partir de 1 de enero de 2024.

Por tanto, a pesar de quedar claro que el deterioro dotado no es fiscalmente deducible, podría surgir el problema de la imputación fiscal de la reversión de los deterioros que fueron dotados con anterioridad a 1 de enero de 2013. De esta forma, parece evidente que los deterioros dotados en sede de un grupo fiscal que fueron fiscalmente deducibles en sede de un grupo fiscal, pero que fueron eliminados, implicarán también la eliminación de la reversión del deterioro.

3. Posible asimetría:

Para finalizar, conviene realizar un último apunte que se ha ido mencionando a lo largo del trabajo en relación con los deterioros de cartera y la compensación intraperiódica del régimen de consolidación fiscal.

Tomando en consideración lo expuesto y, teniendo en cuenta que con la LIS actual no existe posibilidad de compensar los deterioros dotados por las pérdidas de las filiales, sin embargo, el régimen de consolidación fiscal sí

---

199 Rec. 1479/2023.

200 Por la que se establecen un Impuesto Complementario para garantizar un nivel mínimo global de imposición para los grupos multinacionales y los grupos nacionales de gran magnitud, un Impuesto sobre el margen de intereses y comisiones de determinadas entidades financieras y un Impuesto sobre los líquidos para cigarrillos electrónicos y otros productos relacionados con el tabaco, y se modifican otras normas tributarias.

permite compensar rentas negativas intraperiódicas generadas por filiales, es posible dudar de si realmente el régimen de consolidación fiscal constituye una ventaja fiscal respecto del general que pueda poner de manifiesto una auténtica asimetría prohibida por el TJUE, e incluso por el propio principio de neutralidad fiscal. En este sentido, además de recordar la jurisprudencia del TJUE expuesta en apartados previos, es preciso tener en cuenta el contenido de la sentencia de 22 de enero de 2009[201] (caso STEKO), y opiniones de autores[202] que ponen de manifiesto lo siguiente:

> «Debe precisarse además a este respecto que dicha regla de no discriminación únicamente ha sido objeto de flexibilización por parte del Tribunal en aquellos supuestos en los que ha concurrido una causa de justificación legítima desde la perspectiva de la normativa comunitaria, en atención a razones imperiosas de interés general, siendo la medida que la establece proporcionada de cara a la consecución de sus objetivos».

Tal y como puso de manifiesto el Tribunal en su Sentencia STEKO:

> «Un sistema de «provisión de cartera» que no incluya las filiales comunitarias o se aplique a ellas de forma discriminatoria, en principio, resultaría contrario al Derecho Comunitario, salvo que concurra una razón imperiosa de interés general como el equilibrio en el reparto del poder tributario combinado con la prevención de la evasión fiscal».

Atendiendo al contenido de la sentencia, es posible destacar el pronunciamiento final del TJUE por el que considera lo siguiente:

> «En vista de todas las consideraciones anteriores, procede responder a la cuestión planteada que, en unas circunstancias como las que concurren en el asunto principal, en las que una sociedad nacional de capital es titular de una participación inferior al 10 % en otra sociedad de capital, el artículo 56 CE debe interpretarse en el sentido de que se opone a que una prohibición de deducir las reducciones de beneficios vinculadas a dicha participación entre en vigor para la participación en una sociedad extranjera antes que para la participación en una sociedad nacional».

---

201 Asunto C-377/07.

202 Calvo Vérgez J. La tributación de los grupos de sociedades transfronterizos en el impuesto sobre sociedades a la luz de la reciente jurisprudencia comunitaria. En *Gaceta jurídica de la Unión Europea y de la Competencia n.º 25* [...]. Op. cit. Pág. 7-8.

Es decir: «[...] Viene así a poner de manifiesto el Tribunal que, en tanto en cuanto la deducción por deterioro de valor de las participaciones o el régimen de consolidación fiscal puedan llegar a constituir ventajas fiscales para la matriz que crea filiales en otros Estados miembros, la no aplicación de dicho régimen respecto de dichas filiales comunitarias en igualdad de condiciones con las filiales domésticas podría llegar a generar una restricción fiscal que, eventualmente, podría llegar a ser contraria al Derecho Comunitario»[203].

Por tanto, parece que el TJUE denuncia las asimetrías y parece que la posibilidad de compensar rentas negativas en el régimen de consolidación fiscal, pero no permitir la deducción del deterioro de las participaciones, nacionales e internacionales, en el régimen general, podría tener carácter discriminatorio.

Así por ejemplo es posible dudar de si la consideración como no deducible del deterioro de cartera es contrario al principio de neutralidad fiscal y genera una asimetría respecto del régimen de tributación consolidada. Ello es así en la medida en la que en el régimen de consolidación fiscal sí existe la posibilidad de que las entidades, tal y como veremos en el apartado siguiente, puedan proceder a la compensación de rentas positivas y negativas entre sociedades distintas que participan en el mismo grupo fiscal, fruto de la principal ventaja del régimen de consolidación fiscal. Sin embargo, entidades que no formen parte de un grupo fiscal no puede deducirse las pérdidas que genera su filial mediante la integración de un deterioro de la participación.

Parece, por tanto, que desde que se suprimió la posibilidad de que las entidades pudieran deducirse las pérdidas de las filiales, debería haber dejado de tener sentido el régimen de consolidación fiscal, ya que el mismo permite una deducción de pérdidas que no permite el régimen general, tal y como detallaremos más adelante.

Sin embargo, no se llega a la misma conclusión si se considera que el grupo fiscal es un único contribuyente, que en realidad no existe discriminación porque a quien hay que comparar es al grupo fiscal como contribuyente con otro contribuyente que tribute en el régimen general, residentes o no residentes. Ello supone comparar las pérdidas generadas por las entidades individuales, que han conformado su base imponible individual, con la renta

203 *Ibid.* Pág. 12.

negativa que genera una entidad que tributa bajo el régimen general, que la integra con las limitaciones propias de la LIS. Siendo el grupo fiscal el contribuyente, las bases imponibles negativas que se integran en el periodo con la suma de bases imponibles individuales no es comparable con un deterioro de cartera sobre la participación de una filial, ya que en el primer caso hay un único contribuyente, y para el segundo caso, el deterioro de cartera, existen dos contribuyentes diferentes. Bajo este entendimiento, el régimen de consolidación fiscal respeta todos los principios europeos y constitucionales.

5.4. CRITERIOS DE IMPUTACIÓN TEMPORAL DE LA RENTA NEGATIVA

Una vez calificada la renta a nivel de grupo fiscal, determinada si la citada renta es fiscalmente deducible o no, procede como último paso en la configuración de la base imponible individual, a nivel de grupo fiscal, atender a la imputación temporal de la renta. Téngase en cuenta que todos estos pasos permiten configurar la base imponible individual de la entidad del grupo fiscal, y son necesarios para poder analizar el resto de fases de compensación de la renta negativa en el grupo fiscal.

En el contexto de determinar la deducibilidad fiscal a nivel de grupo fiscal de una determinada renta negativa, se procede a citar tres apartados del artículo 11 de la LIS, a los que ya se ha hecho mención en varias partes del trabajo, por los que se establecen especialidades a la deducibilidad fiscal de determinada renta negativa del grupo mercantil, pero que afectan por igual, con matices que se exponen a continuación, al grupo fiscal.

1. Imputación de la reversión del deterioro en el grupo fiscal:

En primer lugar, nos referimos al contenido actual del artículo 11.6 de la LIS, por el que se establece lo siguiente:

> «La reversión de un deterioro o corrección de valor que haya sido fiscalmente deducible, se imputará en la base imponible del período impositivo en el que se haya producido dicha reversión, sea en la entidad que practicó la corrección o en otra vinculada con ella. La misma regla se aplicará en el supuesto de pérdidas derivadas de la transmisión de elementos patrimoniales que hubieren sido nuevamente adquiridos».

En este caso, nos referimos a la reversión de una renta negativa, que aplica también en el supuesto de pérdidas derivadas de la transmisión de elementos patrimoniales nuevamente adquiridos. La problemática de que la reversión deba imputarse en la base imponible o de la entidad que practicó la corrección o en otra vinculada a ella, lo ponía ya de manifiesto Ruíz Quintanilla al indicar lo siguiente:

> «Además, en cuanto a la reversión de deterioros deducidos en años anteriores, es relevante tener en cuenta lo establecido en el artículo 11.6 (anterior artículo 19.6 TRLIS), según el cual la reversión debía imputarse en la base imponible en el período en el que se haya producido, sea en la entidad que practicó la corrección o en otra vinculada con ella. Por tanto, en aquellos supuestos en los que se haya producido una transmisión de las participaciones a una entidad vinculada habiendo la transmitente registrado un deterioro en ejercicios anteriores (deducido fiscalmente), como en el resto de elementos patrimoniales antes comentados, al producirse el incremento de valor se debería revertir el deterioro previamente deducido por aquella entidad transmitente»[204].

Parece coherente que, en supuestos de transmisión de participaciones, el deterioro no imputado lo sea en la entidad adquirente.

Sin embargo, la Audiencia Nacional pareció alterar el criterio incluso mantenido por la misma Audiencia en sentencia de 14 de noviembre de 2019[205] en interpretación del criterio de imputación temporal del artículo 19.6 del TRLIS (similar al actual 11.6 del LIS). Tras sucesivas operaciones intragrupo de venta de participaciones se plantean dudas sobre quién debe integrar una ulterior corrección de valor de las participaciones, teniendo en cuenta que la entidad propietaria de las mismas tras las operaciones de venta es una entidad no residente. La Audiencia Nacional considera que, cuando se transmite un elemento que ha sido objeto de corrección de valor a una entidad vinculada, la recuperación de valor debe integrarse en todo caso en la entidad que practicó la corrección y sufrió la pérdida, con independencia de que la sociedad adquirente sea o no residente en España.

Finalmente, el Tribunal Supremo ha resuelto la cuestión, sentencia de 6 de mayo de 2021 (rec. núm. 1208/2020), por la que en definitiva ha conside-

---

204 *Ibid.* Pág. 6 y 7.

205 Rec. núm. 238/2016.

rado que quien debe incorporar la reversión del deterioro es la entidad titular de los bienes en el momento de la reversión[206].

Por tanto, bajo este contexto, en casos de reversión de un deterioro previamente imputado aplicaría el artículo 11.6 LIS que permite la integración de la recuperación de los deterioros en sede de la entidad adquirente[207] del

---

206 Resulta interesante mencionar la posible traslación de la reversión del deterioro que se permitiría llevar a cabo entre entidades del grupo, teniendo en cuenta las interpretaciones de la DGT de la Disposición Transitoria 16 de la LIS, antes de ser declarada inconstitucional.
En concreto, destacamos la consulta V0155-17, de 24 enero, que interpreta el apartado 3 de la citada Disposición indicando que:
«[...] No obstante, en caso de transmisión de los valores representativos de la participación en el capital o en los fondos propios de entidades durante los referidos períodos impositivos, se integrarán en la base imponible del período impositivo en que aquella se produzca las cantidades pendientes de revertir, con el límite de la renta positiva derivada de esa transmisión», estableciendo que, en caso de transmisión de la participación, las cantidades pendientes de revertir se integrarán en la base imponible, con el límite de la renta positiva obtenida en la transmisión, indicando que no se deberán revertir cantidades adicionales con posterioridad a dicha transmisión en relación con la participación transmitida».
De esta consulta parece desprenderse que la reversión del deterioro se produce en el momento de la transmisión de la participación con el límite de la renta positiva derivada de la transmisión en sede de la transmitente. El problema que puede surgir sería en caso de que la transmisión genere pérdidas ya que no se integraría ninguna renta positiva por la reversión del deterioro (porque la reversión está limitada a la renta positiva derivada de la transmisión) y de la consulta parece desprenderse que no se revierten cantidades adicionales con posterioridad a la transmisión.

207 Calvo Vérgez J. A vueltas con la aplicación en el IS de la deducción en concepto de pérdidas por deterioro de los valores representativos de la participación en el capital de entidades tras la aprobación del RDL 3/2016. En *Actum Fiscal n.º 127.* 1ª Edición. Madrid. Francis Lefebvre. 2017 y Ucelay Sanz I. Modificaciones introducidas por el Real Decreto Ley 3/2016, de 2 de diciembre en el Impuesto sobre Sociedades. En *Carta tributaria: Revista de opinión n.º 1.* 1ª Edición. Madrid. Aranzadi LA LEY. 2017.
En este sentido, en relación con una fusión, es posible destacar, publicada con anterioridad al Real-Decreto Ley 3/2016, la Consulta V4560-16, de 26 de octubre, (grupo fiscal formado por A, dominante, B y C dependientes de A y E, residente en EEUU, dependiente de C y que se encuentra deteriorada; se plantea la fusión entre B y C): «En el supuesto de que se produjera la posibilidad planteada en el escrito de consulta de que las sociedades B y C se fusionaran (no se indica cuál de ellas sería la absorbente y cuál la absorbida), teniendo en cuenta que ambas tributan en el régimen fiscal especial de consolidación fiscal, y con independencia de que resultara o no de aplicación el régimen

grupo fiscal que corresponda, sin perjuicio de las consecuencias posteriores a su integración conforme al grupo fiscal.

2. Diferimiento de la renta negativa intragrupo:

Nos referimos, en primer lugar, a la renta negativa derivada de la transmisión de elementos del inmovilizado material, inversiones inmobiliarias, inmovilizado intangible y valores representativos de deuda, cuando el adquirente sea una entidad del mismo grupo de sociedades según los criterios establecidos en el artículo 42 del Código de Comercio, con independencia de la residencia y de la obligación de formular cuentas anuales consolidadas. En este caso, regula el apartado 9 del artículo 11 de la LIS que se imputará en el período impositivo en que dichos elementos patrimoniales sean dados de baja en el balance de la entidad adquirente, sean transmitidos a terceros ajenos al referido grupo de sociedades, o bien cuando la entidad transmitente o la adquirente dejen de formar parte del mismo.

No obstante, en el caso de elementos patrimoniales amortizables, las rentas negativas se integran en los períodos impositivos que restaran de vida útil a los elementos transmitidos, en función del método de amortización utilizado respecto de los referidos elementos.

A través de dicho precepto se pone de manifiesto que la normativa pretende retrasar la imputación fiscal de la renta al momento posterior al de su transmisión, distinguiendo en caso de elementos patrimoniales cuando[208]: *i)* el elemento sea dado de baja, *ii)* cuando sea transmitido a terceros ajenos al grupo, *iii)* cuando la entidad transmitente y adquirente dejen de formar parte

especial de las fusiones, escisiones, aportaciones de activos, canje de valores y cambio de domicilio social de una Sociedad Europea o una Sociedad Cooperativa Europea de un Estado miembro a otro de la Unión Europea, regulado en el capítulo VII del título VII de la LIS, la reversión de las pérdidas por deterioro de los valores representativos de la participación en E que deba integrarse en la base imponible de acuerdo con lo dispuesto en el apartado 1 de la disposición transitoria decimosexta de la LIS, deberá imputarse, de conformidad con lo establecido en el artículo 11.6 de la LIS, en un 100% a la sociedad resultante de la fusión».

208 Rodríguez Ondarza JA, Rojí Chandro LA, Rojí Pérez S, Sánchez González M. Impuesto sobre Sociedades. Imputación temporal. Inscripción contable de ingresos y gastos (Ley 27/2014). En *Revista Contable n.º 32.* 1ª Edición. Madrid. Wolters Kluwer. 2015. Pág. 18-19.

del grupo, o *iv)* en caso de derivar de elementos patrimoniales amortizables, se integrará en los períodos impositivos que resten de vida útil de los elementos transmitidos, en función del método de amortización utilizado.

En segundo lugar, el apartado 10 del artículo 11 de la LIS establece que las rentas negativas derivadas de la transmisión de valores representativos de la participación en el capital o en los fondos propios de entidades, cuando el adquirente sea una entidad del mismo grupo de sociedades según los criterios establecidos en el artículo 42 del Código de Comercio, con independencia de la residencia y de la obligación de formular cuentas anuales consolidadas, se imputarán en el período impositivo en que dichos elementos patrimoniales sean transmitidos a terceros ajenos al referido grupo de sociedades, o bien cuando la entidad transmitente o la adquirente dejen de formar parte del mismo, minoradas en el importe de las rentas positivas obtenidas en dicha transmisión a terceros, siempre que, respecto de los valores transmitidos, no se den las circunstancias para aplicar la exención del artículo 21 de la LIS.

Además, es preciso destacar que lo regulado en el artículo 11.10 de la LIS no es de aplicación en el supuesto de extinción de la entidad participada, salvo que la misma sea consecuencia de una operación de reestructuración o se continúe en el ejercicio de la actividad bajo cualquier otra forma jurídica, por lo que en estos supuestos sí procede la integración de la renta negativa.

Esta norma parece estar en sintonía con los requerimientos del artículo 21 de la LIS, con la única particularidad de que el artículo 11.10 de la LIS exige en todo caso que, tras la extinción, no exista continuidad en la actividad[209].

En cualquier caso, la imputación fiscal se traslada al periodo en que **i)** la participación se transmita a terceros ajenos, **ii)** la entidad transmitente y adquirente dejen de formar parte del grupo, no siendo limitada la integración en supuestos de extinción de la sociedad, salvo en operaciones de reestructuración o se continúa en el ejercicio de la actividad bajo cualquier otra forma jurídica.

209 Desde nuestro punto de vista, no se puede aplicar la analogía a un supuesto incluido por el legislador en la misma regulación, que no precisó este aspecto y que la LGT en su artículo 14 impide atraer a un precepto específico como es el artículo 21.8 de la LIS, que no prevé más restricción para integrarse la pérdida que los dividendos repartidos por esa en los últimos diez años.

En todo caso, esta regulación fiscal parece estar relacionada con la no deducibilidad del deterioro, tal y como consideran autores como Rodríguez Ondarza[210]:

> «El diferimiento en la imputación fiscal de estas rentas negativas también está relacionado con la no deducibilidad fiscal del deterioro de las participaciones en fondos propios, y obedece a los mismos fundamentos (evitar la deducibilidad indirecta del deterioro transformándolo en transmisión intragrupo)».

Dicha afirmación es la que, asimismo, parece dar sentido al hecho de que la renta negativa a integrar en base imponible se minore en el importe de las rentas positivas obtenidas en la transmisión a terceros (artículo 62.2 de la LIS).

Es claro que toda transmisión que se produzca dentro del grupo fiscal no debe producir el surgimiento de ninguna renta negativa, resultando preciso volver a recordar las similitudes entre el régimen de consolidación fiscal y una operación de fusión, pudiendo ser extensibles las consecuencias que a continuación expone la DGT en la consulta V0043-17, de 13 enero:

> «En último lugar, en cuanto a las rentas negativas, que la entidad Y no hubiera integrado en su base imponible del Impuesto sobre Sociedades, en aplicación del artículo 11.9 de la LIS, se imputarán, tal y como señala el mencionado artículo, «en el período impositivo en que dichos elementos patrimoniales sean dados de baja en el balance de la entidad adquirente, sean transmitidos a terceros ajenos al referido grupo de sociedades, o bien cuando la entidad transmitente o la adquirente dejen de formar parte del mismo». Puesto que la entidad X se subroga en los derechos y obligaciones tributarias de la entidad Y, según el artículo 84 de la LIS, en el momento en el que concurran las circunstancias dispuestas en el artículo 11.9 de la LIS, X deberá integrar en su base imponible individual las rentas negativas que no hubiera integrado Y en aplicación del artículo 11.9 de la LIS. Dichas rentas negativas no deben ser integradas en la base imponible individual de Y, con motivo de su absorción por parte de X, en virtud de una operación de fusión acogida al régimen especial de neutralidad fiscal».

Lo que resulta evidente es que, a través de dichos preceptos se consigue diferir la renta negativa, siendo dichos artículos reglas de imputación temporal aplicables al régimen general, que son también de aplicación en la base imponi-

---

210 RODRÍGUEZ ONDARZA, JA, ROJÍ CHANDRO, LA, ROJÍ PÉREZ, S, SÁNCHEZ GONZÁLEZ, M. «Impuesto sobre Sociedades...» Op. cit. Pág. 19-20.

ble individual de las entidades que conforman el grupo fiscal, de tal forma que dicho diferimiento es de aplicación con anterioridad a la aplicación del sistema de eliminaciones e incorporaciones propio del régimen de consolidación fiscal.

De esta forma, solo en caso de no ser aplicable los requisitos del artículo entrarían en juego las eliminaciones, de tal forma que parece que el artículo 11 de la LIS, en sus apartados 9 y 10, vienen a cumplir los mismos objetivos que las eliminaciones de renta, esto es, un diferimiento de la renta, en este caso negativa, intragrupo.

En esta línea se pronuncian autores como Ruíz, que considera lo siguiente:

> «Las pérdidas o rentas negativas que se pongan de manifiesto en operaciones realizadas entre entidades de un grupo de consolidación fiscal y que hubieran sido deducibles bajo el régimen de tributación individual (por ejemplo, derivadas de transmisiones de inmovilizado material o intangible, existencias, etc.) serían objeto de eliminación y diferimiento en la determinación de la base imponible del grupo fiscal hasta que procediera su incorporación. Teniendo en cuenta los artículos 11.9 y 11.10 ya comentados, este supuesto quedaría muy restringido»»[211].

En una línea similar es posible destacar a autores como García-Rozado que considera que la regla de imputación temporal debe aplicar con anterioridad a las eliminaciones propias del régimen de consolidación fiscal:

> «Transmisiones de participaciones entre entidades del grupo fiscal cuando, en el momento de la transmisión, en la entidad transmitente no se cumplen los requisitos del artículo 21 de la LIS: en caso de generarse rentas positivas, las mismas se integrarán en la base imponible individual de la entidad transmitente, si bien dicha renta será objeto de eliminación al tratarse de una operación intragrupo. No obstante, de generarse rentas negativas, tal y como señala el artículo 11.10 de la LIS, dichas rentas negativas no serán objeto de integración en la base imponible individual de la entidad transmitente al tiempo de realizarse la transacción, quedando diferida dicha integración al momento en que los elementos patrimoniales sean transmitidos a terceros ajenos al referido grupo mercantil de sociedades»[212].

---

211 Ruiz Cabanes J C. Las pérdidas en el Impuesto sobre Sociedades 2017: activos financieros, moneda extranjera y otras limitaciones. En *Estrategia Financiera n.º 350*. [...]. Op. Cit. Pág. 12.

212 García-Rozado González B. Análisis de la aplicación del artículo 21 de la LIS en el régimen de consolidación fiscal. En *Carta Tributaria: Revista de Opinión n.º 34* [...]. Op. cit. Pág. 5.

Siendo la renta negativa derivada de la venta de participaciones integrada en el momento en el que se cumplan los requisitos para dejar de ser aplicable el diferimiento, se podría plantear el problema de cuál sería la normativa aplicable a dicha renta diferida, en la medida en la que, puede darse el caso de imputar fiscalmente en el grupo una renta negativa latente que derivara de una transmisión de participación con anterioridad a 1 de enero de 2017, cuando la renta negativa derivada de la venta de participaciones sí era en todo caso deducible. Cabrían en este caso dos interpretaciones: i) que la normativa aplicable será la del momento del devengo de las operaciones de transmisión de participaciones, de tal forma que se considere que la imputación temporal de la renta no afecta a su naturaleza jurídica y nacimiento; o, ii) que la imputación de la renta en un ejercicio posterior a 1 de enero de 2017 implica la no deducibilidad de la renta negativa, por ser aplicable el actual artículo 21.6 de la LIS[213].

Autores como Ruíz, se pronuncian sobre esta problemática, considerándose partidario de la segunda interpretación, al indicar lo siguiente:

> «Transmisión: pérdida no deducible (artículo 21.6.a).
>
> No obstante, este tipo de participaciones podrían haber generado rentas negativas desde 2013 que estuvieran pendientes de integrar en la base imponible por aplicación de la anterior redacción anterior del artículo 11.10 de la LIS (artículo 19.11 del TRLIS) por no haberse transmitido a terceros ajenos al grupo mercantil al que pertenece la entidad que generó dicha renta negativa diferida y seguir dicha entidad y la adquirente en el grupo mercantil. Al no existir norma transitoria, se plantea la cuestión de si dicha renta negativa diferida será deducible de acontecer las circunstancias referidas a partir de 1 de enero de 2017, teniendo en cuenta que la nueva redacción del artículo 11.10 se refiere exclusivamente a los supuestos en los que no se cumple el requisito del artículo 21.1.a). En la medida en que a partir de 1 de enero de 2017 la renta negativa con estas participaciones no sería deducible, no cabe descartar que la Administración considere que no se integraría en la base imponible dicha renta diferida con la normativa anterior. Habrá que esperar a un pronunciamiento de la DGT al respecto»[214].

---

213 La misma duda se podría haber planteado en el supuesto de que hubiera sido aplicable en primer lugar las normas de eliminaciones e incorporaciones.

214 Ruiz Cabanes J C. Las pérdidas en el Impuesto sobre Sociedades 2017: activos financieros, moneda extranjera y otras limitaciones. En *Estrategia Financiera n.º 350.* [...]. Op. Cit. Pág. 5

Todo lo anterior, debería analizarse también en el contexto de otros supuestos similares a una transmisión, con objeto de determinar los efectos fiscales de las pérdidas. En concreto, por ejemplo, en relación con un cambio de residencia, cabe destacar la consulta V3215-14, de 1 diciembre, que considera que si la entidad que cambia su residencia al extranjero tuviese participaciones en el capital de otras entidades residentes en territorio español o en el extranjero, que hayan sufrido un deterioro no deducido, dicho deterioro se convierte en deducible en el período impositivo que concluye con el cambio de residencia (renta negativa por diferencia entre valor de mercado de las participaciones y su valor fiscal), de manera que no se entiende aplicable la restricción establecida en el artículo 11.10 de la LIS, dado que el cambio de residencia no supone una transmisión de esas participaciones.

Sin perjuicio de todo lo expuesto en relación con la imputación fiscal de la renta negativa intragrupo, conviene tener presente la teoría mencionada en la primera parte del trabajo, en relación con el artículo 62.1.a) de la LIS y las «calificaciones» a nivel de grupo. En la medida en la que las transmisiones intragrupo con pérdida califican a nivel contable como deterioros, esta recalificación de la renta parece implicar que el criterio de imputación temporal del artículo 11.9 de la LIS y 11.10 de la LIS nunca sea de aplicación en grupos que apliquen el régimen especial de consolidación fiscal. La citada renta negativa, aunque derive de un elemento amortizable (el artículo 11.9 de la LIS permite integrar la renta negativa al ritmo de la amortización del activo), en ningún momento se integra como fiscalmente deducible hasta que el activo salga del grupo fiscal, ya que dejaría de calificar como «deterioro». Recordemos que los deterioros no son fiscalmente deducibles excepto en el caso de las existencias. Es decir, la problemática expuesta en relación con el criterio de imputación temporal se suprime en el momento en el que la venta interna del elemento patrimonial califique como deterioro.

5.5. CONCLUSIONES

Como se ha expuesto, realizado correctamente el tripe análisis que exige la normativa del régimen de consolidación fiscal para configurar la base imponible individual a efectos de grupos fiscal, esto es, calificación, deducibilidad e imputación fiscal, siempre a nivel de grupo fiscal, la renta negativa que supere dicho análisis deberá ser tomada en consideración para el segundo «concepto» o compensación de base negativa.

Se ha puesto de manifiesto en este capítulo lo importante que es el primero de los pasos, esto es, la calificación de la renta a nivel de grupo fiscal, ya que es la que servirá de punto de partida para determinar si a inicio no debe integrarse renta, además de ser determinante en el posterior análisis sobre la deducibilidad e imputación temporal.

Tras el tripe análisis efectuado, la base imponible individual puede resultar finalmente positiva, si la integración de la renta con el resto de las rentas generadas por la sociedad (calificadas a nivel de grupo) hace que aflore un resultado final positivo, o será negativa si la suma de las rentas negativas calificadas y valoradas a nivel de grupo fiscal exceden de las rentas positivas generadas en el ejercicio por la entidad. Será en este último caso, cuando la entidad genere base negativa en su conjunto, cuando será posible acudir al segundo tipo de compensación de pérdidas, la derivada de la integración de la base imponible negativa a nivel individual con el resto de las bases imponibles negativas del resto de entidades (compensación intraperiódica).

De esta forma, si finalmente la renta negativa supera el triple filtro citado, nos podremos encontrar con diversas situaciones.

En primer lugar, con la configuración de un conjunto de rentas negativas que exceden de las positivas y que integrará una base imponible negativa individual.

En segundo lugar, con una renta negativa que, en contraposición con las rentas positivas, pasará a integrar la base imponible positiva individual de la entidad.

En el siguiente nivel de compensación, se procede a la integración de las bases imponibles positivas y negativas de las entidades individuales para formar la base imponible consolidada.

Asimismo, es preciso recordar que el proceso de eliminaciones e incorporaciones aplicable al régimen de consolidación fiscal se lleva a cabo con posterioridad a la integración de las bases imponibles individuales, de tal forma que la configuración de la base consolidada puede variar en función de la aplicación de dicha regla especial.

De esta forma, conformada la base imponible consolidada, positiva o negativa, de la misma se obtendrán las posibles bases imponibles negativas generadas en el grupo fiscal.

Capítulo 6
RENTA NEGATIVA INDIVIDUAL MATERIALIZADA A TRAVÉS DE BASES IMPONIBLES NEGATIVAS INDIVIDUALES QUE PROCEDEN A LA COMPENSACIÓN INTRAGRUPO E INTRAPERIÓDICA

6.1. LA COMPENSACIÓN INTRAPERIÓDICA DE RENTAS

Una vez analizado el primer nivel de integración de la renta negativa en el grupo fiscal, es posible apreciar que, en todo caso, el espíritu de la norma es el de considerar al grupo como único sujeto pasivo, y ello sobre todo desde que las calificaciones y requisitos deben ser analizados a nivel de grupo fiscal.

De esta forma, la existencia del primer nivel de integración de renta negativa a nivel individual (gastos y pérdidas fiscalmente deducibles a nivel de grupo fiscal que son mayores que los ingresos de la entidad), siempre calificadas desde el punto de vista del grupo, va a producir una base imponible negativa a nivel individual en la entidad que conforme el grupo fiscal. Será la suma de bases imponibles negativas de todas las sociedades del grupo o la compensación de bases positivas y negativas las que generarán una base imponible negativa del grupo fiscal, es decir, el tercer «nivel» de renta negativa.

La trascendencia de la consideración del grupo como único contribuyente permite comprender los «incentivos» del régimen, y más concretamente, este segundo nivel de compensación de rentas, las que se producen entre las distintas sociedades del grupo fiscal en el mismo periodo de generación de la renta negativas (las pérdidas intraperiódicas).

Con la configuración de este segundo nivel de compensación de renta negativa, la LIS va a desplegar los plenos efectos del régimen de consolidación fiscal en la medida en la que va a permitir la posibilidad de que las entidades del mismo grupo fiscal puedan, una vez generada una base imponible negativa individual, proceder a la compensación intragrupo de rentas positivas y negativas como si se tratara de un único sujeto pasivo, a diferencia de lo que sucede en el régimen general. En este sentido, destacan autores como Calderón, que ponen de manifiesto lo siguiente:

> «La configuración del Grupo, tal como venimos indicando, supone una agregación de las cuentas de las sociedades integrantes del mismo, de tal forma que las pérdidas se reflejan en ellas y también en aquél. Es así como las sociedades integrantes pueden compensar entre sí las bases imponibles obtenidas en cada período impositivo, mientras que en el régimen individual la entidad que obtenga bases negativas solo puede producir la compensación en el período o períodos impositivos en los que obtenga beneficios, existiendo por ello la posibilidad teórica de que nunca pueda producir la compensación»[215].

Es decir, en esta fase existe un nivel de compensación de rentas, a priori sin limitación (con matices en los ejercicios 2023, 2024 y 2025 como veremos más adelante), que actúa como un auténtico diferimiento de dichas

---

215 Calderón González JM. Doble límite a la compensación de bases imponibles negativas de sociedades procedentes de ejercicios anteriores a su integración en el Grupo. (Comentario a la Sentencia de TS, Sala Tercera, Sección Segunda, de 22 de Diciembre de 2011). En *Tribuna Fiscal n.º 260*. 1ª Edición. Madrid. Instituto de Estudios Fiscales. 2012. Pág. 9.

rentas, pero a nivel de base imponible consolidada, antes de realizar cualquier tipo de eliminación por operaciones intragrupo. Indudablemente hablamos de un diferimiento en sede de la entidad del grupo fiscal que genera renta, como expresión del grupo fiscal, respecto del resto de entidades que «ceden» su base imponible negativa[216]. Es decir, todo ello se traduce en que, de esta forma, con el régimen de consolidación fiscal, sociedades del mismo grupo fiscal, que han generado base imponible positiva en un periodo, se van a beneficiar de la minoración de la base imponible, y, por ende, de la cuota tributaria, fruto de la generación de bases imponibles negativas del resto de sociedades del grupo en el periodo.

En este punto, no podemos dejar al margen la modificación incorporada por la Ley 38/2022, de 27 de diciembre, que incorpora la Disposición adicional decimoctava [sic]. *Medidas temporales en la determinación de la base imponible en el régimen de consolidación fiscal* a la LIS, por la que se limita parcialmente para el ejercicio 2023 la citada compensación intraperiódica al 50%[217]. Y posteriormente la Ley 7/2024, de 20 de diciembre, ha ampliado

---

216 Esta compensación intraperiódica ya se reflejaba en el Real Decreto 1414/1977, de 17 de junio, por el que se regulaba al «recién nacido» régimen de consolidación fiscal.

217 «1. Con efectos para los periodos impositivos que se inicien en 2023, 2024 y 2025, la base imponible del grupo fiscal se determinará de acuerdo con lo dispuesto en el artículo 62 de esta ley, si bien en relación con lo señalado en el primer inciso de la letra a) del apartado 1 de dicho artículo, la suma se referirá a las bases imponibles positivas y al 50 por ciento de las bases imponibles negativas individuales correspondientes a todas y cada una de las entidades integrantes del grupo fiscal, teniendo en cuenta las especialidades contenidas en el artículo 63 de esta ley.
No obstante, para los periodos impositivos que se inicien en 2024 y 2025, la limitación a la integración de bases imponibles negativas prevista en el apartado anterior no resultará de aplicación tratándose de las bases imponibles individuales correspondientes a aquellas fundaciones que estén sometidas al régimen general de esta ley y formen parte del grupo fiscal.
2. Con efectos para los períodos impositivos sucesivos, el importe de las bases imponibles negativas individuales no incluidas en la base imponible del grupo fiscal por aplicación de lo dispuesto en el apartado anterior se integrará en la base imponible del mismo por partes iguales en cada uno de los diez primeros períodos impositivos que se inicien:
a) A partir de 1 enero de 2024, cuando lo establecido en el apartado anterior se aplique con efectos para los períodos impositivos que se inicien en 2023.
b) A partir de 1 enero de 2025, cuando lo establecido en el apartado anterior se aplique con efectos para los períodos impositivos que se inicien en 2024.
c) A partir de 1 enero de 2026, cuando lo establecido en el apartado anterior se aplique con efectos para los períodos impositivos que se inicien en 2025.

la citada medida «temporal» a los ejercicios 2024 y 2025. Se ha incorporado en principio de forma transitoria, por lo que no debería afectar de forma permanente a los grupos fiscales. Sin embargo, parece evidente la posibilidad de considerar que esta medida pueda atentar contra la virtualidad del grupo fiscal, en su equiparación con un contribuyente entidad individual, y vulnerar principios constitucionales tales como el de capacidad económica y el de igualdad, como se detallará más adelante.

En cualquier caso, es preciso tener presente que, tal y como se desarrolla en el capítulo siguiente de compensación de bases imponibles negativas del grupo, la compensación de bases imponibles negativas constituye una auténtica excepción al principio de independencia de ejercicios. Sin embargo, la compensación intraperiódica de rentas positivas y negativas entre entidades del mismo grupo fiscal no constituye una manifestación de la vulneración de dicho principio, por no proceder a compensar, en esta fase, rentas de distintos ejercicios, sino que se procede a una compensación de rentas generadas en un mismo ejercicio, por entidades distintas, que juntas integran un grupo de consolidación fiscal. Es decir, lo que se integra en esta fase son bases imponibles negativas individuales, producidas en el periodo, con las bases imponibles positivas de otras entidades del grupo también generadas en el periodo. Esta compensación intraperiódica debe compararse, no con la compensación de bases imponibles negativas de periodos anteriores que aplica una entidad en régimen individual (artículo 26 de la LIS), sino con la integración (libre) de los gastos y pérdidas fiscalmente deducibles de una entidad que tributa en régimen individual con las rentas positivas generadas en el periodo.

De esta forma, a través de la determinación de la base imponible consolidada entra en juego uno de los principales incentivos del régimen de consolidación fiscal: no nos encontramos ante una compensación supraperiódica de bases imponibles negativas, sino ante una compensación fruto de la

---

Lo dispuesto en el presente apartado se aplicará incluso en caso de que alguna de las entidades con bases imponibles individuales negativas a que se refiere el apartado anterior quede excluida del grupo.
3. En el supuesto de pérdida del régimen de consolidación fiscal o de extinción del grupo fiscal, el importe de las bases imponibles negativas individuales a que se refiere el apartado primero que esté pendiente de integración en la base imponible del grupo, se integrará en el último período impositivo en que el grupo tribute en el régimen de consolidación fiscal».

propia consolidación fiscal como una regla implantada por el legislador para determinar la base imponible consolidada, es decir, como una compensación intraperiódica[218].

Es por ello por lo que la mayor parte de los autores definen esta situación como una de las principales «ventajas» que parece incorporar el régimen de consolidación fiscal, destacando por ejemplo Calderón[219] o Lucas Martínez[220].

En cualquier caso, la compensación intraperiódica de rentas no se articula por el legislador como una auténtica compensación, sino como el resultado de la propia regla especial del régimen de consolidación fiscal, que es el que

---

218 MONTESINOS OLTRA S. *La compensación de bases imponibles negativas.* 1ª Edición. Navarra. Aranzadi. 2000. Pág. 177. En la misma línea, SERRANO GUTIÉRREZ Á. El régimen de consolidación fiscal según la ley 24/2001. En *Revista de doctrina, legislación y jurisprudencia año n.º 18.* 1ª Edición. Madrid. Aranzadi LA LEY. 2002. Pág. 8 y SERRANO GUTIÉRREZ Á. La base imponible del Impuesto sobre Sociedades en el régimen de consolidación fiscal. En *Carta tributaria: Revista de opinión n.º 19.* 1ª Edición. Madrid. Aranzadi LA LEY. 2016. Pág. 11. Y en el mismo sentido, CORDERO GONZÁLEZ EM. *Las Bases Imponibles Negativas en el Impuesto sobre Sociedades* [...]. Op. cit. Pág. 91. La autora desarrolla el ahorro financiero y económico que puede suponer si la base negativa nunca pudiera llegar a compensarse.

219 CALDERÓN GONZÁLEZ JM. Doble límite a la compensación de bases imponibles negativas de sociedades procedentes de ejercicios anteriores a su integración en el Grupo. (Comentario a la Sentencia de TS, Sala Tercera, Sección Segunda, de 22 de Diciembre de 2011). En *Tribuna Fiscal n.º 260* [...]. Op. cit. Pág. 10: «Que la compensación de bases imponibles negativas supone una ventaja para el Grupo que tributa del régimen de consolidación fiscal frente al caso de que cada sociedad lo hiciera por separado, pues en este último caso, las que tuvieran base positiva deberían ingresar y las que la tuvieran negativa, deberían esperar a cambiar el signo de las mismas; en cambio, en el régimen de consolidación fiscal cada una de las sociedades tiene la posibilidad de ver compensadas sus bases negativas con la del Grupo fiscal, en las condiciones indicadas».

220 LUCAS MARTÍNEZ M. Provisiones por depreciación de la cartera en la tributación del grupo fiscal. En *Carta Tributaria-Monografías n.º 21* [...]. Op. cit. Pág. 9: «Se pone así de manifiesto una de las principales ventajas del Régimen de Consolidación Fiscal: permitir la compensación en el mismo periodo impositivo en el que se obtienen, las bases imponibles negativas generadas por una de las sociedades del Grupo con las bases imponibles positivas obtenidas en el mismo periodo por las restantes sociedades. No resulta necesario, por tanto, esperar a que la sociedad que generó dichas bases negativas obtenga rentas positivas en los periodos impositivos siguientes tal y como, en el Régimen General del Impuesto, ordena el artículo 25 del TR».

habilita que las entidades puedan «integrar» las rentas positivas y negativas, sin que exista limitación alguna[221], a excepción del límite mencionado incorporado para los periodos de 2023, 2024 y 2025.

Ello es relevante, porque la compensación no debería ser restringida por ninguna limitación, actuando como una compensación de rentas de un único sujeto pasivo, como ocurre en el régimen general con la integración de rentas negativas fiscalmente deducibles.

Dicha «ventaja» parece asimilarse a otras figuras, previamente mencionadas a lo largo de este trabajo, como era la deducibilidad fiscal del deterioro de participaciones, a través de la cual se permitía también integrar rentas negativas de las filiales en las matrices, pudiendo las matrices compensar pérdidas de sus entidades dependientes.

Y en este sentido, téngase presente que la posibilidad de llevar a cabo esta compensación intraperiódica como ocurre en España sucede de la misma forma en el resto de países de la Unión Europea que aplican un régimen de consolidación fiscal, lo que muestra ser una de las «ventajas»/»incentivos» del régimen de consolidación fiscal en todos los Estados miembros, la razón de ser del régimen y su rasgo definitorio, en la medida en la que todos los países que disponen del régimen incluyen esta posibilidad. Algunos países incluso dan la posibilidad a realizar compensaciones transfronterizas en circunstancias específicas[222].

Llegados a este punto, cabe preguntarse: ¿La compensación intraperiódica es realmente una ventaja fiscal, un incentivo propio del régimen, o en realidad constituye una asimetría entre el régimen general y el régimen de consolidación fiscal? Como ya adelantábamos en apartados anteriores, el TJUE denuncia cualquier tipo de asimetría entre el régimen general y el especial de consolidación fiscal. Asimismo, algunos autores[223] consideran que la ventaja fiscal de compensación de rentas negativas de un mismo periodo

---

221 Montesinos Oltra S. *La compensación de bases imponibles negativas* [...]. Op. cit. Pág. 184.

222 Reino Unido, Lituania, Italia, Chipre y Dinamarca.

223 Sanz Gadea E. Régimen de Declaración Consolidada. En *Estudios Financieros n.º 49-50.* 1ª Edición. Madrid. CEF. 1987. Pág. 108; Rafael Navas V. *El impuesto sobre sociedades*. 2ª Edición. Sevilla. Universidad de Sevilla. 1982. Pág. 133; Jiménez-

impositivo, sin limitación, entre distintos sujetos, constituye una ventaja que va más allá del régimen general, generando una auténtica discriminación si se comparan ambos regímenes de tributación. Además, el hecho de que el régimen de consolidación fiscal sea opcional, pero solo determinados grupos, que cumplan ciertos requisitos, puedan realmente optar por la aplicación de dicho régimen, podría incluso provocar el tratamiento desigual entre distintos grupos mercantiles, que podría resultar discriminatorio.

Sin embargo, volvemos a recordar la doctrina por la que se considera que en realidad el grupo fiscal es un único sujeto pasivo, de tal forma que lo que se está produciendo no es una compensación intraperiódica de bases de distintos contribuyentes, sino una integración y compensación de las rentas de un único contribuyente. Solo esta interpretación podría «salvar» la regulación actual del régimen de consolidación fiscal, no ya en España, sino también en el resto de los países europeos, sirviendo también para reforzar una posible y futura compensación de renta transfronteriza entre entidades del mismo grupo, que conforman un grupo multinacional.

Es decir, parece que la mayor parte de los Estados miembros tienen el mismo problema que España en relación con el deterioro de cartera, esto es, imposibilidad de deducir las pérdidas por la vía del deterioro de cartera, pero posibilidad de compensarlas en el régimen de consolidación fiscal, poniendo de manifiesto un problema compartido que podría suponer que el TJUE pudiera «tumbar» con sus sentencias todos y cada uno de los regímenes de consolidación fiscal, por producirse un trato distinto entre grupos fiscales y entidades individuales.

En cualquier caso, es evidente que esta posibilidad que brinda el régimen de consolidación fiscal, como una de las principales ventajas de su aplicación, tiene que generar algún efecto entre las sociedades del mismo grupo, ya que unas entidades, las que tienen base negativa, realizan lo que parece un «regalo» en favor de aquellas que han generado a lo largo del ejercicio renta positiva. Es decir, que finalmente el IS resulte positivo habiendo sociedades que podrían no haber tributado por tener una base imponible negativa, supone el reconocimiento de un «favor» de unas entidades respecto de las otras. Esta

AMBEL F. Tratamiento fiscal de grupo de sociedades. En *Revista española de Derecho Financiero n.º 24.* 1ª Edición. Madrid. Civitas. 1979. Pág. 89.

identificación podría generar cierta tensión con la concepción de «grupo» como contribuyente, pero realmente su utilidad se muestra relevante para el caso de salida del grupo fiscal de alguna de las entidades. La norma fiscal no regula ningún tratamiento especial ante dicha situación, sino que simplemente recoge la posibilidad de que dicha situación se produzca. Tenemos que acudir a la contabilidad en la medida en la que dicho «favor» debe materializarse en un «préstamo» intragrupo.

6.2. LIMITACIÓN A LA COMPENSACIÓN INTRAPERIÓDICA DE RENTAS EN 2023, 2024 Y 2025: DUDAS SOBRE SU CONSTITUCIONALIDAD

Como se adelantaba, con efectos para los periodos impositivos iniciados en 2023, extendido a 2024 y 2025, se incorpora a la LIS la Disposición adicional decimonovena[224], por la que se establece:

> «1. Con efectos para los periodos impositivos que se inicien en 2023, 2024 y 2025, la base imponible del grupo fiscal se determinará de acuerdo con lo dispuesto en el artículo 62 de esta ley, si bien en relación con lo señalado en el primer inciso de la letra a) del apartado 1 de dicho artículo, la suma se referirá a las bases imponibles positivas y al 50 por ciento de las bases imponibles negativas individuales correspondientes a todas y cada una de las entidades integrantes del grupo fiscal, teniendo en cuenta las especialidades contenidas en el artículo 63 de esta ley.
>
> No obstante, para los periodos impositivos que se inicien en 2024 y 2025, la limitación a la integración de bases imponibles negativas prevista en el apartado anterior no resultará de aplicación tratándose de las bases imponibles individuales correspondientes a aquellas fundaciones que estén sometidas al régimen general de esta ley y formen parte del grupo fiscal.
>
> 2. Con efectos para los períodos impositivos sucesivos, el importe de las bases imponibles negativas individuales no incluidas en la base imponible del grupo fiscal por aplicación de lo dispuesto en el apartado anterior se integrará en la base imponible del mismo por partes iguales en cada uno de los diez primeros períodos impositivos que se inicien:
>
> a) A partir de 1 enero de 2024, cuando lo establecido en el apartado anterior se aplique con efectos para los períodos impositivos que se inicien en 2023.

224 Versión consolidada con la redacción dada por la disposición final 8.6 de la Ley 7/2024, de 20 de diciembre.

b) A partir de 1 enero de 2025, cuando lo establecido en el apartado anterior se aplique con efectos para los períodos impositivos que se inicien en 2024.

c) A partir de 1 enero de 2026, cuando lo establecido en el apartado anterior se aplique con efectos para los períodos impositivos que se inicien en 2025.

Lo dispuesto en el presente apartado se aplicará incluso en caso de que alguna de las entidades con bases imponibles individuales negativas a que se refiere el apartado anterior quede excluida del grupo.

3. En el supuesto de pérdida del régimen de consolidación fiscal o de extinción del grupo fiscal, el importe de las bases imponibles negativas individuales a que se refiere el apartado primero que esté pendiente de integración en la base imponible del grupo, se integrará en el último período impositivo en que el grupo tribute en el régimen de consolidación fiscal».

Parece pacífico que la titularidad de las bases pendientes de aplicar es del grupo fiscal y no de la entidad que lo generó con carácter individual, de tal forma que el grupo debe seguir realizando el ajuste según el calendario de diez años establecido en la DA 19ª LIS y en este sentido, destaca la opinión de Ucelay Sanz[225] en este sentido:

> «[…] la restricción del 50 % en la base imponible negativa individual se transforma a futuro en un ajuste negativo en el grupo fiscal, por lo que de alguna manera se despersonifica […]».

Y en una línea similar destaca la opinión de López-Santacruz[226].

La citada incorporación se trata de una medida «temporal»[227] que limita las pérdidas intraperiódicas del grupo fiscal al 50% en el ejercicio 2023, 2024 y 2025, siendo imputables durante los 10 ejercicios siguientes por partes iguales,

---

225 Ucelay Sanz I. La nueva limitación a la compensación de bases imponibles negativas en los grupos fiscales. En *Revista de Contabilidad y Tributación n.º 479.* 1ª Edición. Madrid. CEF. 2023. Pág. 65-82.

226 López-Santacruz Montes JA. Forma de determinación de la base imponible de los grupos fiscales en los períodos impositivos iniciados en 2023 (LIS disp.adic.19 redacc L 38/2022) (RF 200/23 Octubre 2023). En *Actum Fiscal nº 200.* 1ª Edición. Madrid. Francis Lefebvre. 2023. Pág. 2.

227 Señala la exposición de motivos de la ley 38/2022: «Por último, se modifica la Ley 27/2014, de 27 de noviembre, del Impuesto sobre Sociedades, para incorporar una medida temporal en la determinación de la base imponible en el régimen de consolidación fiscal […]».

justificándose[228] con una mera finalidad recaudatoria mediante la anticipación de impuestos. Es decir, con efectos para los períodos impositivos sucesivos[229], el importe de las bases imponibles negativas individuales no incluidas en la base imponible del grupo fiscal se integrará en la base imponible del mismo por partes iguales en cada uno de los diez primeros períodos impositivos que se inicien: i) a partir de 1 enero de 2024, cuando lo establecido en el apartado anterior se aplique con efectos para los períodos impositivos que se inicien en 2023; ii) a partir de 1 enero de 2025, cuando lo establecido en el apartado anterior se aplique con efectos para los períodos impositivos que se inicien en 2024, iii) a partir de 1 enero de 2026, cuando lo establecido en el apartado anterior se aplique con efectos para los períodos impositivos que se inicien en 2025.

El impacto fiscal de la medida en los grupos es más que evidente[230], observando determinados aspectos que pueden colisionar con los principios generales de nuestro sistema tributario y, en particular, con nuestra CE, como se detalla a continuación.

1. Posible vulneración del principio de igualdad

En primer término, cabe argumentar una posible vulneración del principio de igualdad consagrado en los artículos 14 y 31 de la CE. Esta vulneración se fundamenta en las diferencias de trato que la LIS otorga a dos tipos de contribuyentes claramente definidos: por un lado, las entidades individuales reguladas en el artículo 7 de la LIS, y por otro, los grupos fiscales conforme al artículo 56 de la misma ley. Pese a encontrarse en situaciones idénticas desde el punto de vista económico (como podría ser la existencia de una misma cifra de negocios), las consecuencias fiscales que se derivan para ambos sujetos difieren significativamente.

---

228 https://www.congreso.es/public_oficiales/L14/CONG/BOCG/B/BOCG-14-B-271-5.PDF

229 Para los periodos impositivos que se inicien en 2024 y 2025, la limitación a la integración de bases imponibles negativas prevista no resultará de aplicación tratándose de las bases imponibles individuales correspondientes a aquellas fundaciones que estén sometidas al régimen general de la LIS y formen parte del grupo fiscal.

230 La nota de prensa emitida por el Ministerio de Hacienda y Función Pública de 29 de septiembre de 2022, afirma que la medida temporal «permitirá aumentar la recaudación en 2.439 millones entre 2023 y 2024» (https://www.lamoncloa.gob.es/serviciosdeprensa/notasprensa/hacienda/Paginas/2022/290922-politica-fiscal.aspx#:~:text=Se%20trata%20de%20una%20medida,declarantes%20del%20Impuesto%20sobre%20Sociedades.)

Es esencial definir correctamente los términos de la comparación. En este sentido, no resulta pertinente establecer una comparación entre una entidad que tributa en el régimen individual y otra que lo hace bajo el régimen de consolidación fiscal, siendo ambas partes de un grupo fiscal. Lo relevante aquí es comparar el tratamiento fiscal otorgado a un grupo fiscal (contribuyente) con el que recibe una entidad individual que, dentro de su estructura, concentre dos o más actividades económicas que, en el seno del grupo fiscal, podrían ser realizadas por dos o más sociedades.

Partiendo de esta premisa, si una de las actividades desarrolladas genera pérdidas, se observa una diferencia fundamental en el tratamiento fiscal de estas pérdidas. En el caso del grupo fiscal, la Disposición Adicional establece una limitación temporal a la posibilidad de integrar las pérdidas intraperiódicas dentro de la base imponible consolidada, con la posibilidad de que en determinados supuestos esa limitación se convierta en definitiva, generando un perjuicio fiscal permanente. Por el contrario, en el caso de una entidad individual, no existe una limitación específica que restrinja la integración de las pérdidas en su base imponible, permitiéndose la compensación de dichas bases imponibles negativas sin las restricciones temporales o cuantitativas que afectan a los grupos fiscales. Es evidente que con la medida al grupo fiscal se le adiciona una limitación que perjudica al contribuyente grupo fiscal, en comparación con el contribuyente entidad individual.

De hecho, a pesar de que el contribuyente individual pueda ostentar una mayor capacidad económica (mayor cifra de negocios por ejemplo), se le otorga un tratamiento más favorable que al grupo fiscal, lo que pone de manifiesto una clara desigualdad en la aplicación del régimen fiscal entre contribuyentes que se encuentran, a efectos de capacidad económica, en posiciones comparables.

El principio de igualdad que establece el artículo 31 CE obliga a que, ante idénticas manifestaciones de capacidad económica, se apliquen las mismas consecuencias tributarias. En este caso, la disparidad de trato entre entidades individuales y grupos fiscales parece carecer de una justificación objetiva y razonable[231], lo que podría derivar en una vulneración tanto del derecho

---

231 Sanz Gadea E. El Impuesto sobre Sociedades en 2022. En *Revista de Contabilidad y Tributación n.º 482*. 1ª Edición. Madrid. CEF. 2023. Pág. 65: «Esta certera descripción del objeto de la enmienda no está acompañada de una justificación, si bien parece traslucirse la de naturaleza recaudatoria».

fundamental a la igualdad ante la ley, recogido en el artículo 14 de la CE, como del principio de justicia tributaria del artículo 31 de la misma. Esta diferenciación de trato fiscal resulta, por tanto, discriminatoria e injustificada, afectando de manera directa el equilibrio en la carga fiscal que debe gravar a los contribuyentes de acuerdo con su capacidad económica real.

En esta línea, el TC[232] declara como contrarias al principio de igualdad todas las medidas que impongan una tributación distinta en función del sujeto pasivo, ya que dichas medidas supondrían un trato discriminatorio injustificado. La jurisprudencia del TC ha reiterado que el principio de igualdad consagrado en los artículos 14 y 31 de la CE únicamente puede ser excepcionado cuando concurra una finalidad objetiva y razonable que justifique dicho trato desigual. Además, la legitimidad de esta diferenciación debe estar

---

[232] En esta línea, destaca la sentencia del TC 10/2005, de 20 de enero de 2005, que se pronuncia sobre la inconstitucionalidad del trato dispar por el reconocimiento de una exención en el Impuesto sobre Actividades y Beneficios Comerciales e Industriales en favor de las cajas de ahorro, por cualquier tipo de actividad que realizaban (tanto benéfica como comercial) en comparación con otros sujetos (los bancos, por ejemplo) que desarrollaban el mismo tipo de actividad:
«En consecuencia, si la exigencia constitucional del art. 31.1 CE relativa al deber de todos de contribuir al sostenimiento de los gastos públicos según la capacidad económica de cada contribuyente configura un mandato que vincula, no solo a los ciudadanos, sino también a los poderes públicos, ya que, si los unos están obligados a contribuir de acuerdo con su capacidad económica al sostenimiento de los gastos públicos, los otros están obligados —en principio— a exigir esa contribución a todos los contribuyentes cuya situación ponga de manifiesto una capacidad económica susceptible de ser sometida a tributación, es patente que el mantenimiento de una exención como la que se discute, carente de la justificación que la vio nacer, implica la quiebra ilegítima del deber de "todos" de contribuir a aquel sostenimiento, o, lo que es lo mismo, del principio de generalidad tributaria que el art. 31.1 CE establece. De la misma manera que la exención sobre la parte no lucrativa o benéfica de la actividad de las Cajas responde "tanto a la lógica como a los contenidos que se derivan del principio de capacidad económica (art. 31 CE), así como a la cláusula del Estado social y democrático de Derecho que nuestra Constitución ha configurado (art. 1.1. CE)" (STC 134/1996, de 22 de julio, FJ 6), la extensión de la exención a la parte puramente mercantil, comercial, financiera, y, por ende, lucrativa, no encuentra hoy en día, ni la encontraba en 1978, justificación alguna y, en consecuencia, vulnera el principio de igualdad tributaria al utilizarse un criterio de reparto de las cargas públicas de una justificación razonable e incompatible con el sistema tributario justo al que hemos hecho referencia anteriormente».

condicionada a que la misma no genere resultados que sean particularmente gravosos o desproporcionados para los contribuyentes afectados.

En el presente caso, no se advierte la existencia de ninguna justificación de esta naturaleza que ampare el tratamiento fiscal diferenciado entre las entidades individuales y los grupos fiscales. La jurisprudencia del TC[233] ha establecido que una medida puede llegar a afectar a la esencia del deber de contribuir, aun cuando su aplicación se circunscriba a un periodo temporal determinado. De hecho, el Tribunal ha considerado que la incidencia en la carga tributaria puede ser constitucionalmente relevante incluso cuando la medida se limite a un lapso de tiempo concreto. En este caso, la limitación a la compensación de pérdidas puede extenderse hasta un periodo de diez años (que en realidad se extiende por la propia extensión de la medida a los ejercicios 2024 y 2025, al 2035), lo cual plantea una carga fiscal significativa que afecta de manera relevante a la capacidad económica del contribuyente.

2. Posible vulneración del principio de capacidad económica

Además de la posible vulneración del principio de igualdad, también puede resultar apreciable una posible vulneración del principio de capacidad económica del artículo 31 de la CE. La capacidad económica es la razón por la que existen diferencias entre el resultado contable y la base imponible, siendo en todo caso la contabilidad el punto de partida[234]. En este caso particular,

---

233 STC 78/2020, de 1 de julio. En esta línea, destaca el Auto de 14 de diciembre de 2018 de la Audiencia Nacional (rec. 908/2016), por el que se elevaba la cuestión de inconstitucionalidad frente al Decreto-ley 2/2016, en el que se exponía lo siguiente:
«La autonomía de la obligación tributaria de realizar pagos a cuenta del Impuesto de Sociedades no puede justificar, a nuestro juicio, una profunda desconexión —muy evidente en el caso de la sociedad demandante— entre la renta que se considera indicio de capacidad económica del sujeto pasivo a efectos del Impuesto de Sociedades y la que se considera a efectos del cálculo de los pagos a cuenta, incluyendo en la base de cálculo de éstos rentas que se consideran exentas, y desconociendo el efecto que el resultado de ejercicios anteriores tiene sobre la capacidad económica real del sujeto pasivo. En la exposición de motivos del Real Decreto Ley 2/2016 solo se hacen referencias a los objetivos de paliar el déficit de tesorería mediante las medidas que se adoptan, tratando de aumentar temporalmente la liquidez de la tesorería. Se impone de manera arbitraria un incremento en los pagos a cuenta sin consideración a la cuota tributaria que finalmente corresponda pagar a las sociedades y, por tanto, sin atender a su capacidad económica real».

234 Y así lo ha reflejado el Tribunal Supremo en su jurisprudencia, destacando por ejemplo la sentencia de 8 de febrero de 2021, rec. 3071/2019 (criterio reiterado en sentencia de

la norma introduce un ajuste al resultado contable cuya única justificación es de carácter recaudatorio. Este ajuste tiene un impacto directo en la capacidad económica del contribuyente, en tanto que impide la integración de una base imponible negativa en el ejercicio en el que se origina. De esta forma, se limita la capacidad económica del grupo fiscal afectado, a pesar de que la propia LIS ya prevé, con carácter general para todos los contribuyentes, una serie de limitaciones específicas tanto para los gastos y pérdidas como para la compensación de bases imponibles negativas.

Asimismo, aunque la medida se presenta como temporal, es posible que tenga un efecto más gravoso de lo previsto, pues podría llegar a producirse la imposibilidad de compensar la base imponible negativa en su totalidad si, en los ejercicios posteriores al año 2023, 2024 y 2025, la sociedad no generase resultados positivos suficientes antes de su liquidación. Es importante recordar que, de acuerdo con la doctrina sentada por el Tribunal Constitucional en su sentencia 78/2020, de 1 de julio de 2020, una medida de carácter temporal puede vulnerar el principio de capacidad económica si incide de manera sustancial en la carga tributaria durante un periodo suficientemente relevante.

En este sentido, el Auto de 14 de diciembre de 2018 de la Audiencia Nacional (rec. 908/2016), que cuestionaba la constitucionalidad del Real Decreto-Ley 2/2016, expone[235] de manera clara que las medidas fiscales no

30 de marzo de 2021, rec. 3454/2019, sentencia de 5 de mayo de 2021, rec. 558/2020 y sentencia de 29 de abril de 2021, rec. 463/2020), que establece: «Por consiguiente, la base imponible del Impuesto sobre Sociedades, la medición de la capacidad económica del contribuyente a efectos fiscales, viene determinada a partir del resultado contable que es corregido en determinados supuestos en los términos previstos, a tal fin, en los preceptos específicos contenidos en el TRLIS».

235 «La autonomía de la obligación tributaria de realizar pagos a cuenta del Impuesto de Sociedades no puede justificar, a nuestro juicio, una profunda desconexión —muy evidente en el caso de la sociedad demandante— entre la renta que se considera indicio de capacidad económica del sujeto pasivo a efectos del Impuesto de Sociedades y la que se considera a efectos del cálculo de los pagos a cuenta, incluyendo en la base de cálculo de éstos rentas que se consideran exentas, y desconociendo el efecto que el resultado de ejercicios anteriores tiene sobre la capacidad económica real del sujeto pasivo. En la exposición de motivos del Real Decreto Ley 2/2016 solo se hacen referencias a los objetivos de paliar el déficit de tesorería mediante las medidas que se adoptan, tratando de aumentar temporalmente la liquidez de la tesorería. Se impone de manera arbitraria un incremento

pueden desconectarse de la renta que constituye el indicio de la capacidad económica real del sujeto pasivo. La Audiencia Nacional criticaba la arbitrariedad de la normativa que, bajo la premisa de paliar un déficit de tesorería, imponía un incremento en los pagos a cuenta sin tener en cuenta la cuota tributaria final ni la capacidad económica real del contribuyente. Aunque en el caso del pago fraccionado mínimo el Tribunal Constitucional no entró a valorar la vulneración del principio de capacidad económica, el reproche de la Audiencia Nacional y, en menor medida, del propio Tribunal, pone de manifiesto que cualquier medida fiscal que afecte la capacidad económica real, aunque sea temporal, puede ser considerada arbitraria y, por tanto, inconstitucional.

En este caso, la limitación a la incorporación de la base imponible negativa del grupo fiscal podría ser análoga a la problemática de los pagos a cuenta, con la salvedad de que la «recuperación» de la base negativa puede extenderse hasta diez años. Si el Tribunal Constitucional ya ha señalado que una medida con efectos temporales más cortos, como es el caso del pago fraccionado mínimo, puede afectar a la capacidad económica, con mayor razón debe entenderse que una medida que prolonga sus efectos durante diez años incide de manera más gravosa en el deber de contribuir. En este sentido, téngase en cuenta que el Tribunal Constitucional ha acordado admitir a trámite dos cuestiones de inconstitucionalidad (números 2525/2024 y 2840/2024) promovidas por el Tribunal Superior de Justicia de Valencia, conforme a los Autos de 6 de marzo de 2024 (recursos 1387/2022 y 1385/2022). En dichas cuestiones, el Alto Tribunal deberá determinar si la disposición adicional decimocuarta de la LIS (respecto del pago fraccionado mínimo), se ajusta a los principios y preceptos recogidos en la CE. En particular, la Sala considera que puede ser objeto de cuestionamiento desde la perspectiva de una posible vulneración del principio de capacidad económica consagrado en el artículo 31.1 CE.

El hecho de que la medida permita la compensación de las pérdidas en un periodo de diez años no elimina el impacto que produce sobre la capacidad de contribución del grupo fiscal, especialmente en contextos de tipos de inte-

---

en los pagos a cuenta sin consideración a la cuota tributaria que finalmente corresponda pagar a las sociedades y, por tanto, sin atender a su capacidad económica real».

rés elevados. Como consecuencia de la inconstitucionalidad declarada por la sentencia del Tribunal Constitucional 78/2020, se ordenó la devolución de los intereses de demora generados por los pagos fraccionados excesivos. De manera similar, en el presente caso, la prolongada limitación de la compensación de bases negativas implica una carga financiera adicional que afecta significativamente a los grupos fiscales.

Además, como ya se ha señalado, la base imponible individual utilizada para aplicar la limitación no tiene en cuenta las eliminaciones e incorporaciones propias del grupo fiscal, lo que resulta en un cálculo que no refleja la renta «real» del grupo. Así, pueden existir operaciones internas entre las empresas del grupo fiscal (como operaciones de crédito-débito intragrupo) que afecten la base imponible individual y, en consecuencia, distorsionen el verdadero resultado consolidado del grupo. Este punto es particularmente relevante si se considera que el artículo 67 de la LIS, en relación con la determinación de la base imponible de entidades que se incorporan al grupo fiscal, siempre toma en cuenta las eliminaciones e incorporaciones pertinentes para garantizar que la renta refleje adecuadamente la capacidad económica del grupo.

La jurisprudencia del Tribunal Constitucional también es clara respecto de situaciones en las que se somete a tributación a contribuyentes en ausencia de capacidad económica real. Así lo declaró el Tribunal en relación con el Impuesto sobre el Incremento de Valor de los Terrenos de Naturaleza Urbana (plusvalía), cuando resolvió la inconstitucionalidad de gravar situaciones en las que no existe un incremento de valor[236].

---

236 Sentencia del TC 59/2017, de 11 de mayo. En efecto, declaramos en una y otra Sentencia que, siendo constitucionalmente admisible que «el legislador establezca impuestos que, sin desconocer o contradecir el principio de capacidad económica, estén orientados al cumplimiento de fines o a la satisfacción de intereses públicos que la Constitución preconiza o garantiza», bastando con que «dicha capacidad económica exista, como riqueza o renta real o potencial en la generalidad de los supuestos contemplados por el legislador al crear el impuesto, para que aquél principio constitucional quede a salvo», ello debe hacerse sin que en ningún caso pueda «establecer un tributo tomando en consideración actos o hechos que no sean exponentes de una riqueza real o potencial, o, lo que es lo mismo, en aquellos supuestos en los que la capacidad económica gravada por el tributo sea, no ya potencial, sino inexistente, virtual o ficticia» (SSTC 26/2017, FJ 3; y 37/2017, FJ 3). Por esta razón precisamos a renglón seguido que, aun cuando «es plenamente válida la opción de política legislativa dirigida a someter a tributación los incrementos de valor mediante el recurso a un sistema de cuantificación objetiva de capacidades económicas

Por último, en este contexto es relevante señalar que el Tribunal Constitucional ha admitido a trámite la cuestión de inconstitucionalidad planteada por la Audiencia Nacional en su Auto de 3 de marzo de 2023 (rec. 727/2019), cuestionando la constitucionalidad del Real Decreto-Ley 3/2016 en relación con la reversión en quintas partes del deterioro de valores, bajo la premisa de que esta medida vulnera el principio de capacidad económica[237]. En dicho auto, la Audiencia Nacional destacaba que el contribuyente, aun habiendo experimentado pérdidas, tuvo que tributar por una capacidad económica inexistente, lo que supone una clara infracción del artículo 31 de la CE.

Con base en lo anterior, parece razonable considerar que la medida analizada podría ser declarada inconstitucional en el medio o largo plazo, lo que tendría un impacto significativo en el régimen fiscal aplicable a los grupos fiscales.

6.3. EL CRÉDITO INTRAGRUPO DERIVADO DE LA COMPENSACIÓN INTRAPERIÓDICA

Como se ha puesto de manifiesto, este nivel de compensación permite la integración intraperiódica de bases negativas de las entidades del grupo con bases imponibles positivas generadas por otras entidades del grupo, lo que expresa, a nivel individual, la existencia de sociedades que se benefician del régimen de consolidación «a costa» de otras.

Siendo así, parece evidente que la compensación intraperiódica debe generar la existencia de un crédito intragrupo de una sociedad respecto del gru-

---

potenciales, en lugar de hacerlo en función de la efectiva capacidad económica puesta de manifiesto», sin embargo, «una cosa es gravar una renta potencial (el incremento de valor que presumiblemente se produce con el paso del tiempo en todo terreno de naturaleza urbana) y otra muy distinta es someter a tributación una renta irreal» (STC 26/2017, FJ 3)».

237 «La decisión sobre la constitucionalidad del propio decreto ley así como también de la DT16 y DA15 LIS notadas tienen una incidencia clara en la determinación de la base imponible del IS del ejercicio 2016 de la recurrente: a pesar de que no tuvo beneficios, sino que experimentó pérdidas, no obstante, tuvo que tributar ingresando una cuota de [...] euros, lo que supondría, de una forma general, tributar por una capacidad económica inexistente».

po fiscal en la medida en que los efectos del régimen benefician a unas sociedades que han generado en el grupo base positiva respecto del «perjuicio» causado a las entidades que generan base negativa, no existiendo perjuicio cuando la cuota de todas las entidades es positiva ya que se repartiría entre las sociedades del grupo que generaron base positiva[238].

Es decir, es indudable que, con la compensación intraperiódica, determinadas entidades que generan renta negativa van a tributar por el grupo fiscal, cediéndole al mismo su renta negativa en beneficio del grupo.

Localizada la entidad acreedora, que no es otra que la sociedad que cede su renta negativa en beneficio del grupo, queda por determinar quién tiene la consideración de deudora, ¿el grupo fiscal o cada una de las entidades que han generado base positiva en sede del grupo fiscal?

Una primera respuesta podría ser considerar que es la totalidad del grupo fiscal el que recoge el crédito frente a la entidad, sin embargo, es indudable que no todas las entidades se van a encontrar en la misma situación, es decir, que podría haber entidades del grupo que también hayan generado base imponible negativa aportada al grupo fiscal. Además, el grupo fiscal es una figura tributaria, que no tiene, como tal, personalidad jurídica ni reflejo contable, estando al margen del grupo contable y de las cuentas consolidadas. Ello es así porque, recordemos, para configurar la base del grupo fiscal no se parte del resultado contable consolidado, sino que se parte del resultado contable individual. Por tanto, el crédito intragrupo debe ser registrado contablemente en las cuentas individuales de cada una de las entidades, siendo coherente que cada entidad deudora registre su parte proporcional respecto de la base negativa proporcionada por la/s entidad/es acreedor/as.

Ello se traduciría en la innecesaridad de recoger un crédito intragrupo en aquellos supuestos en los que todas las entidades generen bases imponibles individuales negativas que finalmente generen una base imponible negativa consolidada.

238 Lizanda Cuevas JM, Cabedo Toneo M. *Consolidación contable y fiscal. Operaciones entre empresas del grupo. Supuestos prácticos* [...]. Op. cit. Pág. 435-436.

En todo caso, el hecho de que el crédito intragrupo se integre a nivel individual podría suponer una contradicción respecto de la teoría de la consideración del grupo como único sujeto.

Es indudable que la compensación fruto del régimen de consolidación fiscal genera un derecho de crédito a favor de las sociedades que aportan sus bases negativas, aunque podría surgir la duda de si el derecho crédito tiene o no carácter tributario[239], siendo dicha conclusión relevante con objeto de determinar si puede constituir un activo por impuesto diferido en la entidad acreedora, sustituyendo dicho activo al que se hubiera generado en caso de que la entidad hubiera tributado en régimen general, con la consiguiente consignación de bases imponibles negativas por la renta generada en el ejercicio. Expresamente la AEAT[240] ha puesto de manifiesto que estos créditos deben asociarse a una relación entre particulares, haciendo alusión a lo indicado en el artículo 17.5 de la LGT[241] en cuanto a la imposibilidad de que estos pactos entre partes puedan afectar a la relación tributaria.

También es evidente que las bases imponibles negativas son derechos inescindibles de quienes las obtienen, son personalísimos (porque son generados por la sociedad y, en principio, no puede comercializarse directamente con ellos, más allá de la posibilidad de transmitir la sociedad en su conjunto, con limitaciones en la compensación futura), no son susceptibles de transmisión[242], sin embargo, resulta curioso que sí se pueda ceder una renta negativa.

Es indudable que la existencia de dicho crédito deriva del aprovechamiento fiscal de las bases negativas de las entidades, es decir, deriva de un aprove-

---

239 Montesinos Oltra S. *La compensación de bases imponibles negativas* [...]. Op. cit. Pág. 184-186. El autor no es partidario de considerar que el crédito sea tributario o suponga una subrogación ex lege tributaria en la posición acreedora que ostenta la Administración frente al acreedor principal.

240 Nota relativa a la aplicación por el grupo de consolidación fiscal de bases imponibles negativas y deducciones procedentes de ejercicios anteriores. Agencia Tributaria. 5 de mayo de 2023.

241 «Los elementos de la obligación tributaria no podrán ser alterados por actos o convenios de los particulares, que no producirán efectos ante la Administración, sin perjuicio de sus consecuencias jurídico-privadas».

242 Cordero González Em. *Las Bases Imponibles Negativas en el Impuesto sobre Sociedades* [...]. Op. cit. Pág. 102-103.

chamiento fiscal, sin embargo, la opinión mayoritaria es la de considerar que dicho crédito no puede tener la consideración de crédito tributario[243].

Asimismo, habrá que distinguir entre dos tipos de créditos intragrupo que se puedan derivar de esta situación de compensación intraperiódica: los que se generan en un único momento temporal y los que se registran año a año al ritmo de la integración de la renta negativa. Es decir, por un lado, nos referimos a los créditos que proceden de la integración de la base imponible negativa con la positiva de otras sociedades en un mismo ejercicio, de tal forma que, cuando se proceda a la extinción del grupo o separación de la sociedad, dicho crédito deberá ser reintegrado a las sociedades beneficiarias. Y, por otro lado, créditos que proceden de la integración de la base imponible negativa con la positiva de otras sociedades pero que no produce efectos reales hasta que finalmente se integre la renta porque, por ejemplo, proceda de un tipo de renta negativa que fue objeto de eliminación, pero que se integra poco a poco en la base imponible de la entidad individual y que, fruto de que la entidad individual no genera base positiva, provoca el sucesivo nacimiento del crédito fiscal. En este sentido, cuando se produzca la separación o extinción del grupo aún no se habrá procedido a la integración real de la renta negativa, de tal forma que el crédito intragrupo solo se hará efectivo si con la salida de una de las sociedades del grupo se procede realmente a la integración de la renta negativa en el grupo. Si la misma se integra en la sociedad a nivel individual, el crédito intragrupo no debería hacerse efectivo.

En cualquier caso, la existencia de este crédito intragrupo no ha de impedir que pueda considerarse que existe una asimetría entre el régimen general y el especial, ya que no es un crédito tributario, sino *inter partes*. Con este entendimiento, no se estaría perjudicando a la teoría del grupo como único sujeto, ya que ello es así como ficción fiscal, pero no se extiende, como es evidente, a otras ramas del Derecho.

---

243 Entre otros, MONTESINOS OLTRA S. *La compensación de bases imponibles negativas* [...]. Op. cit. Pág. 211: «Aunque se genere un crédito de la sociedad que aporta sus bases imponibles negativas al grupo frente a las sociedades que las aprovechan consiguiendo una minoración de su cuota, se tratará en todo caso de relaciones crediticias entre particulares y que, además, se generan precisamente a raíz de la compensación, es decir, como consecuencia del ejercicio del presunto derecho a la misma».

Al existir dicho crédito dentro del ámbito privado, las partes deberán decidir en qué momento se abona dicho crédito, o si se procediera a la condonación[244] del mismo (incluso podría entenderse que la falta de contabilización del crédito supondría de por sí una condonación).

Mayores dificultades interpretativas podrían surgir en caso de que el crédito intragrupo surja en un futuro por una posible compensación intraperiódica de renta negativa entre entidades de distintos países, por la complejidad de determinar el importe de dicho crédito intragrupo y por su posible consideración como un crédito frente a las administraciones públicas de los distintos países en donde el grupo fiscal se «ahorraría» tributar.

6.4. ESPECIAL MENCIÓN A LAS ELIMINACIONES E INCORPORACIONES DE RENTA NEGATIVA INTRAGRUPO

Una vez integradas las bases imponibles individuales (cuyas rentas han sido previamente calificadas y analizada su deducibilidad fiscal e imputación, procediendo posteriormente a su integración intraperiódica), previa a la configuración de la base imponible consolidada, hemos de proceder a las eliminaciones e incorporaciones de rentas intragrupo.

En ocasiones, la acumulación de sociedades puede no resultar del todo ventajosa, cuando la mayor parte de las rentas que se generen sean rentas negativas[245]. Por ejemplo, podría darse el caso de que todas las bases imponibles individuales fueran negativas, fruto principalmente de operaciones internas que han generado resultados negativos (que hayan superado el análisis de la calificación, deducibilidad e imputación), y que la suma de las mismas produzca, por tanto, una base imponible del grupo negativa. Sin embargo, posteriormente se proceden a realizar las correspondientes eliminaciones, resultando la base imponible del grupo positiva.

---

244 A efectos de considerar el impacto de una condonación, téngase en cuenta el criterio del ICAC, por ejemplo, en la Consulta 4 del BOICAC 79/2009, comentada previamente en este trabajo.

245 Montesinos Oltra S. *La compensación de bases imponibles negativas* [...]. Op. cit. Pág. 177.

Es decir, atendiendo a la interpretación planteada de la aplicación plena del artículo 62.1.a) de la LIS, conforme a las «calificaciones» a nivel de grupo, toda renta negativa derivada de transmisiones intragrupo «califica» como deterioro (tal y como se ha expuesto con anterioridad y de acuerdo con las NOFCAC), de tal forma que no serían aplicables las eliminaciones de renta, incluso tampoco serían aplicables las limitaciones propias de imputación temporal, sino que lo que sería aplicable es la no deducibilidad en base imponible individual del deterioro. Por ejemplo, tal y como se comentaba en el capítulo sobre las «calificaciones» del grupo fiscal, una venta de una sociedad intragrupo con pérdida debe ser tratada como un deterioro, no como transmisión, en línea con la mencionada consulta V2352-23.

Sin perjuicio de lo anterior, si tras el análisis anterior, se mantiene una renta negativa intragrupo, conforme al prisma del grupo fiscal, una cuestión imprescindible a tener en cuenta es que toda operación interna generadora de renta, positiva o negativa, va a ser eliminada conforme a las normas del artículo 64 de la LIS.

¿Qué ajustes deben tomarse en consideración como eliminaciones de la base imponible? Fue la Ley 24/2001 la que introdujo la precisión de que las eliminaciones e incorporaciones contables eran admitidas a efectos fiscales[246], lo que permitió que las entidades deban tener en cuenta dichos conceptos.

En este sentido, López Llopis indica lo siguiente:

> «Por lo que respecta a la incidencia que esta segunda categoría de ajustes esta llamada debe tener en cuenta en la esfera fiscal, el hecho de que la remisión contenida en el artículo 64 LIS venga referida a las eliminaciones con carácter general, y no exclusivamente a las eliminaciones de resultados derivados de operaciones internas, nos lleva a defender que, a la luz de una interpretación literal de la ley, todos los ajustes previstos en el RD 1159/2010, incluidos aquellos que no guardan relación con una operación entre las sociedades del grupo, deben ser tenidos en cuenta la hora de calcular la base imponible consolidada»[247].

---

[246] Ruiz Blázquez, Pedro. «La consolidación contable y la consolidación fiscal». La Ley 3719/2006. Pág. 2-3. Pág. 7.

[247] López Llopis E. *El régimen especial de consolidación fiscal en el Impuesto sobre Sociedades* [...]. Op. cit. Pág. 189. Este criterio es recogido por el TEAC en su resolución de 27 de julio de 2006, recurso 2177/2004, y por los tribunales, destacando la sentencia de la Audiencia Nacional de 15 y 29 de abril de 2010, rec. 101/2007 y 483/2006, respectivamente.

De esta forma, en las operaciones internas, los criterios establecidos en apartados previos solo tendrán sentido cuando se proceda a la integración de la renta, siendo relevante todo lo analizado en cuanto a «calificación», «deducibilidad» de renta e «imputación», en la medida en la que, si a través de dicho proceso de calificación la renta califica como inexistente a nivel de grupo, la misma no será objeto de eliminación ni, por tanto, de incorporación (por ejemplo, nos referimos a supuestos de acciones propias o coberturas contables comentadas en apartados previos).

En cualquier caso, resulta indudable que las eliminaciones de renta negativa, en caso de ser aplicables, supondrán el registro contable de un activo por impuesto diferido cuando la diferencia se considere temporaria, destacando autores como Alonso Pérez[248] que consideran lo siguiente:

> «En las eliminaciones de resultados por operaciones internas se pueden producir diferencias permanentes, como sería el caso, con carácter general, de la eliminación de los dividendos repartidos por las sociedades participadas.
>
> Respecto a la eliminación de otros beneficios generados en operaciones internas que deben ser objeto de eliminación, y en línea con el criterio publicado en la consulta 5 del «BOICAC número 89», de marzo de 2012, se expresa que para otorgar un adecuado tratamiento contable a la cuestión, como paso previo es necesario determinar si la sociedad transmitente retiene, una vez reconocida la baja del elemento, algún tipo de obligación tributaria que permita identificar un pasivo sin valor contable pero con base fiscal, circunstancia que a su vez originará el registro de un pasivo por impuesto diferido en la sociedad transmitente que ha contabilizado el resultado de la operación en sus cuentas anuales individuales».

Es relevante traer a colación la reflexión hecha en apartados previos en los que se analizaba la importancia de la aplicación del artículo 11 de la LIS, por la que se recoge el diferimiento de determinado tipo de rentas intragrupo, que en todo caso es de aplicación con carácter previo a las eliminaciones. Ello implica que la mayor parte de la renta negativa no llegue a ser objeto de eliminación porque la misma es recalificada o diferida por los propios criterios

248 Alonso Pérez Á, Pousa Soto R. El Impuesto sobre beneficios en la resolución del ICAC: una aplicación práctica (III). En *Revista Contable n.º 48.* 1ª Edición. Madrid. Wolters Kluwer. 2016 Pág. 1.

de imputación temporal. En cualquier caso, se llega a la misma conclusión expuesta en apartados previos: el objetivo, por la vía que sea, es extraer la renta intragrupo, considerando al grupo fiscal como contribuyente único, que exclusivamente materializa renta cuando la misma surge de operaciones con terceros ajenos al grupo fiscal.

6.5. CONCLUSIONES

Este segundo nivel de compensación de la renta negativa pone de relieve un auténtico incentivo en el régimen de consolidación fiscal, que no debe ser considerado como una ventaja discriminatoria en relación con el régimen general. Esto es especialmente cierto si tenemos en cuenta que el grupo fiscal se concibe como un único contribuyente, que realiza todos los ajustes requeridos por la normativa para obtener una base imponible que refleje fielmente la situación económica real de dicho sujeto pasivo.

Los mecanismos para la configuración de la base imponible del grupo fiscal implican que, una vez ajustada la base imponible individual a nivel de cada entidad integrante del grupo, se realicen las eliminaciones e incorporaciones necesarias a fin de consolidar la base imponible del grupo. Este proceso está diseñado para garantizar que la base imponible consolidada refleje adecuadamente la realidad económica y fiscal del conjunto del grupo, como si se tratara de un único contribuyente. Estos ajustes, eliminaciones e incorporaciones no solo son herramientas imprescindibles para evitar la doble imposición intragrupo, sino que también garantizan la neutralidad fiscal y la equidad en la determinación de la base tributaria.

En este sentido, de las diversas interpretaciones doctrinales y jurisprudenciales se desprende que, ya sea a través de la calificación de operaciones, la deducibilidad de gastos o la imputación fiscal de rentas, no parece necesario recurrir sistemáticamente a las eliminaciones para reflejar adecuadamente las rentas intragrupo negativas. Dichas rentas, en muchos casos, quedan compensadas a través de los mecanismos ordinarios de ajuste contemplados en la normativa de consolidación fiscal.

Una vez se ha alcanzado este segundo nivel de compensación de rentas negativas, el siguiente paso en el proceso consiste en abordar el tercer nivel de compensación: las bases imponibles negativas generadas por el grupo fiscal en su conjunto. Este último nivel de ajuste tiene por objetivo asegurar que las pérdidas acumuladas por el grupo fiscal puedan ser compensadas con las rentas positivas futuras, dentro de los límites y condiciones establecidos en la LIS, garantizando así que la base imponible final del grupo refleje su verdadera capacidad económica y tributaria.

Capítulo 7
LA COMPENSACIÓN DE BASES IMPONIBLES NEGATIVAS DEL GRUPO FISCAL

7.1. INTRODUCCIÓN

7.1.1. LA COMPENSACIÓN DE BASES IMPONIBLES NEGATIVAS DEL GRUPO FISCAL COMO EXCEPCIÓN AL PRINCIPIO DE INDEPENDENCIA DE EJERCICIOS

Es indudable que este tercer nivel de compensación de renta negativa solo puede surgir cuando las entidades del grupo han generado renta negativa integrable en su base imponible individual, y cuando las bases imponibles negativas individuales de cada entidad se han integrado entre sí hasta formar una base imponible negativa consolidada. Asimismo, resulta preciso que, del resultado de las eliminaciones e incorporaciones de renta a nivel de grupo, no resulte una base positiva, siendo, por tanto, este tercer nivel de compensación de renta negativa el resultado en cadena de las anteriores.

Tal y como se adelantaba en el apartado anterior, la compensación de bases imponibles negativas constituye una auténtica excepción del principio de independencia de ejercicios, ello con base en lo dispuesto en el artículo 10.1 de la LIS que establece lo siguiente:

> «La base imponible estará constituida por el importe de la renta obtenida en el período impositivo minorada por la compensación de bases imponibles negativas de períodos impositivos anteriores».

Del citado precepto se desprende expresamente el principio de independencia de ejercicios, de tal forma que la compensación de bases imponibles negativas adquiere dentro de nuestro ordenamiento la consideración jurídica de un crédito de impuesto que nace al establecerse en la norma una anomalía a dicho principio de independencia de ejercicios[249]. Es cierto que esta excepción al principio citado en realidad no es propia del régimen de consolidación fiscal, sino que aplica también en el régimen general, de tal forma que se busca hacer tributar al contribuyente, siendo este contribuyente en el régimen de consolidación fiscal el grupo fiscal, pero siempre teniendo en cuenta las posibles bases negativas generadas incluso en ejercicios fiscales previos, como créditos fiscales que puedan ser de aplicación[250]. Mayor complejidad podrá generar la compensación de bases imponibles negativas transfronterizas en este contexto, siendo necesario tomar en consideración los criterios asentados en las diferentes normativas.

Como cualquier vulneración de cualquier principio, se exige que la misma se encuentre justificada y en este caso es indudable que la lesión al principio de independencia de ejercicio encuentra su fundamento en el intento de no perjudicar a aquellas empresas más arriesgadas o que requieren mayor inversión inicial que otras que generan ingresos de forma más regular, y evitar con ello una infracción del principio de neutralidad fiscal del IS[251] o el principio de capacidad económica El consumo de estos «créditos fiscales» generados fruto de lo anterior depende de las posibilidades propias de la compañía para compensarlos y el riesgo de continuidad del negocio, resultando de la experiencia empírica que la compensación, en su caso, se genera en los años

---

249 Calvo Vérgez J. *La reforma del Impuesto sobre sociedades* [...]. Op. cit. Pág. 360 y 361. Aunque el autor se refiere al Texto Refundido de la LIS, la regulación del artículo 10.1 es idéntica.

250 Autores como Aneiros Pereira, J., consideran la compensación de bases imponibles negativas un medio para evitar los problemas de compartimentalizar los resultados que podría llevar a gravar capacidades económicas inexistentes (Aneiros Pereira J. La compensación de bases imponibles negativas en el Impuesto sobre Sociedades en España, en los países de la Unión Europea y en la propuesta de Directiva sobre Base Imponible Común Consolidada. En *Revista General de Derecho Europeo n.º 27.* 1ª Edición. Madrid. Iustel. 2012. Pág. 5).

251 Cordero González Em. *Las Bases Imponibles Negativas en el Impuesto sobre Sociedades* [...]. Op. cit. Pág. 32.

inmediatamente posteriores, y no en el largo plazo; es decir, no influye, según la experiencia empírica, la limitación de plazos que pueda establecer el legislador para impedir su aplicación[252].

Asimismo, con la compensación de bases imponibles negativas se permite poner de manifiesto la verdadera capacidad económica del contribuyente. ¿Cómo afecta el principio de capacidad económica y cómo tiene su reflejo en la compensación de bases imponibles negativas? La aplicación del principio de capacidad económica implica necesariamente su concreción, siendo posible mencionar los siguientes rasgos definidores derivados de la jurisprudencia del propio TC[253], sin perjuicio del análisis que ya se ha incluido en apartados previos del presente trabajo:

Es el principio base que permite determinar la forma de contribuir al sostenimiento del gasto público, en la medida en la que los contribuyentes deben contribuir al gasto público para el sostenimiento del Estado, pero siempre según su capacidad económica[254].

Este principio se refiere a cada sujeto en particular, individualmente considerado, de acuerdo con su capacidad económica[255]. Es un principio que

---

252 Monterrey Mayoral J, Sánchez Segura A. Compensación fiscal de pérdidas: Determinantes de su activación, impacto en las cuentas anuales y aprovechamiento de los créditos. En *Revista de Contabilidad n.º 17.* 1ª Edición. Madrid. Spanish Accounting Review (RC-SAR). 2014. Pág. 26 y 27.

253 Entre otras, sentencia 26/2017, de 16 de febrero, 1012/2015, de 16 de febrero, 107/2015, de 28 de mayo, 53/2014, de 10 de abril, 96/2013, de 23 de abril, 19/2012, de 15 de febrero, 193/2004, de 4 de noviembre, 96/2002, de 25 de abril, 194/2000, de 19 de julio, 194/2000, de 17 de julio, 233/1999, de 16 de diciembre, 182/1997, de 28 de octubre, 221/1992, de 11 de diciembre.

254 En palabras del TC: «[...] no solo se deriva una obligación positiva, la de contribuir al sostenimiento de los gastos públicos, sino también un derecho correlativo, como es, el de que esa contribución solidaria sea configurada en cada caso por el legislador según aquella capacidad».

255 De acuerdo con el TC:
«[...] a diferencia de otros principios (como, por ejemplo, el de progresividad), opera singularmente respecto de cada persona (SSTC 27/1981, de 20 de julio, FJ 4); 7/2010, de 27 de abril, FJ 6; y 19/2012, de 15 de febrero, FJ 4 a)). Hay que tener presente que el hecho de que el Constituyente no haya precedido el principio de capacidad de un artículo («la») sino de un adjetivo posesivo («su»), lo asocia inexcusablemente también al sujeto, lo que pone de manifiesto que opera con relación a cada sujeto individualmente

permite su consideración como «medida» de la tributación respecto de determinados tributos, y, por tanto, como «criterio» de graduación, de tal forma que se permite que la carga tributaria varíe en función de la intensidad con la que se realice el hecho imponible[256].

Para entender salvaguardado dicho principio, es suficiente con que se grave la renta real o la riqueza real o potencial de los contribuyentes[257].

En ningún caso será posible gravar una riqueza que no sea real o potencial, por lo que expresamente se prohíbe, en aras de salvaguardar dicho principio, que el legislador grave una riqueza inexistente[258].

---

considerado, esto es, "respecto de cada uno" (STC 19/2012, de 15 de febrero, FJ 4 b) (EDJ 2012/25986), de lo cual se deduce que "es inherente al concepto constitucional de tributo [...] que en su hecho imponible haya una fuente de capacidad económica", de manera que "no caben en nuestro sistema tributos que no recaigan sobre alguna fuente de capacidad económica" (STC 53/2014, de 10 de abril, FJ 6 b)). Por esta razón, el tributo, "cualquier tributo", debe gravar un presupuesto de hecho revelador de capacidad económica».

256 El TC establece lo siguiente:
«[...] aun cuando el principio de capacidad económica implica que cualquier tributo debe gravar un presupuesto de hecho revelador de riqueza, la concreta exigencia de que la carga tributaria se "module" en la medida de dicha capacidad solo resulta predicable del "sistema tributario" en su conjunto», de modo que «solo cabe exigir que la carga tributaria de cada contribuyente varíe en función de la intensidad en la realización del hecho imponible en aquellos tributos que por su naturaleza y caracteres resulten determinantes en la concreción del deber de contribuir al sostenimiento de los gastos públicos que establece el art. 31.1 CE.».

257 De acuerdo con el TC: «bastando con que dicha capacidad económica exista, como riqueza o renta real o potencial en la generalidad de los supuestos contemplados por el legislador al crear el impuesto, para que aquel principio constitucional quede a salvo».

258 Tal y como expone el TC:
«[...] en ningún caso podrá el legislador establecer un tributo tomando en consideración actos o hechos que no sean exponentes de una riqueza real o potencial, o, lo que es lo mismo, en aquellos supuestos en los que la capacidad económica gravada por el tributo sea, no ya potencial, sino inexistente, virtual o ficticia. [...] Esto es, si el hecho imponible "es el acto o presupuesto previsto por la ley cuya realización, por exteriorizar una manifestación de capacidad económica, provoca el nacimiento de una obligación tributaria" [...] es patente que el tributo tiene que gravar un presupuesto de hecho revelador de capacidad económica (...), por lo que "tiene que constituir una manifestación de riqueza" [...], de modo que la "prestación tributaria no puede hacerse depender de situaciones que no son expresivas de capacidad económica" [...]. cuya materia u objeto imponible no

Por sus rasgos definitorios, es evidente que el principio de capacidad económica opera como un límite al poder legislativo en materia tributaria[259].

Los contribuyentes, por tanto, deben contribuir en todo caso de acuerdo con su capacidad económica, no pudiendo gravar rentas inexistentes como las que se producen cuando un sujeto pasivo genera base imponible negativa. Es decir, el TC considera que los contribuyentes deben tributar conforme a su situación económica real; y que, incluso en aquellos supuestos en los que las normas tengan una finalidad legítima, por ejemplo, de lucha contra el fraude fiscal, ello no permite alterar el principio de capacidad económica, gravando renta ficticia o inexistente.

El legislador grava el concepto de renta neta en el IS, y de los argumentos del TC[260] en relación el principio de renta neta y su relación con el principio de capacidad económica se pueden extraer las siguientes conclusiones:

Una manifestación del principio de capacidad económica es el principio de gravar la renta neta, método escogido por el legislador para la configuración de la tributación directa en la mayoría de las ocasiones.

El principio de renta neta supone gravar los ingresos minorados con los gastos asociados a la actividad económica y necesarios para conseguir los mismos.

En ocasiones, el legislador puede alterar la determinación exacta de los gastos deducibles, pero siempre debe tomarse en consideración el límite de gravar renta inexistente, debiendo en todo caso ser objeto de imposición la

constituya una manifestación de riqueza real o potencial, esto es, no le autoriza a gravar riquezas meramente virtuales o ficticias y, en consecuencia, inexpresivas de capacidad económica» (ATC 71/2008, de 26 de febrero, FJ 5). El art. 31.1 CE exige, entonces, que la contribución de cada de cual al sostenimiento de los gastos públicos se haga, no de cualquier manera, sino «de acuerdo con su capacidad económica», erigiéndose en un «criterio inspirador del sistema tributario».

259 Señala el TC: El principio de capacidad económica opera, por tanto, como un límite al poder legislativo en materia tributaria. Aunque la libertad de configuración del legislador deberá, en todo caso, respetar los límites que derivan de dicho principio constitucional, que quebraría en aquellos supuestos en los que la capacidad económica gravada por el tributo sea no ya potencial sino inexistente o ficticia.

260 Sentencias nº 146/1994; 2132/1989; 214/1994,.2091/1989; 1791/1989; 2282/1990; 645/1990.

renta real del contribuyente, pues la base imponible debe reflejar la verdadera situación patrimonial de los contribuyentes.

A pesar de lo anterior, el propio TC[261] establece la necesidad de tener en cuenta que, si existen otras vías más respetuosas para la justicia tributaria que permitan conseguir el mismo objetivo, estas deben predominar sobre la consideración de un gasto como no deducible, al ser esta medida una clara vulneración del principio de capacidad económica y de la configuración de la tributación directa como renta neta.

La posibilidad de compensación de bases imponibles negativas es el reflejo del principio de capacidad económica. Es decir, es unánime el pensamiento por el que se permite considerar que la compensación de bases negativas es necesaria para flexibilizar el periodo impositivo y realizar una valoración más correcta de la capacidad económica del obligado en un marco plurianual, de tal forma que un tributo que desconociera de modo absoluto las pérdidas obtenidas en otros periodos anteriores sería tildado de inconstitucional pues adoptaría una visión parcial de una riqueza individual, haciendo tributar rentas inexistentes observadas en un marco más amplio[262].

7.1.2. LAS REGLAS GENERALES DE APLICACIÓN DE LAS BASES IMPONIBLES NEGATIVAS

Analizada la compensación de bases imponibles negativas como una manifestación del principio de capacidad económica, se muestra necesario identificar cómo afecta esta compensación a cada una de las entidades y, en particular, al grupo fiscal.

---

261 Sentencias nº 146/1994; 2132/1989; 214/1994,.2091/1989; 1791/1989; 2282/1990; 645/1990.

262 CORDERO GONZÁLEZ EM. *Las Bases Imponibles Negativas en el Impuesto sobre Sociedades* [...]. Op. cit. Pág. 26-29. En la misma línea, García Añoveros, Jaime. «Algunos problemas de la compensación de pérdidas en el Impuesto sobre Sociedades», CREDF, núm. 1/1974. Pág. 52-53. En este sentido se pronuncia también De la Peña Velasco quien considera que hacer gravar a entidades que globalmente han tenido renta cero es gravar rentas inexistentes DE LA PEÑA VELASCO G. La técnica Legislativa en el Impuesto sobre Sociedades. En *Revista Española de Derecho Financiero n.º 161*. 1ª Edición. Madrid. Civitas. 2014. Pág. 8.

En la actualidad, el artículo 66 de la LIS[263] remite al régimen general de compensación de bases imponibles negativa regulado en el artículo 26 de la LIS. En dicho precepto se establece una limitación general del 70% de la base imponible positiva, pudiendo ser compensado como mínimo un millón de euros.

Además de lo anterior, el artículo 67.e) de la LIS establece que las «bases imponibles negativas de cualquier entidad pendientes de compensar en el momento de su integración en el grupo fiscal podrán ser compensadas en la base imponible de este, con el límite del 70 por ciento de la base imponible individual de la propia entidad, teniendo en cuenta las eliminaciones e incorporaciones que correspondan a dicha entidad, de acuerdo con lo establecido en los artículos 64 y 65 de esta Ley».

Tomando en consideración la normativa de referencia, es necesario determinar qué normativa es de aplicación cuando se procede a compensar una base imponible negativa generada años antes de su compensación devengada incluso por una entidad del grupo fiscal cuando no formaba parte del mismo.

En contestación a lo anterior la DGT ha planteado un cambio de criterio[264], al considerar inicialmente que la normativa aplicable es la que existe al momento de la compensación de las bases imponibles, al no existir régimen

263 «Si en virtud de las normas aplicables para la determinación de la base imponible del grupo fiscal ésta resultase negativa, su importe podrá ser compensado con las bases imponibles positivas del grupo fiscal en los términos previstos en el artículo 26 de esta Ley».

264 Anterior criterio de la DGT, V1677-18, de 13 de junio. El supuesto sobre el que se consulta en esta ocasión se sitúa en el entorno de la compensación de bases cuando son aplicadas por sociedades tras adquirir participaciones en otras, que fueron quienes las generaron. Señala la DGT que la limitación a la compensación de bases imponibles negativas establecida en el art. 26.4 de la LIS operará cuando concurran las circunstancias previstas en las letras a), b) y c) de dicho apartado. De acuerdo con ello, en el caso de una compraventa de participaciones, realizada con anterioridad a la entrada en vigor de la citada norma, entendiendo que se cumplen todos los requisitos establecidos en ese artículo, ante la ausencia de un régimen transitorio –la Disposición Transitoria Vigésima Primera solo señala que «las bases imponibles negativas pendientes de compensación al inicio del primer período impositivo que hubiera comenzado a partir de 1 de enero de 2015, se podrán compensar en los períodos impositivos siguientes»-, entiende que la limitación a la compensación es aplicable con efectos desde los períodos impositivos iniciados a partir de esa fecha, siempre que haya bases imponibles negativas pendientes de compensar en esos períodos impositivos, y ello —y esto es lo importante en esta ocasión— con

transitorio, y cambiar su criterio para entender que la normativa aplicable será la del momento de la adquisición de la sociedad, siendo este criterio mucho más beneficioso para el contribuyente al ser la limitación anterior menos restrictiva.

No es este el criterio de autores que consideran que el sujeto pasivo no tiene derecho a mantener el régimen existente en el momento de obtener la renta negativa, siendo aplicable la normativa en la fecha de la compensación[265].

Estas conclusiones son relevantes, ya que pueden incidir en el comportamiento del grupo fiscal, de tal forma que el mismo pueda verse influenciando por la entrada en vigor de futuros cambios normativos.

También es importante si tomamos en consideración novedades legislativas que fueron inicialmente introducidas por el Real Decreto-ley 3/2016, de 28 de diciembre, que procedió a incorporar, para los periodos impositivos iniciados a partir de 1 de enero de 2016, la Disposición Adicional Decimoquinta de la LIS que establecía la siguiente limitación:

> «Los contribuyentes cuyo importe neto de la cifra de negocios sea al menos de 20 millones de euros durante los 12 meses anteriores a la fecha en que se inicie el período impositivo, aplicarán las siguientes especialidades:
>
> 1. Los límites establecidos en el apartado 12 del artículo 11, en el primer párrafo del apartado 1 del artículo 26, en la letra e) del apartado 1 del artículo 62 y en las letras d) y e) del artículo 67, de esta Ley se sustituirán por los siguientes:
>
> – El 50 por ciento, cuando en los referidos 12 meses el importe neto de la cifra de negocios sea al menos de 20 millones de euros pero inferior a 60 millones de euros.

---

independencia de que los requisitos y condiciones exigidos se hubiesen producido en períodos impositivos iniciados antes de esa fecha.

Criterio vigente de la DGT, V2178-19: «Este Centro Directivo entiende que el criterio contenido en la resolución transcrita es aplicable al supuesto planteado en el escrito de consulta por lo que, en la medida en que la adquisición de la participación mayoritaria del capital de la sociedad con pérdidas se produce con anterioridad a la entrada en vigor de la LIS, la limitación aplicable a la compensación de bases imponibles negativas sería la vigente en el momento de dicha adquisición, esto es, la regulada en el artículo 25.2 del TRLIS».

265 Cordero González Em. *Las Bases Imponibles Negativas en el Impuesto sobre Sociedades* [...]. Op. cit. Pág. 194. Este es también el sentido de las últimas sentencias del Tribunal Supremo, por ejemplo, de 20 de septiembre de 2012, rec. 6330/2010 o de 17 de enero de 2014 (rec. 3047/2011).

– El 25 por ciento, cuando en los referidos 12 meses el importe neto de la cifra de negocios sea al menos de 60 millones de euros».

La anterior reflexión implicaba que todas las bases imponibles negativas generadas que vayan a ser compensables a partir de 1 de enero de 2016 eran objeto de limitación si se cumplen los citados requisitos. Como se anticipaba en este trabajo, la citada medida ha sido declarada inconstitucional, lo que impide su aplicación a partir de 2024, siendo revisables las declaraciones presentadas desde el ejercicio 2016, teniendo en cuenta la nulidad declarada por el Tribunal. Sin perjuicio de lo anterior, como se expone más adelante, la citada medida se ha vuelto a incorporar a través de la Ley 7/2024, de 20 de diciembre, reviviendo los límites citados en las mismas condiciones. En todo caso, dicha limitación, en el régimen de consolidación fiscal, debe ser observada a nivel de grupo, es decir, el importe neto de la cifra de negocios a tener en cuenta lo será a nivel de grupo[266], por lo que la limitación debe analizarse en el mismo sentido.

7.2. TIPOS DE BASES IMPONIBLES NEGATIVAS DEL GRUPO

En el régimen de consolidación fiscal es posible clasificar las bases imponibles negativas en dos categorías distintas, en función de cuándo hayan sido generadas y por quién, es decir, por una entidad individual antes de su entrada en el grupo fiscal, o por el propio grupo fiscal, pudiendo distinguir las siguientes particularidades en cada una de ellas.

7.2.1. BASES IMPONIBLES NEGATIVAS PRODUCIDAS EN EL SENO DEL GRUPO FISCAL

Son las bases imponibles generadas por el grupo fiscal, fruto de la suma de las bases imponibles de las sociedades que forman el grupo, y que se componen de renta que no ha sido objeto de recalificación, eliminación o diferimiento.

---

266 Eduardo Sanz Gadea, «El impuesto sobre sociedades en 2016», *Estudios financieros. Revista de contabilidad y tributación*, 408, 2017. Pág. 13. Cordero González Em. *Las Bases Imponibles Negativas en el Impuesto sobre Sociedades* [...]. Op. cit. Pág. 92

El tratamiento de este tipo de base imponible negativa se ve limitado en menor medida que las generadas pregrupo, en cuanto que, como se expondrá, el grupo fiscal no puede disponer libremente de las bases imponibles individuales generadas por una sociedad antes de su integración en el grupo fiscal, para evitar la adquisición de sociedades inactivas o con pérdidas con el mero objetivo de minorar la base del grupo fiscal, pero sí puede disponer de sus bases imponibles negativas, las del grupo, con los límites generales del artículo 26 de la LIS, siempre analizados a nivel de grupo fiscal, como contribuyente único. Es relevante tener en cuenta que estas son las únicas limitaciones que rigen, y es importante también tener en cuenta que en todo caso las limitaciones se corresponden con las rentas negativas generadas en el grupo fiscal[267].

Ello implica que, en determinadas situaciones en las que existan grupos fiscales con pérdidas, sea relevante no disolverlos, sino aprovechar sus ventajas, incorporando al grupo fiscal entidades que generan rentas positivas que permitan ser integradas con las rentas negativas del grupo.

El legislador y la doctrina además permite que no exista orden de prelación en la compensación de la renta, es decir, que sea el contribuyente el que pueda optar si compensar las bases imponibles pregrupo o las generadas en el seno del grupo fiscal[268], y así se indica como un derecho del contribuyente:

> «Por otra parte, consideramos que la compensación de bases imponibles negativas se configura como un derecho del contribuyente. Ello supone que en cada liquidación del Impuesto sobre Sociedades se podrá elegir si compensar bases imponibles negativas o aplicar deducciones en la cuota, por ejemplo, sobre todo teniendo en cuenta que estas quedan sometidas a plazos de aprovechamiento mientras que las bases imponibles negativas se podrán compensar sin limitación temporal [...]».

---

267 Narváez Luque A. Grupos de sociedades: aspectos contables y tributación. En *El control societario en los grupos de sociedades* [...]. Op. cit. Pág. 208-209: «Esta es la única limitación que debe observarse en orden a la compensación de bases imponibles negativas generadas en el seno del grupo fiscal. Así, por ejemplo, podrán incorporarse al grupo fiscal sociedades que generen rentas positivas, sin que quepa realizar reproche alguno».

268 Nota relativa a la aplicación por el grupo de consolidación fiscal de bases imponibles negativas y deducciones procedentes de ejercicios anteriores. Agencia Tributaria. 5 de mayo de 2023.

De esta forma, la LIS no establece ningún orden de prelación en la compensación de bases imponibles negativas, «pudiendo aplicarse tanto las previas a la consolidación como las generadas dentro del grupo fiscal, siempre que se cumplan los límites y condiciones señaladas dentro del régimen fiscal especial»[269].

Sin perjuicio de lo anterior, como se adelantaba, es necesario tener presente la Ley 7/2024, de 20 de diciembre[270], que ha reincorporado al ordenamiento las limitaciones a la compensación de bases imponibles negativas, a pesar de que el Tribunal Constitucional lo declaró inconstitucional (al no haber entrado en el fondo del asunto, se entiendo que lo único cuestionado por el Tribunal fue la figura del Real Decreto-Ley). Siendo así, con efectos para los periodos impositivos iniciados a partir de 1 de enero de 2024 y no finalizados el 22 de diciembre, se establece que los contribuyentes cuyo importe neto de la cifra de negocios sea al menos de 20 millones de euros durante los 12 meses anteriores a la fecha en que se inicie el período impositivo, sustituirán los límites establecidos en el apartado 12 del artículo 11 de la LIS, en el primer párrafo del apartado 1 del artículo 26 de la LIS, en la letra e) del apartado 1 del artículo 62 de la LIS, y en las letras d) y e) del artículo 67 de la LIS, por el 50%, cuando en los referidos 12 meses el importe neto de la cifra de negocios sea al menos de 20 millones de euros, pero inferior a 60 millones de euros o del 25%, cuando en los referidos 12 meses el importe neto de la cifra de negocios sea al menos de 60 millones de euros. Este límite afecta por igual a las bases imponibles negativas de los grupos fiscales, analizándose, como se adelantaba, a efectos del grupo fiscal.

7.2.2. BASES IMPONIBLES NEGATIVAS PREVIAS AL GRUPO FISCAL

Este concepto incluye bases imponibles negativas generadas con anterioridad a la integración al grupo fiscal por una entidad individual y que son aportadas en el momento de la integración al grupo. Es relevante este tipo de

---

269 Aguilera Medialdea JJ, Martín Rodríguez JG. *Manual de consolidación fiscal y contable* [...]. Op. cit. Pág. 1.101. Criterio recogido en sucesivas consultas, por ejemplo, V4163-15, de 30 de diciembre.

270 Se incorpora la disposición adicional decimoquinta a la LIS por la disposición final octava de la Ley 7/2024.

compensación en comparación con otros países, ya que no todos los Estados permiten compensación de bases imponibles negativas pre grupo[271].

De la misma forma que la compensación de las bases negativas generadas es una manifestación de los principios constitucionales de capacidad económica y justicia tributaria, hay autores que también defienden la compensación de estas bases previas considerando que es una manifestación de los principios constitucionales de justicia tributaria, capacidad económica y principio de neutralidad fiscal[272]. Es decir, independientemente de en qué momento haya sido generada dicha renta, en todo caso nos referimos a la «compensación de renta negativa». No parece que se respete la capacidad económica, la justicia tributaria y el hacer pagar a cada sujeto por la riqueza real si no se permite tal compensación de renta, por ejemplo, por integrarse la sociedad en un régimen concreto de tributación como es el de consolidación fiscal. Si no se respetara la compensación de la renta negativa que no pudo ser tomada en consideración en ejercicios previos por la entidad individualmente considerada, se estaría haciendo tributar a un mismo sujeto (integrado en un grupo fiscal) por una renta ficticia, y no por una capacidad económica real.

En cualquier caso, a pesar de que se permite que las rentas sean objeto de integración y compensación en el grupo fiscal, el legislador limita la aplicación de estas bases imponibles negativas que, recordemos, se han generado antes de la incorporación al grupo fiscal. La limitación queda justificada para evitar que las entidades intenten llevar a cabo adquisiciones de sociedades con objeto exclusivo de «neutralizar ingresos de otras fuentes»[273].

---

271 Por ejemplo, no parecen permitirlo Polonia, Malta o Alemania.

272 Gómez-Olano González D. La aplicación de la deducción por reinversión en el régimen de consolidación fiscal. Consideraciones la luz del principio de neutralidad fiscal. En *Revista de doctrina, legislación y jurisprudencia año n.º 21 y n.º 1* [...]. Op. cit. Pág. 255.

273 Montesinos Oltra S. *La compensación de bases imponibles negativas* [...]. Op. cit. Pág. 177-178; Sanz Gadea E. Régimen de Declaración Consolidada. En *Estudios Financieros n.º 49-50.* [...]. Pág. 109. Además, el autor Sanz Gadea propone, para evitar este tipo de trasferencias de rentas, el régimen de valoración de operaciones vinculadas, ya que considera que, aunque las entidades de un grupo fiscal no estén en la obligación de documentar sus operaciones vinculadas, éstas en todo caso sí que están obligadas a valorar a mercado correctamente sus operaciones (Sanz Gadea, Eduardo. «El

En definitiva, lo que se busca es garantizar la aplicación correcta de los principios de justicia tributaria, pero, en todo caso, evitar situaciones claras de aprovechamiento de rentas negativas, tal y como exponen autores como Narváez Luque:

> «La razón de esta limitación no es otra que impedir la compensación de bases imponibles negativas a través de la inclusión de sociedades con pérdidas en grupos fiscales»[274].

Al ser magnitudes especialmente limitadas, resulta necesario analizar algunas cuestiones sobre las bases imponibles negativas generadas pregrupo:

7.2.2.1. El cálculo debe tomar en consideración las «eliminaciones e incorporaciones»

La limitación que establece la normativa constituye una regla de restricción individual. Es decir, para que una entidad pueda compensar las bases imponibles negativas generadas antes de su integración en el grupo fiscal, se exige que dicha entidad, a nivel individual y tomando en cuenta las eliminaciones e incorporaciones propias del régimen de consolidación, genere suficiente renta positiva. Solo entonces se permite la compensación de esas bases imponibles negativas a nivel de grupo, siempre que la base imponible negativa no supere el 70% (50% o 25%) de la base imponible individual.

Impuesto sobre Sociedades». CEF. Madrid. 1991. Pág. 1305; y en el mismo sentido, Calvo Ortega R. Aspectos tributarios de las operaciones vinculadas y de los grupos de sociedades. En *Grupos de Sociedades: Su adaptación a las normas de las Comunidades Europeas*. 1ª Edición. Madrid. Aranzadi. 1987. Pág. 137. En el mismo sentido, López Santacruz Montes JA, Ros Amorós F, Ortega Carballo E. *Memento práctico. Grupos Consolidados*. 1ª Edición. Madrid. Francis Lefebvre. 2012. Pág. 265. Asimismo, otros autores consideran en esta misma línea que la limitación «simplemente constituye medidas anti-abuso, tendentes a evitar la adquisición de entidades con créditos fiscales pendientes de aplicar con la única finalidad de que dichos créditos sean aprovechados por el grupo». Gómez-Olano González D. La aplicación de la deducción por reinversión en el régimen de consolidación fiscal. Consideraciones la luz del principio de neutralidad fiscal. En *Revista de doctrina, legislación y jurisprudencia año n.º 21 y n.º 1* [...]. Op. cit. Pág. 255.

274 Narváez Luque A. Grupos de sociedades: aspectos contables y tributación. En *El control societario en los grupos de sociedades* [...]. Op. cit. Pág. 209.

Un aspecto particularmente relevante es la modificación legislativa (con la LIS en comparación con el TRLIS) que introduce la obligación de considerar las «eliminaciones e incorporaciones» en la determinación de la base imponible consolidada. Bajo la redacción previa de la ley, no existía esta referencia, lo que permitía que las rentas intragrupo generadas por transacciones entre las entidades del grupo fiscal contribuyeran a formar una base imponible individual positiva en la entidad que hubiera generado bases imponibles negativas[275]. Esto, a su vez, facilitaba la compensación de dichas bases negativas a nivel de grupo.

Con la nueva redacción, el legislador busca evitar este efecto, eliminando la posibilidad de que las rentas intragrupo distorsionen la capacidad real de la entidad para compensar sus bases imponibles negativas. Esta modificación se alinea mejor con el concepto de grupo fiscal como un único sujeto pasivo, ya que obliga a eliminar las rentas intragrupo antes de proceder a la compensación de las bases imponibles negativas. De esta manera, se asegura que la compensación de pérdidas se ajuste fielmente a la capacidad económica real del grupo consolidado, evitando situaciones en las que las rentas derivadas de operaciones internas alteren artificialmente la base imponible[276].

Este cambio normativo refuerza el principio de que la base imponible del grupo debe reflejar su realidad económica global, y no únicamente las operaciones internas que podrían inflar artificialmente las cifras a nivel de cada entidad individual dentro del grupo. Además, evita una posible distorsión que podría haberse considerado una ventaja fiscal indebida en perjuicio del régimen general, manteniendo el equilibrio entre los distintos regímenes de tributación previstos en la LIS.

---

275 «Las bases imponibles negativas de cualquier sociedad pendientes de compensar en el momento de su integración en el grupo fiscal podrán ser compensadas en la base imponible de este, con el límite de la base imponible individual de la propia sociedad, excluyéndose de la base imponible, a estos solos efectos, los dividendos o participaciones en beneficios a que se refiere el apartado 2 del artículo 30 de esta ley».

276 García-Rozado González B. *Guía del Impuesto sobre Sociedades*. 2º Edición. Valencia. Ciss. 2008 Pág. 919; y López Llopis E. *El régimen especial de consolidación fiscal en el Impuesto sobre Sociedades* [...]. Op. cit. Pág. 291-293.

7.2.2.2. Doble limitación aplicable

En todo caso, parece quedar clara por la doctrina la teoría que considera que la aplicación de estas bases imponibles negativas previas solo cabría en caso de que el grupo tuviera base imponible positiva[277].

Lo que se regula, por tanto, es un doble límite implícito[278]: un primer límite que consiste en que la sociedad genere renta positiva individual, y un segundo límite que consiste en que el grupo tenga base positiva.

En este sentido, se pronuncia también la DGT, por ejemplo, en la consulta V2085-15, de 3 julio 2015, que establece lo siguiente:

> «Sin embargo, la razonabilidad de esta norma se debilita por cuanto para que se produzca una adecuada compensación debe concurrir, de forma simultánea, la generación de rentas positivas tanto a nivel individual como consolidado, algo que consideramos carece de sentido, puesto que discrimina el régimen de aprovechamiento de estos créditos fiscales contingentes».

El establecimiento de este límite del 70% de la base imponible individual de la propia entidad dificulta aún más el aprovechamiento de estos créditos fiscales. Recuérdese que hasta el ejercicio 2015 dicho límite se fijaba en el 100% de la base imponible individual de la propia entidad, regla que consideramos más razonable y con la que se consigue el mismo objetivo[279].

---

277 López Llopis E. *El régimen especial de consolidación fiscal en el Impuesto sobre Sociedades* [...]. Op. cit. Pág. 290. Esta duda, que ahora se encuentra superada, provocaba que varios autores consideraban que no era necesario que la base imponible del grupo fuera positiva, considerando que exclusivamente regía la limitación propia del artículo 67 de la LIS (Pág. 300-302 del citado manual). Y en la misma línea, Cordero González Em. *Las Bases Imponibles Negativas en el Impuesto sobre Sociedades* [...]. Op. cit. Pág. 95.

278 López Llopis E. *El régimen especial de consolidación fiscal en el Impuesto sobre Sociedades* [...]. Op. cit. Pág. 294-295. El propio Tribunal Supremo, en su sentencia de 22 de diciembre de 2011, rec. 3995/2009, considera que «hay que entender que el artículo 85.1 de la ley [...] somete al mismo nivel de exigencia a las bases imponibles negativas del grupo fiscal y a [...] las bases imponibles anteriores a la integración y pendientes de compensación que, por ello solo podrán compensarse si la base del grupo es positiva». En el mismo sentido, Serrano Gutiérrez Á. La base imponible del Impuesto sobre Sociedades en el régimen de consolidación fiscal. En *Carta tributaria: Revista de opinión n.º 19*. [...] Op. cit. Pág. 14.

279 Narváez Luque A. Grupos de sociedades: aspectos contables y tributación. En *El control societario en los grupos de sociedades* [...]. Op. cit. Pág. 209.

En la misma línea se pronuncia también Calderón González, que expone las razones por las que existe este doble límite implícito, y que principalmente se fundamenta en que exista una simetría en las bases imponibles negativas del grupo y a nivel individual:

> «Es decir, hay que entender que el artículo 85.1 de la Ley somete al mismo nivel de exigencia a las bases imponibles negativas del Grupo fiscal y a "las bases imponibles negativas referidas en el apartado 2 del artículo 88 de esta Ley", esto, es, a las bases imponibles anteriores a la integración y pendientes de compensación, que, por ello solo podrán compensarse si la base del Grupo es positiva.
>
> La exigencia de este segundo límite impone que la base consolidada del Grupo puede llegar a ser, como máximo 0, pero nunca podrá ser negativa»[280].

---

[280] CALDERÓN GONZÁLEZ JM. Doble límite a la compensación de bases imponibles negativas de sociedades procedentes de ejercicios anteriores a su integración en el Grupo. (Comentario a la Sentencia de TS, Sala Tercera, Sección Segunda, de 22 de Diciembre de 2011). En *Tribuna Fiscal n.º 260* [...]. Op. cit. Pág. 11-12. El autor pone de manifiesto todas las razones:

«Esta es la doctrina del TS, acertada en nuestra opinión, que, además, hace suyos los planteamientos del Abogado del Estado, razonamientos que, por su interés, merece la pena analizar:

1) En primer lugar, si el legislador hubiese querido seguir la teoría del único límite en la compensación hubiese permitido deducir directamente de la base imponible negativa la base imponible individual de la sociedad. Es decir, si con arreglo al artículo 10.1 de la LIS, la base imponible del IS estará constituida por el importe de la renta en el período impositivo minorada por la compensación de bases imponibles negativas de períodos impositivos anteriores, habría sido suficiente con aplicar esa norma para fijar la base imponible individual de la sociedad que se integrará en la base imponible consolidada.

2) No obstante, la Ley 24/2001 rechazó esa posibilidad al establecer que no se incluirán en las bases imponibles individuales la compensación de las bases imponibles negativas individuales [art. 85.1.a) de la LIS], admitiendo su compensación solo en la base imponible consolidada [art. 85.1.d) de la LIS] cuando, además de la base imponible positiva individual (art. 88.2 de la LIS) exista, en el Grupo en conjunto, una base imponible también positiva en el ejercicio de la compensación (art. 88.1 de la LIS), segundo limite este de la compensación que el legislador no repitió expresamente en el artículo 88.2 de la LIS sin duda por considerarlo implícito en el precepto al haberlo exigido ya en el número 1 para la compensación de las bases imponibles negativas del Grupo.

3) De aceptarse la tesis de la recurrente sería posible superar ampliamente el plazo temporal de compensación de las bases imponibles del artículo 23 de la mencionada Ley, mediante la incorporación de la base imponible individual a la del Grupo, incrementándola y volviendo a iniciarse el cómputo del período máximo de compensación, siendo así que la base positiva individual de la sociedad ya se ha beneficiado de la compensación en

Sanz Gadea[281] y Calvo Vergez[282] consideran que caben solo dos posibilidades: considerar que el límite del grupo fiscal no afecta a las bases imponibles individuales anteriores al grupo, de manera que el límite en individual y

sede del Grupo con las bases de otras sociedades integrantes del mismo, puesto que en el recurso se parte de la premisa de que –para la teoría del único límite– la base consolidada del ejercicio es negativa y a pesar de ello no impide la compensación. Si así sucediera, señala la representación del Estado, con la doctrina del único límite se produciría lo que se ha denominado el rejuvenecimiento de las bases imponibles negativas al comenzar a contarse de nuevo el plazo de compensación al transformarse en base imponible del Grupo consolidado. Recordemos que a esta cuestión se refería expresamente el recurso de casación.

4) La teoría del doble límite es más respetuosa que la del único límite con la doctrina general de la compensación de las bases imponibles negativas establecida en el artículo 23 de la LIS, Ello supone que cualquier compensación de base imponible negativa exige para que sea posible que exista una base imponible positiva, más allá de cuyo importe es obvio que no cabe compensación alguna, ya que las magnitudes son compensables solo cuando son de signo contrario. Y, si el pilar fundamental en que se basa el régimen de consolidación fiscal consiste en el reconocimiento legal al Grupo de sociedades de la condición de sujeto pasivo en el IS (art. 79 de la LIS), nada más lógico que si se pretende que se compensen en su base imponible bases imponibles negativas, esa compensación tenga como presupuesto ineludible una base imponible positiva.

5) Si la teoría del límite único a la compensación estaba ya vigente en la legislación sobre Grupos consolidados, anterior a la LIS de 1995 e incluso en la regulación dada a los mismos en la LIS de 1995, no tiene sentido que la Ley 24/2001) efectuase una profunda modificación de los artículos 85 y 88 de la LIS para seguir aplicando la doctrina del único límite y sí adquiere, en cambio, sentido esa modificación legislativa entendiendo que con ella se quiso cambiar el sistema hasta entonces vigente en esta materia y aplicar el tan mencionado doble límite a la compensación de bases imponibles negativas individuales.

6) Por último, y respondiendo a la presunta desigualdad a la que aludía el escrito de interposición y que de forma expresa se manifiesta en el último párrafo de su página 21: "Si no existe duda acerca del hecho de que la sociedad hubiera podido aprovechar la base imponible negativa pendiente de compensación en el régimen general de tributación, del mismo modo debería permitirse su aprovechamiento en sede del Grupo", se remite al último párrafo de la Sentencia recurrida que declaraba al respecto: "No constituye obstáculo para ello, el hecho de que la sociedad individual pueda llevar a cabo esta acumulación de bases imponibles negativas, puesto que, cuando se trata de un régimen tributario de consolidación fiscal, nos hallamos ante un régimen especial, que debe regirse por sus reglas, lo mismo que el régimen general lo hace por las suyas y se es libre de someterse a uno u otro régimen, pero una vez aceptado, debe regirse por sus normas».

281 Eduardo Sanz Gadea, «El impuesto sobre sociedades en 2016», cit. Pág. 10.

282 Calvo Vérgez J. *La Fiscalidad de los Grupos de Empresas en el Impuesto sobre Sociedades* [...]. Op. cit. Pág. 241.

en consolidación pueda ser diferente, y una segunda en la que considera que el límite del grupo también rige para la compensación de las bases imponibles negativas anteriores individuales. En particular, Sanz Gadea considera que estar a favor de la primera interpretación es favorecer a las bases negativas pendientes de compensación individuales respecto de las propias del grupo.

También la propia AEAT[283] ha sido bastante clara en este punto al indicar que:

> «[...] los límites establecidos en la letra e) del artículo 67 de la LIS o en el apartado 2 de su artículo 71, vinculan el aprovechamiento por el grupo de los créditos fiscales pre-consolidación a que la entidad que los generó aporte al grupo una base o una cuota positiva que permitiría, de no haberse integrado en el mismo, el aprovechamiento de dicho crédito en régimen de tributación individual, evitando así que la existencia de tales créditos pueda constituir un obstáculo o un incentivo a la aplicación de este régimen especial».

Tomando en consideración, por tanto la existencia de un doble límite de compensación en este caso, cabría asimismo preguntarse de qué manera procede entender la limitación a la compensación de bases imponibles negativas pregrupo por la nueva redacción de la Disposición Adicional decimoquinta de la LIS (adaptada por la disposición final octava de la Ley 7/2024, para los ejercicios iniciados a partir de 1 de enero de 2024), ya que aplicaría dos veces (una por cada limitación del «doble límite»): i) una primera teniendo en cuenta el importe neto de la cifra de negocios individual de la entidad propietaria de las bases imponibles negativas pregrupo y ii) una segunda vez tomando en consideración el importe neto de la cifra de negocios del grupo fiscal. Dicha conclusión deriva de las siguientes afirmaciones.

En primer lugar, de la interpretación de la consulta V4055-16, de 22 septiembre, bajo la redacción previa de la citada Disposición Adicional, parece deducirse que el límite de bases imponibles negativas sobre la base imponible individual debe tener en cuenta lo dispuesto en la Disposición Transitoria 34.g) LIS (que a partir de 2016 es la Disposición Adicional decimoquinta de

283 Nota relativa a la aplicación por el grupo de consolidación fiscal de bases imponibles negativas y deducciones procedentes de ejercicios anteriores. Agencia Tributaria. 5 de mayo de 2023.

la LIS). Es decir, que resulta aplicable la limitación de la citada Disposición sobre la base individual y no solo a nivel de grupo.

En segundo lugar, que el hecho de que la determinación de un único límite en función de la cifra de negocios del grupo no pondría de manifiesto una limitación real de las bases imponibles negativas pregrupo, rentas negativas que no pertenecen realmente a la esfera del grupo fiscal.

En tercer lugar, la propia Disposición Adicional citada se remite expresamente no solo al artículo 62.1 de la LIS (compensación de bases imponibles negativas intragrupo), sino también al artículo 67. e) de la LIS (en el que se recoge el límite sobre la base imponible individual para aplicar la base imponible negativa pregrupo).

En cuarto lugar, el hecho de que la limitación de la compensación de las bases imponibles negativas pregrupo sobre la base imponible individual de la entidad generadora de la base imponible negativa hace necesario tomar en consideración el importe neto de la cifra de negocios para determinar el porcentaje de limitación también a nivel individual.

Este criterio también ha sido confirmado por AEAT[284].

Por tanto, en la compensación de bases imponibles negativas pregrupo se procede a tener en cuenta un doble límite: un primer límite a nivel individual, del 70% (o del 50% o del 25% de acuerdo con la Disposición adicional decimoquinta de la LIS) sobre la base imponible positiva de la sociedad generadora de las bases imponibles negativas pregrupo, y un segundo límite (también del 70%, 50% o del 25%) sobre la base imponible consolidada del grupo fiscal.

7.2.2.3. Franquicia: mínimo de un millón de euros

Por último, en relación con las bases imponibles negativas pregrupo, también es posible plantearse la posibilidad de que sea aplicable la «franquicia» de un millón de euros que puede ser objeto de compensación a nivel

---

284 Nota relativa a la aplicación por el grupo de consolidación fiscal de bases imponibles negativas y deducciones procedentes de ejercicios anteriores. Agencia Tributaria. 5 de mayo de 2023.

individual en todo caso, teniendo en cuenta que el artículo 67 de la LIS no hace mención a que las bases imponibles negativas pre grupo puedan como mínimo ser un millón de euros.

En este sentido, cabría una primera interpretación que considera que el mínimo del millón de euros de bases imponibles negativas que pueden compensarse no aplica a nivel individual, sino que se tiene en cuenta en el límite conjunto del grupo fiscal. Esta afirmación se deriva de lo siguiente:

En primer lugar, a nivel individual, la limitación de las bases imponibles negativas pregrupo juega a través del porcentaje de limitación (70%, 50% o 25%) sin que sea de aplicación el mínimo de 1 millón de euros. Ello es así en tanto que i)el propio artículo 67.e) de la LIS no establece que a nivel individual sea siempre posible deducir 1 millón de euros, ii)el sentido de la norma es limitar realmente las bases imponibles negativas pregrupo a aquellos supuestos en los que la entidad que incorpora dichas bases imponibles negativas al grupo tenga base positiva, para evitar cualquier tipo de abuso, iii) cuando la ley ha querido reconocer el límite mínimo de 1 millón de euros en gastos pregrupo lo ha hecho, tal y como se deduce del artículo 67.b) de la LIS en relación con la limitación de los gastos financieros netos pregrupo y de los ejemplos que recoge la Resolución de la Dirección General de Tributos de 16 de julio de 2012.

En segundo lugar, es el grupo fiscal, en el segundo límite (una vez superado el límite a nivel individual), el que puede, con independencia de cuál fuese el porcentaje límite de compensación, en todo caso compensar sin ninguna limitación hasta un importe de un millón de euros. Este es el sentido que se deduce de las consultas V1057-16, de 16 marzo y V1762-16, de 21 de abril.

Por tanto, según esta primera interpretación, de acuerdo con lo expuesto, las bases imponibles negativas pregrupo podrán ser compensadas si superan el «doble límite», esto es, i)el 70% de la base imponible individual de la sociedad que posee las bases imponibles negativas pregrupo (porque el importe neto de la cifra de negocios a nivel individual no excede de 20 millones), ii) el 70% de la base imponible consolidada (porque el importe neto de la cifra de negocios a nivel de grupo no excede de 20 millones), pudiendo compensar el grupo fiscal (con bases imponibles negativas pregrupo e intragrupo) como mínimo siempre 1 millón de bases imponibles negativas.

Sin embargo, también cabría interpretar una segunda posibilidad.

El artículo 67.e) LIS establece que las bases imponibles negativas pregrupo pueden compensarse en la base imponible del grupo con el límite del 70% (o 50% o 25% en función del importe neto de la cifra de negocios) de la base imponible individual de la propia entidad, sin hacer mención expresa a la posibilidad de aplicar siempre la franquicia del millón de euros.

Existen algunos comentarios[285] que interpretan extensivamente la norma considerando que sí es posible aplicar la franquicia del millón de euros a las bases imponibles negativas pregrupo, aunque no lo prevea expresamente la norma, teniendo en cuenta el objetivo de la misma. Asimismo, el TEAC en su resolución de 24 de septiembre de 2020, también ha sentado su criterio considerando que, en equiparación del régimen general individual, debe ser aplicable la franquicia de un millón de euros a las bases negativas preconsolidación, ello para no penalizar la integración en un grupo fiscal de una entidad con pérdidas respecto de su posición pregrupo fiscal, y en línea con las interpretaciones del TJUE[286]. Posteriormente este ha sido el criterio confirmado por la propia AEAT[287] y la DGT[288].

Si realizamos una comparación con la regulación de los gastos financieros pregrupo, la norma específicamente sí que incluye la posibilidad de aplicar la franquicia de un millón de euros (remisión al artículo 16.1 por el artículo 67.a) LIS), lo que podría significar, en relación con las bases imponibles negativas pregrupo, lo siguiente: i) o bien que cuando el legislador ha querido incluir la franquicia de un millón de euros lo ha hecho expresamente, no ha-

---

285 Opinión del despacho de abogados Garrigues (Antonio Viñuela) en el documento cierre del IS 2017 de la AEDAF: «La aplicación a nivel individual de BINs preconsolidación: la norma no lo establece y todavía no hay un criterio de la Administración al respecto. Parece razonable que aplique también a nivel individual en la medida en que el objetivo de la limitación es que las BIN preconsolidación se consuman al mismo ritmo que si la sociedad que las aporta hubiera tributado en régimen individual».

286 Opinión del despacho de abogados Gómez-Acebo y Pombo (Pilar Álvarez Barbeito y Ángela Atienza Pérez), 4 de diciembre de 2020, «Límites a la compensación de bases imponibles preconsolidación: equiparación del régimen de tributación general individual con el régimen especial de consolidación fiscal».

287 Nota relativa a la aplicación por el grupo de consolidación fiscal de bases imponibles negativas y deducciones procedentes de ejercicios anteriores. Agencia Tributaria. 5 de mayo de 2023.

288 V2590-22, de 21 de diciembre.

biéndolo incluido en el caso de las bases imponibles negativas pregrupo por considerar que no resulta aplicable en ese caso; ii) o bien que podríamos estar ante un «olvido» del legislador (similar al de la Disposición Adicional 15ª LIS, bajo la cual se viene entendiendo[289] aplicable la franquicia del millón de euros a pesar de no estar recogida expresamente).

Una interpretación coherente de la normativa llevaría a considerar que, si el límite a la compensación de bases imponibles negativas pregrupo persigue que la entidad individualmente tenga base positiva (el artículo 67.a) LIS establece el límite del 70% de la base imponible individual de la propia entidad), la lógica lleva a considerar que podría ser aplicable la franquicia de un millón de euros a las bases imponibles negativas pregrupo siempre y cuando la entidad individualmente tenga base positiva suficiente.

Es decir, el artículo 67 e) de la LIS establece que las bases imponibles negativas pregrupo pueden compensarse en la base imponible del grupo con el límite del 70% de la base imponible individual de la propia entidad, sin hacer mención expresa a la posibilidad de aplicar siempre la franquicia del millón de euros, sin embargo, el sentido común y una interpretación coherente de la normativa llevaría a considerar que, si el límite a la compensación de bases imponibles negativas pregrupo persigue que la entidad individualmente tenga base positiva, debería ser aplicable el mínimo de un millón de euros a las bases imponibles negativas pregrupo cuando la base imponible positiva de la entidad sea superior a un millón de euros[290]. Y, como adelantábamos, así lo ha confirmado el TEAC, la AEAT y la DGT.

Es muy gráfico si plasmamos lo anterior con el siguiente ejemplo. Supongamos un grupo fiscal con bases imponibles negativas previas, que proceden de la entidad X, que ascienden a 1.200.000 euros. La base imponible positiva de la entidad individualmente considerada asciende a 1.000.000 de euros. De acuerdo con una interpretación literal del artículo 67 e) de la LIS, solo se podría minorar la base imponible consolidada con bases imponibles negativas

289 Interpretación extensiva de las consultas V1057-16 y la V1762-16 en relación con la DT 34ª de la LIS que permitían la aplicación de la franquicia del millón de euros en el ejercicio 2015 aun cuando aplicaran los mismos límites.

290 Atienza De Moya MÁ. *Límite a la Compensación de Bases Imponibles negativas pregrupo en el Régimen de Consolidación Fiscal del Impuesto sobre Sociedades* [Internet]. INEAF. 2019.

previas que ascenderían a un total de 700.000 euros (70% de 1.000.000 euros), quedando pendientes por compensar 500.000 euros. Sin embargo, una interpretación lógica de la norma (que busca compensar bases imponibles negativas previas al grupo fiscal cuando la entidad individualmente considerada generadora de las bases imponibles negativas tenga base positiva suficiente) podría a llevar a considerar que en este supuesto el grupo fiscal podrá compensar 1.000.000 de euros de base imponible negativa previa, importe mínimo que debería ser aplicable cuando la entidad tenga base imponible positiva suficiente (1.000.0000 euros), ya que esta sería la base imponible negativa que hubiera sido compensada si no aplicara el régimen de consolidación fiscal.

Esta alternativa resultará de interés exclusivamente a aquellas entidades que tengan base imponible individual positiva inferior a 1.428.571,43 euros, ya que, a partir de dicho importe, el 70% de la base positiva siempre excederá el millón de euros y, por consiguiente, no aplicaría el límite mínimo.

Con esta interpretación se consigue equiparar la compensación de las bases imponibles negativas en el régimen individual a la aplicable en el régimen especial de consolidación fiscal, en línea con los recientes pronunciamientos del Tribunal de Justicia de la Unión Europea (destacando la sentencia de 22 de febrero de 2018, asuntos acumulados C-398/16 y C-399/16), por los que se considera que no deberían existir desigualdades entre el régimen de tributación consolidada y el régimen individual.

7.2.2.4. En el cálculo deben tenerse en cuenta las bases imponibles del grupo fiscal

De la reciente opinión de la AEAT[291] se extrae una conclusión adicional, que podría considerarse como un límite más para la compensación de las bases imponibles negativas preconsolidación. En particular, se indica que:

> «1°. Es necesario tener en cuenta la posible compensación, en el ejercicio en cuestión, por parte del grupo, de bases imponibles negativas

291 Nota relativa a la aplicación por el grupo de consolidación fiscal de bases imponibles negativas y deducciones procedentes de ejercicios anteriores. Agencia Tributaria. 5 de mayo de 2023.

> del grupo, en la proporción en que la entidad en cuestión hubiera contribuido a su formación. Así, si una entidad cuando ya formaba parte del grupo contribuyó a la formación de una base imponible negativa y la misma es aplicada por el grupo en el periodo en cuestión, su importe deberá tenerse en cuenta para aplicar lo dispuesto en el artículo 67.e) de la LIS».

Es decir, parece que, en el ejercicio objeto de análisis, el grupo fiscal debe tener en cuenta si existe la posibilidad de compensar bases imponibles negativas generadas por el grupo, en una proporción atribuible a la entidad analizada, que tiene esas bases imponibles negativas preconsolidación. Ello implica que, si la entidad participó en la creación de una base imponible negativa cuando ya formaba parte del grupo, y dicha base imponible negativa es compensada en el ejercicio actual, el importe de esa base imponible negativa deberá considerarse a efectos del artículo 67.e) de la LIS.

Es un criterio especialmente relevante en aquellos casos en los que la misma entidad individual que tenga bases imponibles negativas previas a la incorporación al grupo fiscal haya generado parte de la base imponible negativa del grupo fiscal, y se pretendan compensar ambas bases imponibles negativas en el seno del grupo fiscal.

No parece que este límite adicional se haya planteado con anterioridad por la doctrina o la jurisprudencia, más allá de por lo expuesto tímidamente por la AEAT.

7.2.2.5. *Ejemplo práctico sobre la compensación de bases imponibles negativas pregrupo fiscal*

A continuación, dada la complejidad reflejamos todo lo expuesto en este apartado con un ejemplo práctico más completo para ahondar en la comprensión de las bases imponibles negativas pregrupo.

Imaginemos una sociedad que entra en un grupo con bases imponibles negativas pregrupo de 1,5 millones de euros y genera una base imponible positiva individual (teniendo en cuenta eliminaciones e incorporaciones) de 2 millones de euros en el primer año que se incorpora al grupo fiscal. El primer límite será el 70% (por importe de la cifra de negocios inferior a 20 millones de euros) de 2 millones de euros, esto es, 1,4 millones de euros. Por tanto, solo «superan» el primer límite 1,4 millones de bases imponibles negativas, quedando pendientes 0,1 millones de euros de bases imponibles negativas pregrupo.

Si en lugar de tener una base imponible positiva individual de 2 millones de euros, la sociedad genera base positiva de 1 millón, el límite alcanzará 0,7 millones (70% de 1 millón), por lo que solo superarían el primer límite 0,7 millones de bases imponibles negativas y no como mínimo 1 millón, si atendemos a la interpretación literal de la ley. Sin embargo, si atendemos a una interpretación extensiva (conforme al criterio incluso de la DGT), teniendo la entidad individual base superior a 1 millón de euros, como mínimo podría «pasar» este primer límite 1 millón de euros.

Superado el primer límite, dichas bases imponibles negativas (1,4 millones en el primer caso, 0,7 millones en el segundo caso y 1 millón en el tercer caso) deben superar el límite de grupo, esto es, el 25% (porque imaginemos que el importe de la cifra de negocios del grupo supera 60 millones de euros) sobre la base imponible consolidada. Imaginemos dos escenarios:

1º.Base imponible consolidada de 5 millones de euros. Las bases imponibles negativas pregrupo que han superado el primer límite ascendían a 1,4 millones (por ejemplo), e imaginemos que el grupo tiene bases imponibles negativas del grupo por 3 millones de euros, generadas por otras entidades del grupo fiscal. El total de bases imponibles negativas aplicables asciende a 4,4 millones de euros. Sin embargo, el límite en este caso es el 25% sobre 5 millones de euros, esto es, 1,25 millones de euros. El grupo puede minorar su base positiva del grupo por la mayor de 1 millón o 1,25 millones. En este caso, disponiendo de 4,4 millones de bases imponibles negativas compensables, solo podría compensar 1,25 millones de euros (de acuerdo con el criterio administrativo, el contribuyente puede optar entre aplicar las bases imponibles negativas pregrupo o las bases imponibles negativas generadas en el grupo, no existiendo orden de prelación; parece que interesa más aplicar cuanto antes las bases imponibles negativas pregrupo en la medida en la que están limitadas a la generación de base imponible positiva de la entidad individual).

2º.Base imponible consolidada de 3 millones de euros, las bases imponibles negativas pregrupo ascendían a 1,4 millones y las bases imponibles negativas del grupo a 3 millones. En este caso, el límite es 0,75 millones (25% de 3 millones). El grupo puede compensar hasta el mayor de 0,75 millones o 1 millón de euros. En este caso, el grupo puede, de sus 4,4 millones de bases imponibles negativas, compensar 1 millón (pudiendo ser ese millón todo de los 1,4 millones de bases imponibles negativas pregrupo).

Es preciso recalcar que en este segundo límite se tiene en cuenta tanto las bases imponibles negativas pregrupo que han superado el primer límite como las bases imponibles negativas generadas en el grupo fiscal, pudiendo elegir el contribuyente qué bases imponibles negativas quiere aplicar en primer lugar.

7.3. LIMITACIÓN ESPECÍFICA A LA COMPENSACIÓN DE BASES IMPONIBLES NEGATIVAS TRAS LA COMPRAVENTA DE UNA ENTIDAD DEL GRUPO

Tras exponer las dos categorías diferentes de bases imponibles negativas del grupo fiscal, y en relación con el posible aprovechamiento del crédito fiscal derivado de las pérdidas de una sociedad, lo que a efectos fiscales se definiría como la posible «compensación de bases imponibles negativas», la normativa contempla una serie de limitaciones en el artículo 26.4 de la LIS, que sería de aplicación en el régimen de consolidación fiscal por remisión del artículo 66 de la LIS al artículo 26 de la LIS. Sin ánimo de ser exhaustivos, ya que, el régimen de consolidación fiscal no establece relevantes especialidades en cuanto a la limitación de la compensación, el artículo 26.4 de la LIS establece una exclusión total a la compensación de bases imponibles negativas si con posterioridad a la generación de las mismas se manifiesta en la entidad una modificación sustancial en la composición de sus accionistas, cumpliéndose ciertos requisitos acumulativos:

- Que el adquirente (o un conjunto de partes vinculadas) adquiera las participaciones en la entidad que ha generado las bases imponibles negativas en periodos impositivos anteriores, otorgándole la mayoría de su capital social o de los derechos a participar en sus resultados[292].
- Que exista una vinculación previa a la generación de las bases imponibles negativas (participación inferior al 25% en el capital de la entidad

292 Es relevante tener presente la interpretación de la DGT por la que se considera que, en la transmisión de participaciones intragrupo, siendo la sociedad dominante última la misma, no se desplegaría la limitación (V0416-18, V3527-16 y V3054-15).

adquirida). Si la participación es superior al 25%, no será aplicable la exclusión a la compensación. Este requisito incluye a quien no tenía participación previa en la entidad que ha generado las bases imponibles negativas.

- Que la entidad adquirida no realice actividad en los 3 meses anteriores a la adquisición[293], que realice en los dos años posteriores a la adquisición una actividad diferente o adicional[294], que se considerada como entidad patrimonial o que se haya dado de baja en el Índice de Entidades.

Los requisitos son acumulativos, pues en el momento en el que algunos de ellos no se cumplan, las bases imponibles negativas podrán compensarse sin ninguna limitación. Así, por ejemplo, en caso de que las entidades del grupo fiscal tengan la consideración de entidad patrimonial y cambie su con-

293 No existen pronunciamientos que aclaren la redacción actual del precepto en lo que a «no viniera realizando actividad económica alguna» se refiere, sin embargo, sí podemos destacar la Consulta V0120-15 que se pronuncia sobre la redacción anterior de la limitación a la compensación de bases imponibles negativas regulada en el artículo 25.2 TRLIS (en este precepto la limitación se aplicaba cuando: «La entidad no hubiera realizado explotaciones económicas dentro de los seis meses anteriores a la adquisición de la participación que confiere la mayoría del capital social»). En dicha consulta se establece que: «A efectos de determinar la aplicación de lo dispuesto en la letra c) del artículo 25.2 del TRLIS, el requisito relativo a la no realización de una explotación económica debe equipararse al supuesto en que la entidad adquirida se encuentre inactiva».
En cuanto a la condición de inactividad, la misma debe ser total, es decir, se requiere que dentro de esos tres meses la sociedad participada no haya tenido organización empresarial alguna y, además, tampoco haya realizado ninguna operación, por lo que la inactividad se supera cuando se realicen operaciones de la actividad que constituye su objeto social. No obstante, la valoración de la inactividad tiene que hacerse caso por caso, sin que la realización de cualquier operación simbólica baste para considerar la existencia de actividad.

294 Ello siempre que la misma determine un importe neto de la cifra de negocios en esos dos años posteriores superior al 50% del importe medio de la cifra de negocios de esa entidad correspondiente a los años anteriores. Es importante tener en cuenta que el examen definitivo se realizará transcurridos esos dos años, siendo procedente realizar previamente compensaciones provisionales. Se entenderá por actividad económica diferente o adicional aquella que tenga asignado diferente grupo en el CNAE. En este caso, al existir una limitación temporal, podría barajarse la posibilidad de esperar a que transcurran los dos años que establece el artículo para que la sociedad pueda cambiar la actividad y, en principio, compensar las bases imponibles negativas.

sideración a sociedad con actividad económica, ello no obstaculizaría la posibilidad de compensar sus bases imponibles negativas en el grupo fiscal[295].

Esta restricción trata de evitar la transmisión de sociedades con la única finalidad de «aprovechar» sus bases negativas (por ejemplo, dotándolas de una nueva actividad y compensando las pérdidas generadas con anterioridad para no pagar el IS).

En todo caso es importante tener en cuenta que, tanto las bases imponibles del grupo como las previas se ven afectadas por la limitación[296].

Asimismo, la fecha clave para valorar el cumplimiento de los requisitos es la fecha de conclusión del periodo impositivo en que la sociedad participada ha generado las bases imponibles negativas.

El futuro comprador de las participaciones sociales podría ser una sociedad del grupo o un tercero, siendo esto relevante para determinar si serían o no compensables las bases imponibles negativas, siendo también relevante la distinción de si la entidad generadora de las bases imponibles negativas forma parte del grupo fiscal o no, pudiendo encontrar diversos escenarios distintos.

En este sentido, en primer lugar, nos podremos encontrar con el supuesto de que la entidad generadora de las bases imponibles negativas es del grupo fiscal y es adquirida por otra entidad del grupo fiscal. Es indudable que en este supuesto no sería de aplicación la limitación a la compensación. En este supuesto en que es una entidad del grupo la que adquiere las participaciones, sería necesario tener presente la consulta V2728-15, de 22 de septiembre. En dicha consulta se entiende que, en un grupo de sociedades en el que una sociedad tiene el 100% del capital de una entidad inactiva con bases imponibles negativas pendientes de compensar, no se aplica limitación a la compensación del artículo 26.4 de la LIS si se transmite la participación en esa entidad a otra del grupo cualquiera que sea la forma en que se realice, ya que el grupo tenía esa misma participación con anterioridad a la transmisión. Concretamente en la consulta se indica que:

---

295 En este sentido, V0579-19, de 19 de marzo, que establece que, dado que en el caso concreto no se produce un cambio de accionariado, el derecho de compensación de bases imponibles negativas no se ve afectado por el hecho de que la entidad tenga la consideración de entidad patrimonial y posteriormente pase a desarrollar actividades económicas.

296 López Llopis E. *El régimen especial de consolidación fiscal en el Impuesto sobre Sociedades* [...]. Op. cit. Pág. 297.

> «De acuerdo con el apartado 4 del artículo 26 de la LIS, se limita la compensación de bases imponibles negativas de una entidad si la misma ha sido adquirida por una entidad o un grupo de entidades con posterioridad al período impositivo en que se generaron las bases imponibles negativas, si, con carácter previo, no se poseía una participación de, al menos el 25%. Dichas circunstancias no concurren con ocasión de las operaciones indicadas (fusión y transmisión) por cuanto la participación en E ya se poseía por el mismo grupo con carácter previo a la realización de dichas operaciones. Por tanto, no procede la aplicación de la limitación establecida en el apartado 4 del artículo 26 de la LIS»

Asimismo, es posible destacar la consulta DGT V2963-16, de 27 junio:

> «De conformidad con lo anterior, no se aplicará la limitación a la compensación de bases imponibles negativas prevista en el artículo 26.4, en la medida en que la entidad consultante tenía el 96% de la entidad A con anterioridad a la generación por parte de la entidad A de las bases imponibles negativas, no concurriendo así las circunstancias previstas en el apartado 4 del artículo 26 de la LIS».

En el mismo sentido, destaca la consulta V0416-18, 19 de febrero, por la que se establece que, aunque haya vinculación entre las entidades adquirente y la transmitente de las participaciones en la entidad con bases imponibles negativas, si ambas tenían una participación superior al 25% cuando se generaron dichas bases imponibles, no resulta de aplicación la limitación a su compensación. Aunque se produce la adquisición de la mayoría del capital social de la entidad que tiene las bases imponibles negativas, la entidad transmitente y la adquirente de la participación están vinculadas y ambas tenían una participación superior al 25% en los períodos impositivos en los que se generaron las bases imponibles negativas, por lo que no resulta de aplicación la limitación a la compensación de bases imponibles negativas.

En segundo lugar, si la entidad generadora de las bases imponibles negativas es del grupo fiscal y es adquirida por un tercero ajeno al grupo fiscal, si el porcentaje de adquisición supera el 50% dicha sociedad deja de formar parte del grupo fiscal y la entidad que adquiere la participación superior al 50%, siempre que tuviera un porcentaje inferior al 25%, verá limitada la posibilidad de compensación en sede de la entidad adquirida. Es importante en este escenario reconocer cuáles son las bases imponibles negativas de la entidad que sale del grupo fiscal.

En tercer lugar, si la entidad generadora de las bases imponibles negativas no es del grupo fiscal pero es adquirida por una entidad que forma parte del grupo fiscal, en este caso, si el porcentaje de participación era superior al 25% antes de la adquisición (pero inferior al 75% o, en su caso, al 70%), no aplicaría la limitación, pudiendo compensar el grupo las bases imponibles negativas, consideradas las mismas como bases previas al grupo fiscal, con las limitaciones a las que hemos hecho previamente mención.

En cuarto lugar, si la entidad generadora de las bases imponibles negativas no es del grupo fiscal y es adquirida por un tercero ajeno al grupo, aplicaría la limitación, si se cumple alguna de las circunstancias del apartado c).

En definitiva, cabría la posibilidad de compensar bases imponibles negativas generadas con anterioridad a la adquisición de una sociedad siempre que el adquirente de las participaciones sea un tercero ajeno al grupo, o siendo una sociedad del grupo, el grupo posea con carácter previo a la realización de la operación un porcentaje superior al 25%[297]:

Generadora de BINs/Adquirente	Generadora de BINs del grupo	Generadora de BINs no grupo
Adquirente es del grupo	No limitación	Si cuando se generaron las BINs > 25%, no limitación; En caso contrario, aplica, si cumple apartado c), limitación
Adquirente no es del grupo	Si cuando se generaron las BINs > 25%, no limitación; En caso contrario, aplica, si cumple apartado c), limitación	Aplica limitación si cumple apartado c)

Fuente: Elaboración propia.

Téngase en cuenta que la redacción actual del precepto coincide con la regulación contenida en la mayoría de los países europeos, con objeto de limitar el aprovechamiento de las bases imponibles negativas para entidades inactivas,

297 Resulta relevante la consulta de la DGT V1486-18, de 31 de mayo de 2018, por la que se establece que la adquisición de las participaciones por parte de dos o más personas físicas, sin que ninguna de ellas supere el 50% permitirá a la sociedad mantener su derecho a la compensación de pérdidas. Por tanto, si nos encontramos ante una situación como la indicada (ya sea como adquirente o como transmitente), es necesario tener en cuenta el posible ahorro futuro de impuestos a la hora de valorar el precio de la transmisión.

que alteran sustancialmente la composición de sus socios. Y, de hecho, esta medida es similar a la que contenía la propuesta de Directiva BICIS (propuesta que no fue finalmente aprobada), aunque como una limitación restrictiva y absoluta, afectando a la totalidad de las bases, con independencia de la eventual pérdida que los transmitentes hubieran hecho valer en su impuesto:

> «Con todo, esta limitación excede por su carácter absoluto la finalidad antielusiva de la norma, perjudicando a sociedades que conservan buena parte de los socios y continúan desarrollando la actividad de la que derivan las pérdidas»[298].

Es decir, la norma española evita la compensación de bases imponibles negativas cuando la entidad pierda su identidad económica, yendo en línea con BICIS, que también planteaba eliminar las bases pendientes cuando se produjese un cambio sustancial de la actividad económica del contribuyente que determine que el adquirente interrumpa la que era su actividad y hubiera supuesto más del 60% de su importe neto de la cifra de negocios, o inicie otra nueva, siendo calificada en la exposición de motivos como cláusula antifraude[299].

En este sentido, coincidimos con otros autores que consideran que es una medida desproporcionada, ya que es posible compensar proporcionalmente la base pendiente en función de la voluntad del negocio que mantenga la actividad previamente realizada[300].

Este enfoque regulatorio es especialmente relevante dentro del contexto fiscal actual, en el que las bases imponibles negativas generadas pueden ser revisadas en cualquier momento, siempre que correspondan a los últimos diez años. De esta forma, el marco legal otorga a la administración una capacidad ampliada de control y fiscalización sobre las bases negativas pendientes, especialmente en situaciones de reestructuración y adquisición, a fin de verificar que no se produzca un aprovechamiento indebido o ficticio de las pérdidas para obtener beneficios fiscales[301].

---

298 Cordero González Em. *Las Bases Imponibles Negativas en el Impuesto sobre Sociedades* [...]. Op. cit. Pág. 21.

299 *Ibid.* Pág. 83.

300 *Ibid.* Pág. 86.

301 Esta revisión en el periodo de 10 años también es reconocida como un derecho para el contribuyente, de acuerdo con el criterio de la Audiencia Nacional, en su sentencia de 21 de noviembre de 2019, recurso nº 1064/2017.

7.4. LAS BASES IMPONIBLES NEGATIVAS DEL GRUPO FISCAL COMO DERECHO Y NO COMO OPCIÓN TRIBUTARIA

La configuración del derecho a la compensación de las BINs ha sido un tema que, tras un largo debate y varios pronunciamientos en diferentes instancias inferiores, finalmente ha quedado plasmado en la sentencia del Tribunal Supremo 1404/2021 (Sala de lo Contencioso), de 30 de noviembre de 2021, reconociendo que se trata de un derecho autónomo del contribuyente y no una opción tributaria. En concreto, tras analizar la naturaleza de las opciones y calificar la aplicación de las bases imponibles negativas como derecho del contribuyente, el Alto Tribunal concluye en su Fundamento cuarto, lo siguiente:

> «Debe tenerse en consideración que la compensación de bases imponibles es el medio que garantiza que el gravamen de la obtención de renta en el Impuesto sobre Sociedades se produzca de forma correlativa a la capacidad económica de los contribuyentes pues, a estos efectos, constituye un elemento de cuantificación de la base imponible».

En cualquier caso, de acuerdo con la sentencia de la Audiencia Nacional, 25 de octubre de 2019, recurso n.º 139/2016, las actas de comprobado y conforme de la declaración del IS no implican el comprobado y conforme de bases negativas pendientes de compensar. El hecho de que se hubiesen incoado actas de comprobado y conforme de las declaraciones del Impuesto sobre Sociedades de años anteriores (1998 a 2001), en las que figuraban como pendientes de compensar bases imponibles negativas de un periodo previo (1997), no significa que se hubiera dado el comprobado y conforme a esa base negativa y, por tanto, que no pueda corregirse en la comprobación del ejercicio en que se compensa. Como afirma el TEAC, las liquidaciones consideradas correctas ni se refirieron al ejercicio 1997, ni la deuda tributaria de las mismas vino determinada por el importe de la base imponible negativa procedente de 1997, al no haber sido dicho importe objeto de compensación en los citados ejercicios, de tal forma que si dicha base imponible negativa figuró en las declaraciones de los años siguientes (objeto de la mencionada comprobación), únicamente fue al objeto de permitir un seguimiento de carácter informativo de cara a los ejercicios posteriores en los que pudiera ser llevada a cabo la efectiva compensación, pero eso no impide la exigencia del cumplimiento de los requisitos previstos en el art. 23.5 Ley 43/1995 (Ley IS), ni supone una especie de vulneración de los actos propios de la Administración Tributaria, porque esta nunca se pronunció en la aludida actuación de comprobación sobre la realidad de la base imponible (negativa) de un ejercicio (1997) que no fue objeto de comprobación.

Llegando a indicar:

> «En definitiva, la compensación de las BIN es un verdadero derecho autónomo, de modo que el contribuyente podrá "ejercer" el derecho de compensar o "no ejercerlo", incluso, llegado el caso, "renunciar" a él».

Recordemos que en pronunciamientos anteriores del TEAC principalmente[302], la compensación de bases imponibles negativas era considerada como una opción que solo puede ejercitarse en el plazo legal para declarar[303]. Y en la línea de considerar la compensación de bases imponibles negativas como opción tributaria encontramos diversos autores que comparten la opinión del TEAC, destacando, por ejemplo, a Cordero González[304] o Aneiros Pereira[305]. Asimismo, es preciso destacar que los territorios forales Álava, Guipúzcoa y Vizcaya, consideran que la compensación de bases imponibles negativas es una opción tributaria, sin embargo, reconocen que constituyen opciones tributarias que sí pueden ser objeto de modificación sin previo requerimiento. Destacan Cordero González[306] o Malvárez Pascual[307] que son

---

302 Criterio del TEAC de 4 de abril de 2017 y 16 de enero de 2019, así como en la consulta de la DGT V2496-18, Consulta de la Dirección General de Tributos V2714-15, Sentencia del Tribunal Superior de Justicia de Cataluña de 8 de marzo de 2012 y la sentencia del Tribunal Superior de Justicia de Valencia de 23 de enero de 2015.

303 Hay quienes consideran que en realidad constituye un derecho, ya que cabe entender que la compensación de bases imponibles negativas no es una opción, sino un derecho, pudiendo también ejercerse fuera de plazo: en la medida en la que la redacción «podrán ser compensadas», es una redacción similar a la utilizada con las deducciones y la DGT si considera que es posible su rectificación fuera de plazo (por ejemplo, consulta V2714-15).

304 Cordero González Em. *Las Bases Imponibles Negativas en el Impuesto sobre Sociedades* [...]. Op. cit. Pág. 49-52.

305 Aneiros Pereira J. La compensación de bases imponibles negativas en el Impuesto sobre Sociedades en España, en los países de la Unión Europea y en la propuesta de Directiva sobre Base Imponible Común Consolidada. En *Revista General de Derecho Europeo n.º 27* [...]. Op. cit. Pág. 11.

306 Cordero González Em. *Las Bases Imponibles Negativas en el Impuesto sobre Sociedades* [...]. Op. cit. Pág. 143.

307 Malvárez Pascual LA. Las exigencias formales para el ejercicio de opciones fiscales. Estudio de su régimen jurídico a la luz del principio de proporcionalidad. En *Revista técnica tributaria n.º 88*. 1ª Edición. Madrid. Asociación Española de Asesores Fiscales. 2010. Pág. 52-54.

partidarios de considerar que este tipo de regulación se extienda a nivel estatal para permitir rectificar opciones cuando, por ejemplo, se rectifiquen otras opciones y se incremente la base o cuota del periodo, considerando que de esta forma se estaría actuando a favor de la cláusula *rebus sic stantibus*[308].

---

308 Área Fiscal del despacho Gómez-Acebo y Pombo. *Resolución del TEAC de 8 de marzo del 2018: aplicación del régimen de consolidación fiscal a grupos horizontales con anterioridad al 1 de enero del 2015.* [Internet]. Gómez-Acebo y Pombo. 2018: «Con base en este reciente criterio del Tribunal Económico-Administrativo Central, se podrían llegar a plantear varios supuestos en los que fuera conveniente aplicar el contenido de esta resolución. Por ejemplo, cabría la posibilidad de plantear la compensación de bases imponibles negativas generadas en régimen individual, por sociedades que podrían haber integrado un grupo horizontal de consolidación fiscal antes del 1 de enero de 2015, como si en realidad fueran bases imponibles negativas generadas por el grupo fiscal. Esto sería así en la medida en que, en aplicación directa de la Sentencia del Tribunal de Justicia de la Unión Europea de 12 de junio de 2014 y de la Resolución del Tribunal Económico-Administrativo Central de 8 de marzo de 2018, la sociedad inicialmente excluida del régimen de consolidación fiscal realmente sí formara parte de este, por lo que dichas bases imponibles negativas en realidad serían del grupo fiscal y no individuales, de tal forma que su compensación no debería quedar limitada a la existencia futura de bases imponibles positivas individuales». En la misma línea se pronuncia el Área Fiscal Del Despacho Cuatrecasas. *El efecto mariposa, el TEAC y la consolidación fiscal.* [Internet]. Cuatrecasas. 2018.

En este sentido es posible encontrar opiniones que consideran lo siguiente: «Ya se ha mencionado antes: la nueva LIS ha entrado en vigor para períodos impositivos iniciados a partir de 1 de enero de 2015, cuando las referidas Sentencia del TJUE no han limitado sus efectos en el tiempo. Se plantea, ante esta circunstancia, la posibilidad de que entidades que no hayan podido consolidar hasta 2015 reclamen a la Administración española los efectos de la consolidación fiscal de períodos anteriores, cuando ésta no hubiera podido ser aplicada por las limitaciones del perímetro fiscal de consolidación español anteriores a la reforma (y no por voluntad de las entidades)» (Blanco Vázquez A. La retroactividad de la consolidación fiscal horizontal e indirecta. En *Estrategia Financiera n.º 334*. 1ª Edición. Madrid. Wolters Kluwer. 2016. Pág. 73-74).

Derivada de dicha resolución parece necesario tener en cuenta lo siguiente:

«Estas ventajas de la consolidación fiscal [también hay inconvenientes (13)] animan a reflexionar sobre si el hecho de no haber aplicado este régimen especial antes de la entrada en vigor de la nueva LIS (es decir, antes de los ejercicios iniciados a partir de 1 de enero de 2015) ha podido generar sobrecostes en las entidades que, de haber sido aplicados los criterios de la nueva LIS, hubieran podido consolidar, planteamiento que se realiza (como se ha repetido) teniendo en cuenta que las referidas sentencias del TJUE no han limitado sus efectos en el tiempo».

Esta posibilidad suscita numerosas cuestiones como:

7.5. EL ORDEN DE PRELACIÓN Y EL CRITERIO PROPORCIONAL PARA LA COMPENSACIÓN DE BASES IMPONIBLES NEGATIVAS

Aunque ya se adelantaba en apartados previos, conviene detallar si el régimen de consolidación fiscal permite establecer un orden específico en la compensación de bases imponibles negativas entre las entidades del grupo o si, por el contrario, el grupo puede decidir qué base negativa aplicar en cada ejercicio. Esta cuestión resulta especialmente relevante, ya que la elección podría impactar en los créditos fiscales de una entidad que eventualmente decida abandonar el grupo fiscal.

---

1. La posibilidad de solicitar la consolidación retroactiva cuando, conforme a los criterios de la nueva LIS, la dominante sería no residente en un Estado miembro de la Unión Europea, teniendo en cuenta que las sentencias del TJUE concluyen que se ha vulnerado la libertad de establecimiento en casos en que todos los elementos subjetivos son residentes en la Unión Europea. Teniendo en cuenta que esta libertad no resulta aplicable (según los precedentes del TJUE) a países terceros (al contrario que la libertad de circulación de capitales), podrían alcanzarse conclusiones diferentes (por ejemplo) dependiendo de si en la Unión Europea existe, al menos, una entidad dominante (abstracción hecha de que no fuera la entidad dominante cabecera de la cadena de participaciones).
2. Las diferencias entre los casos en que había ya un grupo fiscal español pero determinadas entidades no pudieron incluirse (por ejemplo, porque estuvieran participadas a través de entidades no residentes) de aquellos en que no pudo siquiera constituirse grupo fiscal (por ejemplo, porque todas las entidades españolas estuvieran participadas por una entidad no residente).
3. El efecto que pueda tener (en las decisiones administrativas y judiciales) la falta de los requisitos formales para consolidar (como los acuerdos expresos para consolidar), defectos formales que razonablemente no deberían impedir la consolidación, dado que era la propia norma la que impedía esa posibilidad.

El referido análisis debería realizarse tanto para los períodos abiertos a prescripción (para los que cabría solicitar las oportunas devoluciones) como para los anteriores (a través del procedimiento de responsabilidad patrimonial de la Administración Pública). Aunque en relación con lo anterior se ha pronunciado el Tribunal Supremo confirmando el criterio del TEAC en cuanto al régimen de consolidación fiscal, pero negando la posibilidad de pedir responsabilidad patrimonial porque no existe un pronunciamiento específico del TJUE sobre nuestro Derecho, a pesar de la similitud entre el derogado régimen español y el holandés al que se refiere la sentencia del TJUE. (sentencia Tribunal Supremo de 11 de junio de 2018, rec. 427/2017).

Si la normativa permite una flexibilidad en la elección del orden de compensación, el grupo podría optar por optimizar su carga tributaria en función de la situación fiscal de cada entidad, priorizando las bases imponibles negativas de aquellas empresas que planean mantenerse a largo plazo dentro del grupo. Sin embargo, una restricción en este aspecto obligaría al grupo a seguir un orden predeterminado, afectando así la capacidad de planificación fiscal y el posible uso de créditos fiscales acumulados por una entidad al momento de su salida.

Parece evidente que donde la ley no impone un límite específico, no se puede establecer por vía interpretativa. Así lo ha reconocido la propia AEAT[309].

Asimismo, debemos traer a colación el contenido del artículo 74 de la LIS que regula los efectos de la pérdida del régimen de consolidación fiscal o de la extinción del grupo fiscal[310], que detallaremos en apartados siguientes, y que es aplicable al supuesto en el que alguna de las entidades del grupo fiscal deje de pertenecer al mismo[311]. Es relevante tomar en consideración ahora este punto, en la medida en la que la regla que establece la LIS afecta directamente en el registro de las bases imponibles negativas del grupo fiscal.

En concreto, el artículo 74.1.a).5ª de la LIS establece, para la salida de una sociedad del grupo o la extinción del mismo, una regla de proporcionalidad, al indicar que cada crédito fiscal deberá integrarse en la «proporción» que hubieren contribuido a su formación.

Como puede apreciarse existe una exigencia de proporcionalidad expresa en la ley que se aplica a todas las magnitudes fiscales (salvo a la reserva

309 Nota relativa a la aplicación por el grupo de consolidación fiscal de bases imponibles negativas y deducciones procedentes de ejercicios anteriores. Agencia Tributaria. 5 de mayo de 2023.

310 En el mismo sentido se pronunciaba el legislador en el artículo 81.1 del Real Decreto Legislativo 4/2004, de 5 de marzo, por el que se aprueba el texto refundido de la Ley del Impuesto sobre Sociedades y en el artículo 95 de la Ley 43/1995, de 27 de diciembre, del Impuesto sobre Sociedades.

311 El artículo 74.2 de la LIS indica que lo dispuesto en el apartado anterior será de aplicación cuando alguna o algunas de las entidades que integran el grupo fiscal dejen de pertenecer a este. Es decir, se prevé una remisión expresa a las reglas contenidas en el apartado 1 del artículo 74.

de capitalización), es decir, no existe libertad para que, cuando una sociedad abandona el grupo, pueda hacer suyas las magnitudes fiscales que considere, sino que existe una regla que garantiza el criterio a seguir.

De esta forma, para las bases imponibles negativas del grupo (u otras magnitudes) existentes en el momento en que una sociedad del grupo fiscal deje de formar parte del aquel, esta tendrá derecho a llevarse consigo una parte de las bases imponibles negativas del grupo, y una vez trasladadas a la esfera individual puede compensarlas con sus rentas positivas individuales obtenidas en los períodos impositivos posteriores, en los que será de aplicación el régimen de tributación individual.

Se exige que esta adscripción se haga en la proporción que hubieren contribuido a su formación, lo que admite dos interpretaciones.

Por un lado, cabe considerar que la citada proporción debe exigirse desde la generación de las bases imponibles negativas. Este proceder exigiría que no exista libertad en la aplicación de las bases imponibles negativas de las distintas sociedades, sino que se debería seguir el patrón de la citada proporción, es decir, repartir de manera proporcional la generación de bases imponibles negativas. En relación con esta tesis relativa al aprovechamiento «proporcional» de las bases imponibles negativas y deducciones/incentivos fiscales, destaca la contestación de la DGT a consulta tributaria núm. 0205-02, de 8 de febrero, de carácter no vinculante[312], que aunque se pronuncia sobre la salida del grupo fiscal, surgen dudas de si realmente la mencionada consulta puede extender

[312] En particular, se analizó un caso en el que una entidad, incluida dentro de un grupo fiscal que tributaba según el régimen especial de grupos desde 1983, dejó de pertenecer al mismo el 31 de diciembre de 1998, momento en el que el grupo tenía bases imponibles negativas generadas en ejercicios anteriores pendientes de compensar procedentes, entre otras, de la entidad que abandonaba el grupo. Así, ante la necesidad de la dominante del grupo fiscal de conocer cómo debía calcular la parte del derecho a compensar las bases imponibles negativas del grupo que asumiría la entidad que abandonaba el mismo y que había contribuido a su formación, la DGT, amparándose en el artículo 95.1.b) de la Ley 43/1995 —actual artículo 74.1.b).5º de la LIS— vino a establecer que:
«De lo dispuesto en la norma transcrita resulta que las entidades que dejen de tributar en el régimen especial de grupos de sociedades, se llevarán consigo una parte del derecho a la compensación de bases imponibles negativas del grupo que, habiéndose generado mientras estuvo integrada en dicho grupo, aun no haya sido ejercitado por este, pudiendo compensarlas con sus futuras bases imponibles positivas individuales. La cuantía de las bases imponibles negativas del grupo que podrán ser compensadas por la sociedad

su criterio desde el momento de generación de las bases imponibles negativas, cuando la imposición de un límite debe ser una cuestión a abordar con la suficiente claridad. Este criterio es además el mantenido por el Agencia Tributaria en su «Nota relativa a la aplicación por el grupo de consolidación fiscal de bases imponibles negativas y deducciones procedentes de ejercicio anteriores» de 5 de mayo de 2023, donde se pone de manifiesto que bajo otra interpretación podría «alterarse artificialmente la proporción» de tal forma que:

> «la mencionada alteración artificial podría tato general un perjuicio a la Hacienda Pública, permitiendo que los créditos fiscales pendientes no se atribuyan a aquellas entidades que los hubieran generado y que cuenten con una menor capacidad de obtener rentas futuras frente a las que aquéllos se puedan aprovechar, como perjudicar los derechos de las entidades que integran el grupo, si pese a contar con capacidad suficiente para la aplicación del crédito fiscal en el futuro, no se le atribuyera el porcentaje del crédito pendiente que correspondiera a su contribución proporcional a su formación».

---

que lo abandona se determinará de forma separada para cada ejercicio en que se hayan generado, siguiendo las siguientes pautas:

– Se partirá del importe de las bases imponibles negativas aportadas por la sociedad individual al grupo en cada uno de los ejercicios en los que este acreditó bases imponible negativas, prescindiendo de las que pudo haber aportado cuando la base imponible del grupo fue positiva o cero, ya que en este caso dichas bases imponibles negativas individuales se compensaron con las bases positivas del resto de sociedades del grupo. Así lo aprecia la norma legal, que establece que la cuantía que se busca determinar guarde proporción con la contribución de la sociedad individual a la efectiva formación de bases imponibles negativas en el grupo, no con todas las bases imponibles negativas que la sociedad que abandona el grupo pudo haber integrado en él.

– Se determinará el porcentaje que las bases imponibles negativas mencionadas en el párrafo anterior suponen, sobre la totalidad de las bases imponibles negativas aportadas al grupo en ese ejercicio, para cada una de las sociedades que lo integran.

– Este porcentaje, aplicado sobre la base imponible negativa acreditada por el grupo al tiempo de su exclusión en el mismo, determina la parte de dicha base que podrá compensar la sociedad que lo abandona, siempre que no hubiera sido ya compensada por el grupo en ejercicios posteriores al de su obtención, y respetando, en todo caso, el plazo máximo de diez años inmediatos y sucesivos a contar desde que finalizó el período impositivo en el que el grupo obtuvo la base imponible negativa».

En la citada consulta es claro que la referencia se hace sobre un supuesto de salida del grupo fiscal, siendo en todo caso destacable la siguiente expresión de la consulta:

«Así lo aprecia la norma legal, que establece que la cuantía que se busca determinar guarde proporción con la contribución de la sociedad individual a la efectiva formación de bases imponibles negativas en el grupo, no con todas las bases imponibles negativas que la sociedad que abandona el grupo pudo haber integrado en él».

Por otro lado, cabría considerar que, en ausencia de un orden específico establecido en la LIS para la imputación de bases imponibles negativas de las entidades que componen un grupo fiscal, se entiende que la compensación de estas pérdidas se realiza sin un criterio estricto a lo largo de la vida del grupo. Esta interpretación implica que, en cualquier momento, la base imponible negativa del grupo refleja la acumulación de bases no compensadas de las diversas sociedades integrantes. Con este esquema, si una sociedad decide abandonar el grupo fiscal, deberá identificar con precisión la parte de la base imponible negativa del grupo que le corresponde, es decir, el importe exacto que esa sociedad ha aportado a las pérdidas acumuladas del grupo. En la medida en que el grupo cuenta con libertad para determinar el orden de compensación, y siempre que esta asignación pueda realizarse de manera clara y comprobable, la base imponible identificada sería la que podría ser transferida a la entidad que abandona el grupo, asegurando así un traspaso ajustado a su contribución efectiva[313].

Sin perjuicio de lo expuesto en este apartado, se desarrollan estos aspectos más adelante en los efectos de la extinción del grupo fiscal.

7.6. ACTIVO POR IMPUESTO DIFERIDO. EL CRÉDITO FISCAL

En el contexto de analizar las bases imponibles negativas del grupo fiscal, es relevante realizar un apunte a nivel contable del impacto de la citada magnitud.

7.6.1. DIFERENCIA TEMPORARIA DEDUCIBLE

La compensación de bases imponibles negativas constituye, como cualquier derecho originado en el IS que impacta en las declaraciones tributarias,

---

313 Este criterio se puede inferir de la contestación a consulta vinculante núm. V3543-13, de 9 de diciembre, que establece lo siguiente:
«La exclusión del grupo fiscal de las sociedades S1, S2, S3, S6 y S7 determinará que, en la medida en que las mencionadas sociedades hubiesen contribuido a generar bases imponibles negativas pendientes de compensar, la compensación de la parte de aquellas bases imponibles negativas imputables a las mismas debe ser asumida por estas últimas, en el momento de incorporarse en el nuevo grupo fiscal.»

un activo contable en forma de crédito fiscal. Este crédito refleja el derecho de la entidad a reducir su carga tributaria futura mediante la aplicación de dichas bases negativas generadas en ejercicios anteriores. Desde una perspectiva contable, el reconocimiento de estas bases como créditos fiscales supone una garantía de identificación en períodos futuros, mejorando la posición financiera de la entidad al reducir, en última instancia, el impuesto a pagar en ejercicios posteriores[314].

La NRV 13ª del PGC, recoge qué son los activos por impuesto diferido, definiendo las diferencias temporarias como «aquellas derivadas de la diferente valoración, contable y fiscal, atribuida a los activos, pasivos y determinados instrumentos de patrimonio propio de la empresa, en la medida en que tengan incidencia en la carga fiscal futura».

La citada normativa establece que las diferencias temporarias surgen, en términos generales, cuando existen discrepancias en el momento de reconocimiento de ingresos y gastos entre la base imponible y el resultado contable antes de impuestos. Estas diferencias se originan principalmente por los distintos criterios temporales aplicados en la determinación de cada una de estas magnitudes, y, en consecuencia, su efecto se revierte en períodos futuros.

Además de esta diferencia temporal de imputación, la norma reconoce otros supuestos en los que también pueden surgir diferencias temporarias. Estos incluyen:

i) Ingresos y gastos registrados directamente en el patrimonio neto: En este caso, los componentes que afectan directamente el patrimonio neto pueden no computarse en la base imponible, como sucede con las variaciones en el valor de ciertos activos y pasivos. Estas variaciones se reconocen a nivel contable, pero no necesariamente se reflejan en la base imponible en el mismo momento, generando una diferencia temporal.

ii) Combinaciones de negocios: Durante una combinación de negocios, los elementos patrimoniales se contabilizan con un valor que puede diferir del valor fiscal asignado a dichos elementos. Esta disparidad

---

314 Entre otros: Sáenz de Olazagoitia Díaz de Cerio J. *La tributación consolidada de los Grupos de Sociedades. Régimen Vigente y un modelo para su Reforma.* Op. cit. Pág. 190-191 y 269; Calvo Vérgez J. *La reforma del Impuesto sobre sociedades* [...]. Op. cit. Pág. 359.

entre el valor contable y el valor fiscal genera diferencias temporarias que se van revirtiendo en ejercicios posteriores conforme se vayan realizando o depreciando dichos elementos.

iii) Reconocimiento inicial de un elemento fuera de una combinación de negocios: En estos casos, cuando el valor contable inicial de un activo o pasivo difiere del valor fiscalmente atribuido, se genera una diferencia temporaria. Esta situación surge típicamente con elementos que no provienen de combinaciones de negocios y que se valoran de forma distinta en términos contables y fiscales al momento de su incorporación.

Destaca también la resolución de 9 de febrero de 2016, del ICAC, por la que se desarrollan normas de registro, valoración y elaboración de las cuentas anuales para la contabilización del Impuesto sobre Beneficios, que define las diferencias temporarias como aquellas derivadas de la diferente valoración de patrimonio propio de la empresa, en la medida en que tengan incidencia en la carga fiscal futura. Las diferencias temporarias se producen normalmente, por la existencia de diferencias temporales entre la base imponible y en resultado contable total antes de impuestos, cuyo origen se encuentra en los diferentes criterios temporales de imputación empleados para determinar ambas magnitudes y que, por tanto, revierten en periodos subsiguientes[315].

La compensación de bases imponibles negativas genera diferencias temporarias deducibles, en la medida en la que darán lugar a menores cantidades a pagar o mayores cantidades a devolver por impuestos en ejercicios futuros, normalmente a medida que se recuperen los activos o se liquiden los pasivos de los que se derivan[316].

En particular, el apartado 2.3 de la NRV 13ª del PGC define en concreto el «activo por impuesto diferido» como sigue:

> «2.3. Activos por impuesto diferido
> De acuerdo con el principio de prudencia solo se reconocerán activos por impuesto diferido en la medida en que resulte probable que la em-

---

315 Aguilera Medialdea JJ, Martín Rodríguez JG. *Manual de consolidación fiscal y contable* [...]. Op. cit. Pág. 181-182.

316 El vigente PGC reconoce el activo en la cuenta 4745, crédito por pérdidas a compensar del ejercicio.

> presa disponga de ganancias fiscales futuras que permitan la aplicación de estos activos.
>
> Siempre que se cumpla la condición anterior, se reconocerá un activo por impuesto diferido en los supuestos siguientes: [...]
>
> b) Por el derecho a compensar en ejercicios posteriores las pérdidas fiscales; [...]
>
> En la fecha de cierre de cada ejercicio, la empresa reconsiderará los activos por impuesto diferido reconocidos y aquéllos que no haya reconocido anteriormente. En ese momento, la empresa dará de baja un activo reconocido anteriormente si ya no resulta probable su recuperación, o registrará cualquier activo de esta naturaleza no reconocido anteriormente, siempre que resulte probable que la empresa disponga de ganancias fiscales futuras en cuantía suficiente que permitan su aplicación».

7.6.2. SOCIEDAD QUE RECONOCE EL ACTIVO POR IMPUESTO DIFERIDO

Llegados a este punto, cabe plantearse la cuestión de cuál es el sujeto que debe reflejar en su contabilidad el activo por impuesto diferido, considerando que, de manera análoga a cómo se registra el gasto por el IS, son las entidades individuales las responsables de contabilizarlo. Esta interpretación sugiere que cada entidad, de manera independiente, debe integrar en su contabilidad individual dicho activo.

En esta línea, autores como Alonso Pérez sostienen que, aunque las bases imponibles negativas pueden formar parte de una consolidación fiscal, es la entidad individual quien debe reflejar este activo en sus cuentas, atendiendo a su realidad fiscal y contable. Esta posición refuerza la importancia de la autonomía contable de las entidades en la gestión de activos por impuestos diferidos, asegurando que el registro de estos activos sea coherente con la situación fiscal individual de cada una:

> «En definitiva, será la sociedad que contabilizó el beneficio la que deberá reconocer en sus cuentas anuales individuales el gasto por impuesto sobre beneficios y el correspondiente pasivo por impuesto diferido»[317].

Y en el mismo sentido se pronuncian Bejarano Vázquez, Virginia y Corona Romero al considerar lo siguiente:

---

[317] Alonso Pérez Á, Pousa Soto R. El Impuesto sobre beneficios en la resolución del ICAC: una aplicación práctica (III). En *Revista Contable n.º 48* [...]. Op. cit. Pág. 2

«Si el grupo opta (44) por aplicar el régimen de la consolidación fiscal, este tendrá que ser delimitado conforme a lo establecido en el mencionado anteriormente artículo 67 del TRLIS. Definición del grupo fiscal. Sociedad dominante. Sociedades dependientes (45), pudiendo no ser coincidente con el que resultaría caso de acogerse al régimen general.

Al igual que en el régimen de tributación individual, el apartado 2 del artículo 70 de las nuevas NOFCAC contempla la posibilidad de que las diferencias temporarias se anulen como consecuencia de ciertos ajustes al valor razonable de los activos identificables adquiridos y de los pasivos asumidos en las eliminaciones de resultados internos previstos en el artículo 72. Eliminaciones del TRLIS (46)[318]. Asimismo, en la contabilización del impuesto a pagar, de los correspondientes activos y pasivos por impuesto sobre beneficios corriente y diferido y del gasto (ingreso) por impuesto corriente y diferido, resultará igualmente aplicable lo establecido en la NRV 13ª, teniendo en cuenta que el impuesto a pagar será el que resulte de la liquidación efectuada para el indicado grupo fiscal, debiendo establecer reglas de reparto de la cuota entre las sociedades que lo integran a efectos de formular las cuentas anuales individuales de cada una de ellas[319]».

7.6.3. RECONOCIMIENTO DEL ACTIVO Y SU RELACIÓN CON LAS BASES IMPONIBLES NEGATIVAS

En este contexto, es fundamental considerar la importancia de contabilizar el activo por impuesto diferido vinculado a las bases imponibles negativas pendientes de compensación, ya que representa en los estados financieros el derecho a aplicar dichas bases en futuros ejercicios fiscales. Sin embargo, el reconocimiento de este activo está sujeto a un criterio de probabilidad, es decir, solo se contabilizará si es «probable» que la empresa generará beneficios suficientes en el futuro que permitan la utilización de estas bases imponibles negativas:

«Con la nueva versión del Impuesto de sociedades, donde no existe limitación temporal para la compensación de bases podríamos pensar en contabilizar el crédito en cualquier caso, pues por poco optimistas que

318 Es decir, la existencia de un grupo fiscal va a implicar que, contablemente, nazcan determinados activos o pasivos por impuesto diferido que reflejaran la información relativa a las eliminaciones del grupo.

319 Bejarano Vázquez V, Corona Romero E. El Impuesto sobre Sociedades en las cuentas consolidadas. En *Partida Doble n.º 229.* 1ª Edición. Madrid. Ciss Praxis. 2011. Pág. 79-80.

seamos, entenderíamos que en algún momento la situación mejorará y podríamos compensar las bases, aunque sea en un horizonte muy lejano»[320].

Este enfoque responde a la prudencia contable, asegurando que el activo refleje únicamente el potencial de ahorro fiscal realista y no un derecho meramente teórico. Así, la empresa deberá evaluar regularmente esta probabilidad, ajustando el valor del activo por impuesto diferido en función de su capacidad proyectada de generar beneficios.

Para ello, acudimos al ICAC donde en su consulta 10 BOICAC 80/2009 nos dice que la correcta aplicación de los requisitos se interpretará de la siguiente forma:

> «1. La obtención de un resultado de explotación negativo en un ejercicio, no impide el reconocimiento de un activo por impuesto diferido. No obstante, cuando la empresa muestre un historial de pérdidas continuas, se presumirá, salvo prueba en contrario, que no es probable la obtención de ganancias que permitan compensar las citadas bases.
>
> 2. Para poder reconocer un activo debe ser probable que la empresa vaya a obtener beneficios fiscales que permitan compensar las citadas bases imponible negativas en un plazo no superior al previsto en la legislación fiscal, con el límite máximo de diez años contados desde la fecha de cierre del ejercicio en aquellos casos en los que la legislación tributaria permita compensar en plazos superiores.
>
> 3. En todo caso, el plan de negocio empleado por la empresa para realizar sus estimaciones sobre las ganancias fiscales futuras deberá ser acorde con la realidad del mercado y las especificidades de la entidad».

A estos efectos, se pronuncia la doctrina al considerar:

> «Como podemos ver, para valorar la probabilidad de compensar las bases negativas ejercicios posteriores y por tanto proceder a su contabilización, se establece el límite temporal máximo en diez años. En definitiva, a pesar de que la norma fiscal no exista limitación temporal para la compensación de bases, no debemos interpretar que el crédito se contabiliza siempre»[321].

Hay autores como Monterrey Mayoral y Sánchez Segura que consideran que los efectos de la contabilización de los créditos pueden generar efectos

---

320 MARTÍNEZ SÁNCHEZ ÁL. *Crédito por Bases Imponibles Negativas: Problemática contable.* [Internet]. Tribuna INEAF. 2015.

321 MARTÍNEZ SÁNCHEZ ÁL. *Crédito por Bases Imponibles Negativas:* [...]. Op. cit.

notables en los estados financieros, mostrándose reacios al considerar que dichos cambios sustanciales en el balance alteran los ratios de capital de las entidades, reflejando una imagen más «aseada»[322].

En cualquier caso, no cabe duda de que la posibilidad real de compensar bases imponibles negativas genera un activo por impuesto diferido, y en este sentido se pronuncian autores como Bejarano Vázquez y Corona Romero que consideran lo siguiente:

> «En el régimen de tributación individual, el cálculo del impuesto a pagar y los correspondientes activos y pasivos por impuesto sobre beneficios corriente y diferido, así como el gasto (ingreso) por impuesto corriente y diferido que figuran en las cuentas anuales individuales, serán los que se derivan de las liquidaciones tributarias realizadas de forma independiente por cada una de las sociedades que integran el grupo. En la medida que tales cuentas anuales individuales constituyen el punto de partida en el proceso de la consolidación, tal y como se representa en la Figura 1, todas las modificaciones que se realicen en dicho proceso y que afecten al valor de los activos y pasivos de las sociedades del grupo darán lugar a diferencias temporarias (21) y, por ende, al registro de activos y pasivos por impuestos diferidos nuevos, que habrán nacido en el proceso de la consolidación, o bien, a una modificación de los existentes en las cuentas anuales individuales, pudiendo llegar incluso a eliminarlos (22). Esta última situación se producirá en mayor medida en caso de tributación en el régimen consolidado, tal y como se examina más adelante.
>
> [...] A efectos del registro del nacimiento, la modificación o en su caso, de la cancelación de activos y pasivos por impuesto diferido nacidos en el proceso de la consolidación resulta plenamente aplicable lo establecido en la NRV 13ª del PGC 07. (...)»[323].

De acuerdo con la NRV citada, los activos y pasivos por impuesto corriente se valorarán por las cantidades que se espera pagar o recuperar de las autoridades fiscales, de acuerdo con la normativa vigente o aprobada y pendiente de publicación en la fecha de cierre del ejercicio.

---

322 Monterrey Mayoral J, Sánchez Segura A. Compensación fiscal de pérdidas: Determinantes de su activación, impacto en las cuentas anuales y aprovechamiento de los créditos. En *Revista de Contabilidad n.º 17* [...]. Op. cit. Pág. 18.

323 Bejarano Vázquez V, Corona Romero E. El Impuesto sobre Sociedades en las cuentas consolidadas. En *Partida Doble n.º 229* [...]. Op. cit. Pág. 70-71.

Asimismo, los activos y pasivos por impuesto diferido se valorarán según los tipos de gravamen esperados en el momento de su reversión, según la normativa que esté vigente o aprobada y pendiente de publicación en la fecha de cierre del ejercicio, y de acuerdo con la forma en que racionalmente se prevea recuperar o pagar el activo o el pasivo. En su caso, la modificación de la legislación tributaria —en especial la modificación de los tipos de gravamen— y la evolución de la situación económica de la empresa dará lugar a la correspondiente variación en el importe de los pasivos y activos por impuesto diferido.

Por otro lado, en los supuestos de bases imponibles negativas generadas en ejercicios anteriores, autores como Calvo Vergez[324] y García Novoa[325] ponen en duda el principio de seguridad jurídica, en la medida en la que se mantienen en vigor «bases imponibles negativas que generan apariencia de créditos fiscales pero que en cualquier momento se pueden revisar, sin importar de cuando procedan, ya que dichos activos fiscales presentes en los balances tendrá siempre la calificación de provisionales, pudiendo Hacienda entrar en su rectificación si lo considera improcedentes». Este enfoque plantea un desafío para las sociedades, pues la inseguridad sobre la firmeza de estos créditos fiscales en los balances introduce un grado de incertidumbre que puede afectar tanto a la planificación fiscal como a la valoración de sus activos.

7.6.4. EFECTOS FISCALES DEL RECONOCIMIENTO

Por último, reconocida la compensación de bases imponibles negativas como activos por impuesto diferido, cabría plantearse qué efectos contables y fiscales tiene el no reconocimiento de un activo/pasivo por impuesto diferido en su devengo, y su posible compensación con posterioridad. Es decir, ¿el no reconocimiento contable del crédito fiscal podría interpretarse como que el grupo fiscal ha ejercicio el derecho de no aplicarlo? Es preciso destacar la opinión de Martínez Sánchez, que compartimos, que considera que, a pesar de no haber contabilizado las bases imponibles negativas, sería posible proceder a su compensación, citando consultas del ICAC en apoyo de su opinión:

---

324 Calvo Vérgez J. *La reforma del Impuesto sobre sociedades* [...]. Op. cit. Pág. 422.

325 García Novoa C. *Iniciación, interrupción y cómputo del plazo de prescripción de los tributos*. 1ª Edición. Madrid. Marcial Pons. 2011. Pág. 49.

> «El problema nos lo encontramos cuando, tras varios ejercicios negativos, nos encontramos con uno positivo en el que queremos compensar las bases imponibles de ejercicios anteriores y, como hemos dicho, no lo tenemos contabilizado.
>
> La consulta 3 del BOICAC N° 94/2013 establece que al cierre del ejercicio se deberá contabilizar el gasto por impuesto sobre sociedades, para lo que se partirá del resultado contable antes de impuestos y realizará el ajuste correspondiente a las pérdidas fiscales que no tiene contabilizadas, lo que originará un menor impuesto corriente que se registrará en la cuenta (6300) Impuesto sobre beneficios corriente.
>
> En el supuesto de quedar cuantías pendientes de compensar en ejercicios futuros, se reconocerá el correspondiente activo siempre que resulte probable que la empresa disponga de ganancias fiscales futuras. El registro del crédito fiscal como activo por impuesto diferido se podrá realizar mediante un cargo en la cuenta (4745). Créditos por pérdidas a compensar, con abono a la (6301) Impuesto diferido.
>
> En definitiva, el hecho de no haber contabilizado el crédito no implica que no podamos reducir el impuesto a pagar este año mediante una reducción de la (6300), y si quedan aún bases por compensar, apunte que en su día no hicimos del crédito a nuestro favor, lo realizamos ahora por ese saldo pendiente»[326].

De acuerdo con lo expuesto es posible afirmar que la compensación de bases imponibles negativas debe quedar reflejada en la contabilidad individual de las entidades del grupo fiscal pero que un posible no reconocimiento del derecho de crédito no debería impedir su compensación. En todo caso, a efectos informativos también se recogen los citados Activos por Impuesto Diferido en las cuentas anuales consolidadas del grupo.

7.7. EL FUTURO CONCEPTO DE COMPENSACIÓN DE PÉRDIDAS TRANSFRONTERIZAS

Para concluir este capítulo, interesa realizar una reflexión sobre la posibilidad real de establecer un régimen de consolidación fiscal que permita la compensación de pérdidas transfronterizas bajo un futuro grupo fiscal internacional.

---

326 MARTÍNEZ SÁNCHEZ ÁL. *Compensación de bases imponibles negativas sin tener registrado el crédito por pérdidas a compensar*. [Internet]. Tribuna INEAF. 2013.

7.7.1. EL GRUPO FISCAL A NIVEL INTERNACIONAL

Como ha quedado expuesto en los apartados previos del presente trabajo, es evidente que el régimen de consolidación fiscal en España resulta cada vez más complejo, además de que cada reforma parece acercarlo más de manera paulatina a la consolidación contable, cuestión que puede dificultar más su aplicación y entendimiento. En la consolidación contable, recordemos, se permite integrar en unas únicas cuentas consolidadas todas las partidas del grupo contable. Si bien es cierto que la función de las cuentas anuales (informar) no es la misma que la del IS (hacer tributar a cada contribuyente por su capacidad económica), en ambos casos parece que existe una tendencia a reflejar al grupo como único contribuyente, sin tener en cuenta barreras de ningún tipo que perjudiquen las posibles operaciones.

De esta forma, en el nuevo mundo globalizado, el IS se aleja cada vez más de la neutralidad para pasar a interferir directamente en las decisiones de inversión como estímulo empresarial[327]. Y nos referimos a inversiones no solo en territorio español, sino también inversiones en el extranjero, ya que el grupo, a nivel contable, lo es en su conjunto con independencia de la residencia de las entidades.

En un contexto de prevalencia del grupo como sujeto único, una diversidad de regímenes tributarios en grupos de sociedades que se sitúan en distinta legislación puede vulnerar la capacidad económica del sujeto pasivo, el grupo como contribuyente. Es decir, si consideramos al grupo como sujeto pasivo del Impuesto, y también como sujeto contable único, parece necesario también considerar al grupo en sus distintas jurisdicciones, con objeto incluso de evitar una posible vulneración de las libertades comunitarias y con objeto de evitar también el gravar capacidades económicas inexistentes[328].

La consolidación, a nivel global, es lo que permitiría reflejar correctamente una unidad real, con una base imponible consolidada única y armonizada.

---

327 Botella García-Lastra C. *La armonización de la base imponible común consolidada del IS y su incidencia en el sistema tributario español* [...]. Op. cit. Pág. 26.

328 Aneiros Pereira J. La compensación de bases imponibles negativas en el Impuesto sobre Sociedades en España, en los países de la Unión Europea y en la propuesta de Directiva sobre Base Imponible Común Consolidada. En *Revista General de Derecho Europeo n.º 27* [...]. Op. cit. Pág. 3.

Como señala Sanz Gadea, «sin consolidación habría base imponible común, pero no se podría prescindir del principio de libre concurrencia ni se produciría la compensación de pérdidas»[329].

A estos efectos, parece necesario brindar la posibilidad de entender al grupo fiscal en su conjunto, incluyendo todas y cada una de sus «ramas», aun situadas en otras jurisdicciones, para dar reflejo a la verdadera capacidad económica del contribuyente, el grupo. Recordemos que, en España, con objeto de evitar cualquier discriminación posible, desde el 1 de enero de 2015, se dio un paso más para la consolidación fiscal global al permitir que los grupos fiscales pudieran estar integrados por una matriz no residente, pero teniendo en cuenta que su base imponible no se integra en la base imponible consolidada, es decir, las filiales no residentes no se integran en el grupo de consolidación fiscal.

Es innegable que el principal problema que podría surgir en este nuevo escenario de grupo fiscal transfronterizo es el «reparto» entre Estados de las pérdidas generadas por el grupo, teniendo además en cuenta que la imposibilidad de compensación de pérdidas transfronterizas se considera incluso una barrera fiscal por autores como Botella García-Lastra[330].

En cualquier caso, no debemos olvidar la continua y asentada jurisprudencia del TJUE que, en diversas ocasiones y no solo en relación con el régimen de consolidación fiscal o el tratamiento de las pérdidas, ha demostrado que las diferencias entre residentes y no residentes son más que inoperantes[331].

Resulta, por tanto, complejo, luchar contra la posible discriminación y el problema del reparto de las pérdidas en cada Estado, además con la necesidad de reforzar el control tributario en cada Estado para evitar el traslado de pérdidas de unos Estados a otros con la única intención de obtener ventajas

---

329 Sanz Gadea E. Propuesta de directiva del Consejo relativa a una base imponible común consolidad del impuesto sobre sociedades (sistema CCCTB): el largo camino hacia una propuesta de Directiva. En *Revista de Contabilidad y Tributación n.º 345*. 1ª Edición. Madrid. CEF. 2011. Pág. 26.

330 Botella García-Lastra C. *La armonización de la base imponible común consolidada del IS y su incidencia en el sistema tributario español* [...]. Op. cit. Pág. 44.

331 *Ibid.* Pág. 11 y Serrano Antón F. Hacia una reformulación de los principios de sujeción fiscal. En *Instituto de Estudios Fiscales n.º 18*. 1ª Edición. Madrid. Instituto de Estudios Fiscales. 2006.

fiscales (por ejemplo, en función de los tipos impositivos), y al mismo tiempo, intentar dar reflejo al grupo como contribuyente real y único en todas las jurisdicciones.

Y en este contexto, recuérdese que, por ejemplo, el artículo 22 de la LIS, en relación con la deducibilidad de las pérdidas de establecimientos permanentes (entes cuya renta se integra en la casa matriz, de forma similar a un grupo fiscal), la norma excluye expresamente la posibilidad de deducción de estas pérdidas procedentes del extranjero.

Teniendo en cuenta lo anterior, bajo este contexto y a nivel comunitario, parece que nació la propuesta de Directiva BICCIS (sin éxito finalmente para su aprobación), acompañando a la propuesta de Directiva BICIS[332] (cuya aprobación también fue un fracaso), con objeto de tratar de poner solución a esta problemática y que, en principio, podría servir para paliar los defectos existentes en la actualidad.

Sin embargo, es cierto que, con la actual normativa de los distintos Estados miembros, incluida la normativa española, podría resultar un tanto compleja la incorporación de forma inmediata de cualquier legislación europea, al no existir una homogeneización del régimen de consolidación fiscal a nivel europeo.

En cualquier caso, estos intentos parecen un primer paso en la configuración del «grupo fiscal europeo», teniendo en cuenta además que ya a nivel contable este avance fue implementado por los distintos Estados miembros a través de la armonización contable desde 2005 con las NIIF/NIC, aplicable en España, como sabemos, de forma obligatoria en la configuración de las cuentas consolidadas de los grupos cotizados, y de forma voluntaria para el resto de grupos. Esta armonización contable ya implementada y completamente asumida por los Estados miembros podría favorecer a un contexto de armonización fiscal[333]. Y en este sentido, tómese de ejemplo la Directiva (UE) 2022/2523 del Consejo de 15 de diciembre de 2022 relativa a la ga-

---

332 La Comisión Europea aprobó una comunicación al Parlamento Europeo y al Comité Económico y Social europeo de 19 de diciembre de 2006 (COM 2006/824) para trabajar en la propuesta BICCIS.

333 Botella García-Lastra C. *La armonización de la base imponible común consolidada del IS y su incidencia en el sistema tributario español* [...]. Op. cit. Pág. 37

rantía de un nivel mínimo global de imposición para los grupos de empresas multinacionales y los grupos nacionales de gran magnitud en la Unión, implementada recientemente en España a través de la Ley 7/2024, de 20 de diciembre, por la que se establecen un Impuesto Complementario para garantizar un nivel mínimo global de imposición para los grupos multinacionales y los grupos nacionales de gran magnitud[334], que incorpora como normativa contable base principalmente la recogida en las NIIF/NIC.

Es indudable que la regulación del IS por cada Estado miembro y, en concreto, del régimen de consolidación fiscal, pone de manifiesto la necesidad de unificar criterios de cara a proceder a la compensación de pérdidas entre distintos Estados, especialmente cuando la compensación no proceda de una «pérdida definitiva».

7.7.2. EL CONCEPTO JURISPRUDENCIAL DE «PÉRDIDA DEFINITIVA» A NIVEL COMUNITARIO

En el ámbito de la compensación de pérdidas transfronterizas dentro de la Unión Europea, el TJUE ha desarrollado el concepto de «pérdida definitiva». Este concepto se refiere a aquellas pérdidas que pueden ser deducidas por las sociedades matrices en un Estado miembro cuando las filiales no residentes no pueden compensar dichas pérdidas en su propio Estado miembro de residencia. La doctrina de las «pérdidas definitivas» ha sido plasmada en diversas sentencias del TJUE, y su objetivo principal es evitar tanto la doble compensación de pérdidas como la no compensación de las mismas en ninguna jurisdicción.

El TJUE ha establecido que una «pérdida definitiva» es aquella en la que la filial no residente ha agotado todas las posibilidades de tomar en cuenta las pérdidas incurridas en su Estado de residencia, tanto en el período impositivo correspondiente a la solicitud de consolidación como en ejercicios anteriores. Esto incluye la transferencia de dichas pérdidas a un tercero o la imputación de estas a los beneficios obtenidos por la filial en ejercicios ante-

---

334 [...] un Impuesto sobre el margen de intereses y comisiones de determinadas entidades financieras y un Impuesto sobre los líquidos para cigarrillos electrónicos y otros productos relacionados con el tabaco, y se modifican otras normas tributarias.

riores. Además, no debe existir la posibilidad de que las pérdidas de la filial extranjera puedan ser tenidas en cuenta en su Estado de residencia en ejercicios futuros, ya sea respecto de ella misma o de un tercero, especialmente en caso de cesión de la filial.

El TJUE ha considerado desproporcionado que el Estado de residencia de la sociedad matriz excluya la posibilidad de que esta compute las pérdidas de una filial no residente que se consideran definitivas. Por ejemplo, en la sentencia de 13 de diciembre de 2005, asunto C-446/03, se determinó que es contrario al Derecho de la Unión Europea excluir la posibilidad de deducir las pérdidas por la matriz cuando la filial no residente haya agotado todas las vías de compensación.

Asimismo, en la sentencia del TJUE de 4 de julio de 2018, asunto C-28/17 (Caso Skatteministeriet), se interpretó que el artículo 49 del TFUE no se opone, en principio, a una legislación nacional que autoriza a las sociedades residentes de un grupo a deducir de sus resultados consolidados las pérdidas de un establecimiento permanente residente de una filial no residente, siempre que las normas aplicables en el Estado miembro de la filial no permitan deducir tales pérdidas. Sin embargo, el artículo 49 del TFUE se opone a dicha legislación si su aplicación priva al grupo de toda posibilidad efectiva de deducir tales pérdidas de sus resultados consolidados.

En la sentencia de 12 de junio de 2018, asunto C-650/16, se reafirmó el criterio de que es desproporcionado impedir que la matriz compense una pérdida cuando el establecimiento permanente ha cesado su actividad y las pérdidas no pueden ser deducidas en el Estado miembro del establecimiento permanente.

Por otro lado, en la sentencia de 19 de junio de 2019, asunto C-608/17, se estableció que el concepto de pérdidas definitivas de una filial no residente no se aplica a una filial de ulterior nivel, a menos que todas las sociedades intermedias entre la matriz y la filial de ulterior nivel sean residentes en el mismo Estado miembro. Además, se destacó que la imposibilidad de transferir pérdidas a otro sujeto pasivo en el año de liquidación no es determinante, a menos que la sociedad matriz demuestre que es imposible materializar el valor de dichas pérdidas.

Finalmente, en la sentencia de 27 de febrero de 2020, asunto C-405/18, se analizó la posibilidad de que una entidad que ha trasladado su sede de dirección efectiva y residencia fiscal a otro Estado miembro deduzca una pérdida fiscal generada mientras era residente fiscal en el Estado de origen. El TJUE concluyó que el artículo 49 del TFUE no se opone a la normativa de un Estado miembro que excluye esta posibilidad, dado que la sociedad está sometida sucesivamente a la competencia fiscal de dos Estados miembros.

En resumen, como se desprende de la jurisprudencia comunitaria, el concepto de «pérdida definitiva» desarrollado por el TJUE busca garantizar que las pérdidas reales no queden sin compensación en ninguna jurisdicción, evitando al mismo tiempo la doble deducción de pérdidas. Este concepto es fundamental para entender la compensación de pérdidas transfronterizas en la Unión Europea y su aplicación en la jurisprudencia comunitaria.

En este contexto, es evidente que la falta de regulación sobre la compensación transfronteriza de pérdidas podría suponer que los beneficios y las pérdidas de los grupos sean repartidos entre distintos Estados, generando, en palabras de Aneiros Pereira «situaciones de planificación fiscal fraudulenta o, también, que las sociedades y los grupos paguen impuestos sobre sociedades superiores a lo que se deriva de sus resultados a nivel comunitario»[335].

De esta forma, proceder en la actualidad a compensar pérdidas que no tengan carácter de definitivas, requeriría de una puesta en común por los Estados: «Solo una solución general de acuerdo con la cual las empresas puedan aplicar una base imponible consolidada del impuesto sobre sociedades para sus actividades a escala comunitaria proporcionará una solución práctica y a largo plazo que permita, de una parte, eliminar los obstáculos que las diferentes normativas genera en el mercado interior y, de otra, explorar al máximo la capacidad del mercado interpori para lograr los objetivos de Lisboa»[336].

---

335 Aneiros Pereira J. La compensación de bases imponibles negativas en el Impuesto sobre Sociedades en España, en los países de la Unión Europea y en la propuesta de Directiva sobre Base Imponible Común Consolidada. En *Revista General de Derecho Europeo n.º 27* [...]. Op. cit. Pág. 6

336 Botella García-Lastra C. *La armonización de la base imponible común consolidada del IS y su incidencia en el sistema tributario español* [...]. Op. cit. Pag. 36.

7.7.3. INCIPIENTE REGULACIÓN Y ENCAJE

Como se indicaba, en este contexto nacieron las Propuestas de Directivas BICIS y BICCIS, que pretenden una armonización real del IS en la búsqueda de un disfrute conjunto de los resultados en función de dónde se generan, estableciéndose también un reparto de las pérdidas.

Como se indicaba, en el intento de que alguna propuesta pueda tener éxito algún día, podría solucionar muchos conflictos una remisión expresa a la normativa contable internacional, con objeto de evitar que la propuesta se limite a ser como la antigua ley del IS que desglosaba qué se entendía por gasto y qué por ingreso[337], en línea con la Directiva (UE) 2022/2523 del Consejo de 15 de diciembre de 2022, implementada en España a través de la Ley 7/2024, de 20 de diciembre. Esta armonización evitaría que una renta pudiera tener distinta calificación contable, diferente calificación por tanto entre empresas que aplicarían la propuesta y las que no estarían obligadas.

En este sentido, «Aun cuando la BICCIS no parte del resultado contable para su determinación, la contabilización de las diferencias temporarias, tanto a nivel individual como consolidado, puede ser una herramienta adecuada para comprobar los ajustes por homogeneizaciones, eliminaciones de resultados, plusvalías y minusvalías por aplicación del método de consolidación, así como el reconocimiento del fondo de comercio de consolidación»[338].

Aunque actualmente no hayan prosperado las actuales propuestas, es interesante destacar algunos preceptos relativos a las pérdidas intragrupo, cuya aceptación y puesta en común por parte los Estados miembros es cuanto menos compleja[339], ya que probablemente se incluyan en la propuesta de Directiva BEFIT que las sustituye.

---

337 *Ibid.* Pág. 80 y 305-306.

338 *Ibid.* Pág. 318.

339 Gil García E. *El futuro del Impuesto sobre Sociedades en la Unión Europea: a vueltas con la BICCIS.* [Internet]. Legaltoday. 2018.

Tal y como se indica en la Exposición de motivos de las propuestas, resulta relevante abordar las cuestiones de forma común, con objeto de poner solución a la problemática existente:

> «La mayoría de los aspectos fundamentales del sistema de la BICCIS solo pueden abordarse mediante una acción colectiva. Por ejemplo, las asimetrías en la calificación jurídica de las entidades o los pagos, causantes de la doble imposición o la no imposición, quedarían erradicadas de las relaciones entre sociedades que aplicaran normas comunes del impuesto sobre sociedades. La actuación de los Estados miembros por separado solo permitiría resolver estas cuestiones en un plano bilateral, en el mejor de los casos. Por definición, la compensación de pérdidas transfronteriza podría ser más eficaz si todos los Estados miembros se comprometieran a aplicar normas comunes, si bien no cabe excluir el planteamiento bilateral como segunda opción. Además, las reestructuraciones exentas de impuestos en el interior de un grupo, la eliminación de los precios de transferencia intragrupo complejos, así como el reparto de los ingresos mediante la aplicación de una fórmula a nivel de un grupo tienen una dimensión transfronteriza y solo pueden abordarse en un contexto reglamentario común».

En particular, podemos destacar el artículo 42 «Compensación por pérdidas y recuperación» en la Propuesta de Directiva BICIS que se pronunciaba de la siguiente forma:

> «1. Un contribuyente residente que siga teniendo beneficios después de deducir sus propias pérdidas con arreglo al artículo 41 podrá deducir además las pérdidas sufridas, en el mismo ejercicio fiscal, por sus filiales consolidables inmediatas, en el sentido del artículo 3, apartado 1, o por un establecimiento o establecimientos permanentes situados en otros Estados miembros. Esta compensación por pérdidas se concederá por un periodo de tiempo limitado de conformidad con lo dispuesto en los apartados 3 y 4 del presente artículo.
>
> 2. La deducción será proporcional a la participación del contribuyente residente en sus filiales consolidables en el sentido del artículo 3, apartado 1, e íntegra para los establecimientos permanentes. La reducción de la base imponible del contribuyente residente no dará lugar en ningún caso a un importe negativo.
>
> 3. Los contribuyentes residentes deberán volver a añadir a su base imponible, hasta el importe previamente deducido en concepto de pérdida, cualquier beneficio ulterior obtenido por sus filiales consolidables en el sentido del artículo 3, apartado 1, o por sus establecimientos permanentes.

> 4. Las pérdidas deducidas con arreglo a los apartados 1 y 2 serán automáticamente reincorporadas en la base imponible del contribuyente residente en cualquiera de las circunstancias siguientes:
>
> a) cuando, al final del quinto ejercicio fiscal posterior al momento en que las pérdidas pasaron a ser deducibles, no se haya reincorporado ningún beneficio o los beneficios reincorporados no se correspondan con el importe total de las pérdidas deducidas;
>
> b) cuando la filial consolidable en el sentido del artículo 3, apartado 1, se venda, se liquide o se transforme en un establecimiento permanente;
>
> c) cuando el establecimiento permanente se venda, se liquide o se transforme en una filial;
>
> d) cuando la sociedad matriz ya no cumpla los requisitos establecidos en el artículo 3, apartado 1».

Como se puede observar, la medida regulaba una auténtica «ventaja» de compensación de pérdidas transnacionales[340], aunque parece que la misma es temporal, por la obligación de reversión a los cinco años, salvo que estas pérdidas puedan calificar como definitivas, en línea con lo expuesto en el apartado anterior en relación con el citado concepto.

Esta posibilidad de compensación parece ir unida a evitar una doble compensación de las pérdidas, de tal forma que, si la entidad filial no residente genera beneficios, con objeto de evitar una doble compensación en dos países distintos, debe procederse a reversión en la entidad que dotó lo que se asimila a un «deterioro» fiscal del valor. No se especifica si el mismo debiese o no estar contabilizado para su consideración fiscal. Ello teniendo en cuenta que del contenido de las Propuestas no parece que se desprenda la existencia de un principio de inscripción contable como sí existe en la LIS.

En cualquier caso, la posibilidad que se otorga revierte a los 5 años, por lo que las citadas pérdidas en realidad no consolidan como definitivas, en línea con la jurisprudencia comunitaria.

Asimismo, en la Propuesta BICCIS, se permite el reparto del «crédito fiscal» o compensación intragrupo entre las entidades que forman parte del mismo.

---

340 BOTELLA GARCÍA-LASTRA C. *La armonización de la base imponible común consolidada del IS y su incidencia en el sistema tributario español* [...]. Op. cit. Pág. 1

Sin embargo, las pérdidas pregrupo no se tienen en cuenta en el nuevo grupo, aunque sí pueden detraerse de la llamada «cuota parte»[341]. En concreto, detalla la Propuesta lo siguiente en la Exposición de motivos:

> «Reorganizaciones empresariales e imposición de las pérdidas y las plusvalías no realizadas (no varía respecto de la propuesta de 2011). El marco propuesto implica fundamentalmente el tratamiento de las pérdidas y de las plusvalías no realizadas al incorporarse al grupo o al abandonarlo).
>
> Cuando una sociedad se incorpore al grupo, las pérdidas de explotación anteriores a la consolidación se trasladarán a ejercicios posteriores a fin de compensarlas con su cuota parte. Cuando una sociedad abandone el grupo, no se le imputarán las pérdidas registradas durante el periodo de consolidación. La presente propuesta perfecciona la norma de 2011: en caso de reorganizaciones más amplias en que varias sociedades deban abandonar un grupo que registra pérdidas, se fija un umbral para determinar las condiciones en las que las sociedades ya no tendrán que abandonar un grupo sin pérdidas, sino que se producirá una asignación de pérdidas en todo el grupo consolidado».

El hecho de que las pérdidas generadas con anterioridad a la entrada del grupo no se tengan en cuenta en el propio grupo fiscal va en contra de la idea de grupo fiscal, de unidad, propia de los grupos[342].

Asimismo, con la salida del grupo tampoco se pueden compensar las pérdidas generadas por la sociedad que las genera, son pérdidas del grupo[343]. Autores como Botella García-Lastra consideran que deberían distribuirse las pérdidas al salir del grupo ya que podrían comportar «aprovechamientos indebidos con vistas a una ulterior redistribución de las mismas entre los miembros del grupo»[344].

Establece el artículo 23 de la Propuesta de directiva BICCIS una especialidad en relación con las organizaciones de grupo:

---

341 Artículo 15 de la Propuesta de Directiva BICCIS.

342 Aneiros Pereira J. La compensación de bases imponibles negativas en el Impuesto sobre Sociedades en España, en los países de la Unión Europea y en la propuesta de Directiva sobre Base Imponible Común Consolidada. En *Revista General de Derecho Europeo n.º 27* [...]. Op. cit. Pág. 27.

343 Artículo 18 de la Propuesta de Directiva BICCIS.

344 Botella García-Lastra C. *La armonización de la base imponible común consolidada del IS y su incidencia en el sistema tributario español* [...]. Op. cit. Pág. 207.

«1. Cuando, como resultado de una reorganización empresarial, uno o varios grupos, o dos o más miembros de un grupo, pasen a formar parte de otro grupo, toda pérdida no compensada del grupo o grupos existentes previamente se atribuirá a cada uno de los miembros de este grupo o grupos, de conformidad con el capítulo VIII y sobre la base de los factores tal como se encuentren al final del ejercicio fiscal en el que tenga lugar la reorganización empresarial. Las pérdidas no compensadas del grupo o grupos existentes previamente se trasladarán a ejercicios posteriores.

Cuando dos o más miembros de un grupo pasen a formar parte de otro grupo, las pérdidas no compensadas del primer grupo se atribuirán tal como se indica en el párrafo primero, a condición de que el valor conjunto del factor activos y del factor mano de obra de los miembros salientes del grupo suponga menos del 20 % del valor de esos dos factores para el primer grupo en su totalidad.

2. Cuando dos o más contribuyentes principales se fusionen en el sentido de los incisos i) y ii) del artículo 2, letra a), de la Directiva 2009/133/CE 15 del Consejo, toda pérdida no compensada de un grupo se atribuirá a sus miembros, de conformidad con el capítulo VIII, sobre la base de los factores tal como se encuentren al final del ejercicio fiscal en que tenga lugar la fusión. Las pérdidas no compensadas se trasladarán a ejercicios posteriores».

Este precepto recoge una norma similar a nuestro actual artículo 74.3 de la LIS.

Asimismo, como adelantábamos, el proyecto no regula un principio de inscripción contable qué sí existe en el régimen general del IS en España, pero que parece quedar desdibujado bajo el artículo 62.1.a) de la LIS en el régimen de consolidación fiscal. Ello es relevante en la medida en la que el régimen fiscal permitiría incluso alejarse de los apuntes contables para reconocer las pérdidas.

A pesar de que actualmente no hayan prosperado las propuestas, es interesante ver como la legislación europea busca establecer una base imponible consolidada común, considerando incluso el reparto de pérdidas entre Estados miembros, de una forma parecida a la legislación española, con objeto de alcanzar un concepto de contribuyente grupo fiscal a nivel internacional.

En cualquier caso, no hay que olvidar que todo este tipo de políticas se hacen en un contexto cada vez más complejo, donde, aunque los gobiernos y organismos internacionales proclaman su compromiso para combatir la evasión y elusión fiscal de las grandes empresas, en la práctica, los avances en materia de fiscalidad internacional parecen más una estrategia política que una solución efectiva, ya que los Estados priorizan sus propios intereses económicos sobre la cooperación global[345].

345 Esteve Pardo ML. La problemática limitación de la exención de dividendos y rentas positivas derivadas de la transmisión de participaciones en los fondos propios de entidades. En *Revista española de Derecho Financiero n.º 192.* 1ª Edición. Madrid. Civitas. 2021. Pág. 13.

TERCERA PARTE: SALIDA DE LA RENTA NEGATIVA

Capítulo 8
DESTINO DE LOS TRES CONCEPTOS DE RENTA NEGATIVA EN CASO DE SEPARACIÓN/EXTINCIÓN DEL GRUPO FISCAL O DE LAS ENTIDADES DEL GRUPO FISCAL

Tras el análisis del tratamiento de las pérdidas en el régimen de consolidación fiscal y las diferentes fases de su compensación, conviene recoger un capítulo específico al destino de las citadas pérdidas en caso de extinción o salida de la entidad del grupo fiscal, con el objeto de hacer un seguimiento completo al destino de las citadas pérdidas fiscales desde su «nacimiento» hasta su compensación plena o «desaparición».

8.1. EXTINCIÓN Y PÉRDIDA DEL RÉGIMEN CON CARÁCTER GENERAL: DESTINO DE LAS PÉRDIDAS

8.1.1. CASOS DE RUPTURA Y EXTINCIÓN DEL GRUPO FISCAL

El artículo 73 de la LIS regula específicamente los supuestos en los que deja de ser aplicable el régimen de consolidación fiscal, estableciendo exclusivamente los siguientes.

En primer lugar, el régimen deja de ser aplicable si alguna de las entidades integrantes del grupo fiscal se encuentra en alguna de las circunstancias que, según lo establecido en la LGT, determinan la aplicación del método de estimación indirecta. En segundo lugar, el régimen también se pierde por el incumplimiento de las obligaciones de información contable a nivel consolidado exigidas por la LIS.

La pérdida del régimen de consolidación fiscal se produce con efectos desde el período impositivo en el que ocurra alguna de las causas descritas. En tal caso, las entidades integrantes del grupo fiscal deberán tributar bajo el régimen individual en dicho período. Esto implica una pérdida del régimen por aplicación directa de los supuestos contemplados en la LIS, y tendrá un impacto significativo en los créditos fiscales pendientes, como se analizará a continuación.

Además de lo anterior, puede darse el caso de que, aunque el régimen de consolidación fiscal siga siendo aplicable, una de las entidades deje de formar parte del grupo. Esto puede ocurrir, por ejemplo, si se produce la venta o extinción de una de las entidades dependientes. En tal situación, el grupo fiscal continúa aplicando el régimen de consolidación y, en el caso de extinción de la sociedad, la base imponible generada hasta su disolución se integra en la base imponible consolidada del grupo[346].

Adicionalmente, puede ocurrir la extinción del propio grupo fiscal. Conforme a lo indicado en el artículo 58.6 de la LIS, el grupo fiscal se extinguirá cuando la entidad dominante pierda dicho carácter. No obstante, no se ex-

---

346 Si la extinción generara renta negativa en el socio «transmitente» por la «transmisión» de las participaciones, dicha renta negativa será deducible conforme con el artículo 21.8 de la LIS y en los términos del artículo 62.2 de la LIS, como se ha detallado en apartados previos del trabajo.

tinguirá el grupo fiscal si la entidad dominante pierde tal condición y se convierte en no residente en territorio español, siempre que se cumplan las condiciones para que todas las entidades dependientes sigan constituyendo un grupo de consolidación fiscal, a menos que se incorporen a otro grupo fiscal.

La extinción del grupo fiscal supone la integración de todas las plusvalías que se han diferido mediante la aplicación del régimen[347], salvo que se den las circunstancias previstas en el artículo 74.3 de la LIS, que se analizarán en apartados posteriores[348].

En cualquiera de los casos expuestos, los créditos fiscales deben asignarse a cada entidad que los ha generado, como se detalla en el apartado siguiente. En el caso de liquidación de las sociedades, los créditos fiscales provenientes de las bases imponibles negativas, así como de deducciones, se asignarán a dicha sociedad y podrán ser objeto de aprovechamiento en el devengo del Impuesto sobre Sociedades que corresponda con la fecha de liquidación de dicha sociedad[349].

8.1.2. EFECTOS DE LA SALIDA O EXTINCIÓN DEL GRUPO FISCAL

Es relevante comprender los efectos de la salida de una sociedad del grupo fiscal o la extinción de este, especialmente en relación con el tratamiento de las pérdidas generadas, basado en el artículo 74 de la LIS.

347 Una cuestión importante que volvemos a resaltar es que, de acuerdo con el artículo 65.1 de la LIS, los resultados eliminados se incorporan a la base imponible individual de la entidad que hubiera generado el resultado y deje de formar parte del grupo fiscal, en el periodo impositivo en el que se produzca la extinción. Esta matización es importante porque no es este el criterio que se sigue conforme con las NOFCAC, en su artículo 42.4, ya que, de acuerdo con la interpretación contable, la salida de la entidad que ha vendido un activo a otra sociedad del grupo, no supone integración de renta, en la medida en que contablemente el activo continuaría dentro del grupo (López Llopis E. *El régimen especial de consolidación fiscal en el Impuesto sobre Sociedades* [...]. Op. cit. Pág. 199-200).

348 De acuerdo con la V5421-16, el artículo 74.3 de la LIS no es de aplicación de forma parcial, es decir, o todas las entidades del grupo aplican dicho precepto, o los resultados deberán ser incorporados para formar parte del nuevo grupo fiscal cada sociedad de forma individual.

349 V0043-17 y V5064-16.

a) Reparto de créditos fiscales

Cuando una sociedad abandona el grupo fiscal, se debe proceder al reparto de los créditos fiscales generados, teniendo en cuenta que el resto de las entidades continúan tributando bajo el régimen de consolidación fiscal[350].

De igual manera, cuando se produce la extinción del grupo fiscal, se aplica el mismo criterio de reparto de créditos fiscales. Según el artículo 74.1 de la LIS, respecto a las pérdidas generadas durante la vigencia del grupo como créditos fiscales, se establece la siguiente forma de compensación:

> «El derecho a la compensación de las bases imponibles negativas del grupo fiscal pendientes de compensar, en la proporción que hubieren contribuido a su formación. La compensación se realizará con las bases imponibles positivas que se determinen en régimen individual de tributación en los períodos impositivos siguientes».

Como se ha indicado, el régimen de consolidación fiscal se aplica de forma indefinida, pero puede cesar por diversas razones: renuncia voluntaria, pérdida del derecho a su aplicación (por falta de presentación de declaraciones, incumplimientos sustanciales de deberes contables, o incumplimiento de deberes de información), o extinción del grupo debido a la pérdida del carácter de entidad dominante. En tales casos, de acuerdo con el artículo 73.2 de la LIS, el régimen deja de aplicarse en el mismo ejercicio en que se producen los incumplimientos, repartiendo desde ese momento los créditos fiscales en la proporción en la que hayan contribuido a generarlos.

En el caso de las bases imponibles negativas, solo se consideran las bases negativas que cada sociedad haya aportado en ejercicios en los que el grupo fiscal también haya tenido bases negativas (es decir, cuando se hubiera generado una base imponible negativa del grupo fiscal). Las bases imponibles negativas generadas en un ejercicio en el que la base del grupo haya sido positiva o nula no deben computarse, ya que estas se compensan automáticamente en el mismo ejercicio con las bases imponibles positivas generadas por el resto de las entidades del grupo. Esto se debe a que, como se ha expuesto, la base imponible del grupo se calcula mediante la agregación de las bases imponibles individuales, de manera que las negativas ya se compensan con las positi-

[350] Calvo Vérgez J. *La Fiscalidad de los Grupos de Empresas en el Impuesto sobre Sociedades* [...]. Op. cit. Pág. 401.

vas. Posteriormente, de acuerdo con la mecánica de liquidación del impuesto, se compensan las bases negativas procedentes de ejercicios anteriores (con independencia de que surgieran créditos, no tributarios, entre las partes, por la «concesión» de bases negativas en favor de las entidades que tenían base positiva y que deberían haber tributado bajo el régimen individual).

Es evidente que el reparto de créditos fiscales debe respetar el principio de capacidad contributiva y el principio de capacidad económica. Desde una perspectiva tributaria lógica, cada sociedad que se separa del grupo fiscal debe retirar lo que ha aportado. Esto es coherente con el principio de neutralidad, ya que, aunque el resultado eliminado aparezca en los estados contables de una de las entidades en el periodo impositivo en que tuvo lugar la operación, desde una perspectiva fiscal estricta, es el propio grupo quien obtuvo el resultado. Y así se pronuncia la doctrina, al indicar:

> «En mi opinión no hay duda de que este modelo de proceder resulta razonable en términos generales, puesto que, «desde una lógica tributaria [...] la idea de que cada sociedad separada del grupo fiscal retire de este lo que a él ha aportado [...] resuena como algo que encaja bien con el principio de neutralidad [...]
>
> Se trata en definitiva, de optar por un criterio acorde con la naturaleza unitaria del grupo y con la idea de que, si bien el resultado eliminado afloró en los estados contables de una de las entidades que lo conforman en el periodo impositivo en que tuvo lugar la operaciones de la que el mismo procede, desde una perspectiva estrictamente fiscal es el propio grupo quien obtuvo el resultado, y ello con independencia de que la tributación sobre el mismo queda diferida en el tiempo por expresa disposición de la norma»[351].

d) Bases imponibles negativas pregrupo

En relación con las bases imponibles negativas generadas por la sociedad antes de su incorporación al grupo (pregrupo) y durante su pertenencia al grupo, la conclusión es que todas deben ser repartidas de manera proporcional, como ya se ha expuesto en apartados previos. La referencia en la letra b) del artículo 74.1 de la LIS a las bases imponibles negativas incluye tanto las generadas por el propio grupo fiscal como las individuales previas:

---

351 López Llopis E. *El régimen especial de consolidación fiscal en el Impuesto sobre Sociedades* [...]. Op. cit. Pág. 345-346.

> «La conclusión a la que llegamos es que la referencia efectuada en la letra b) del artículo 74.1 LIS a las bases imponibles negativas abarca tanto las BINs generadas por el propio grupo de empresas como las BINs individuales previas»[352].

No debería resultar complejo llevar a cabo un reparto equitativo de las pérdidas generadas en el grupo, siempre que las entidades hayan llevado un correcto control cada año de las pérdidas generadas por cada sociedad y de los créditos intragrupo generados por las entidades a través de los supuestos de compensación de pérdidas intraperiódicas:

> «Tal y como declarase la DGT en su contestación a Consulta de 8 de febrero de 2002, si a lo largo del periodo impositivo en el que se produjese la pérdida del régimen de consolidación fiscal o la extinción del grupo fiscal existiesen bases imponibles negativas generadas por dicho grupo pendientes de compensar, éstas podrían ser compensadas por las sociedades que lo integrasen en la proporción en la que hubieran contribuido a su formación.
>
> Como es lógico, dicha compensación habría de tener lugar con las rentas positivas correspondientes a las futuras autoliquidaciones del Impuesto a presentar según el régimen individual [...]
>
> [...] se plantea la cuestión de la distribución entre las distintas entidades integrantes del mismo de terminadas partidas que el grupo pudiera llegar a tener pendientes de aplicar»[353].

De hecho, contablemente, las entidades deben haber registrado los créditos fiscales en proporción a su generación[354]. En general, dicha contabilización ya se habrá producido en cada ejercicio y en cada sociedad, siempre que se prevea razonablemente que la compensación futura se producirá. Si es la matriz la que tiene reflejado dicho crédito, se deberá reasignar la parte correspondiente con contrapartida al IS. Asimismo, cada sociedad del grupo debe tener registrado en sus cuentas los créditos o deudas con el resto de las sociedades, derivados de las diferencias entre lo que hubieran pagado por el

---

352 *Ibid.* Pág. 346. López Alberts H. *Consolidación contable y fiscal de los grupos de sociedades.* 1ª Edición. Madrid. Ciss. 2004. Pág. 1102.

353 Calvo Vérgez J. *La Fiscalidad de los Grupos de Empresas en el Impuesto sobre Sociedades* [...]. Op. cit. Pág. 397-399.

354 Resolución del ICAC de 9 de febrero de 2016.

IS de haber tributado individualmente y lo que realmente pagaron bajo el régimen consolidado[355].

e) Salida de la sociedad del grupo y compensación de renta negativa

Como se ha puesto de manifiesto, la salida de una sociedad del grupo implica que, si no es posible compensar todas sus bases imponibles negativas pre y post consolidación, estas se pierdan. En este sentido, es relevante aclarar si, con la extinción de la sociedad, será posible compensar sin limitación las bases imponibles negativas, teniendo en cuenta la «libertad» de compensación que habilita el artículo 26 de la LIS en casos de extinción para el régimen general. Pues bien, la DGT en su consulta V1543-24, de 24 de junio, ha aclarado este punto, indicando que:

> «En el supuesto concreto planteado en el escrito de consulta, una interpretación sistemática y razonable de la norma exige tener en consideración para la cuantificación del límite adicional a la compensación previsto en el artículo 67 e) de la LIS, la compensación sin límite que establece el artículo 26 de la LIS en el periodo impositivo en que se produzca la extinción de la entidad C. Asimismo, a efectos de determinar el referido límite adicional se tomarán en consideración tanto las bases imponibles negativas de preconsolidación generadas por la entidad C, como las bases imponibles negativas generadas en el grupo a cuya formación hubiese contribuido la entidad C y cuya atribución se produzca con ocasión de su extinción por aplicación de lo dispuesto en el artículo 74.1.b) 5° de la LIS en los términos previamente señalados».

Es decir, la DGT confirma la aplicación en este caso, de la «libertad» de aplicación de las bases imponibles negativas en la extinción, todo en línea con la necesidad de equiparar al contribuyente grupo fiscal con el contribuyente que tributa a nivel individual.

Por último, en relación con la salida de una entidad del grupo fiscal, cabe mencionar de nuevo la aplicación del precepto 62.2 de la LIS que establece lo siguiente[356]:

---

355 Resolución del ICAC de 9 de febrero de 2016.

356 «El importe de las rentas negativas derivadas de la transmisión de la participación de una entidad del grupo fiscal que deje de formar parte del mismo se minorará por la parte de aquel que se corresponda con bases imponibles negativas generadas dentro del grupo fiscal por la entidad transmitida y que hayan sido compensadas en el mismo».

> «El importe de las rentas negativas derivadas de la transmisión de la participación de una entidad del grupo fiscal que deje de formar parte del mismo se minorará por la parte de aquel que se corresponda con bases imponibles negativas generadas dentro del grupo fiscal por la entidad transmitida y que hayan sido compensadas en el mismo».

El citado precepto, que ya advertíamos que había quedado casi sin aplicación, sí sería aplicable en caso de extinción de una entidad del grupo (en línea con el artículo 21.8 de la LIS).

Cabría preguntarse si el mismo se refiere o no a las bases imponibles negativas generadas previa incorporación al grupo. Es decir, si el grupo fiscal ha compensado bases imponibles negativas previas generadas por una entidad del grupo y, posteriormente, dicha entidad se extingue, cabría plantear si la misma ha de ser objeto de minoración en el resultado negativo generado por la sociedad participada de acuerdo con el artículo 62.2 de la LIS. El precepto establece la limitación a la renta negativa solo en relación con bases imponibles negativas generadas y compensadas en el seno del grupo. No parece, por tanto, que la renta negativa deba minorarse por las bases imponibles negativas pregrupo compensadas, y más teniendo en cuenta que las citadas bases negativas previas fueron créditos fiscales por los que ya «pagó» la entidad adquirente de la sociedad que dispone de los citados créditos fiscales al adquirir la entidad.

Esta cuestión ha sido aclarada por la consulta de la DGT previamente citada, la V1543-24, de 24 de junio, de la que se deduce un pronunciamiento en línea con lo expuesto.

En cualquier caso, lo que parece claro es que la referencia del precepto «bases imponibles negativas compensadas en el grupo» no se refiere a la compensación intraperiódica, sino a las bases imponibles negativas del grupo como crédito fiscal.

En conclusión, la salida de una sociedad del grupo fiscal o la extinción del mismo tiene efectos significativos en la gestión y compensación de las pérdidas generadas. Es fundamental llevar un control preciso de las pérdidas generadas y los créditos fiscales intragrupo para garantizar un reparto equitativo y conforme a la normativa vigente.

8.1.3. MOMENTO TEMPORAL EN EL QUE DESPLIEGA SUS EFECTOS LA EXTINCIÓN DEL GRUPO

La LIS sí establece cuándo despliega efectos la pérdida del derecho a aplicar el régimen de consolidación o cuándo se excluye una entidad del régimen de consolidación fiscal. Sin embargo, en el resto de supuesto de extinción del grupo, no parece que la LIS aclare nada al respecto. Parece que el legislador no tiene intención de que en la extinción del grupo los efectos se desplieguen en el propio periodo impositivo de la extinción, tal y como manifiesta López Llopis[357]:

> «Desde mi punto de vista, el hecho de que la ley del IS no se pronuncie de forma expresa sobre los efectos temporales de la extinción del grupo, pero sí especifique que tanto la pérdida del derecho a aplicar el régimen de consolidación como la exclusión de sociedades del grupo surtirá efectos desde el propio periodo impositivo en que concurre la circunstancia de que se trate, puede llevarnos a entender que no es voluntad del legislador que en los supuestos de extinción del grupo fiscal se aplique el mismo criterio previsto para estos casos».

En sentido contrario se pronuncia, por ejemplo, Calvo Vérgez[358], que considera que efectivamente los efectos de la extinción del grupo deben desplegarse en el mismo ejercicio en el que se procede a la extinción, de tal forma que las entidades del grupo desde el citado ejercicio tributarán en régimen individual:

> «¿Qué consideraciones cabe realizar en relación con el efecto temporal de la extinción? Desde nuestro punto de vista, y a pesar de que el legislador tributario no regula de forma expresa el efecto temporal derivado de la extinción, dicho efecto sería similar a la pérdida del régimen, es decir, en el propio período impositivo en el que la sociedad dominante pierda tal carácter el grupo se extinguirá y la totalidad de las sociedades que lo integren pasarán a tributar por el régimen individual en el IS».

Teniendo en cuenta la redacción actual de la LIS, parece que tiene más sentido considerar que los efectos de la extinción no tienen impacto en el

---

357 López Llopis E. *El régimen especial de consolidación fiscal en el Impuesto sobre Sociedades* [...]. Op. cit. Pág. 335.

358 Calvo Vérgez J. *La Fiscalidad de los Grupos de Empresas en el Impuesto sobre Sociedades* [...]. Op. cit. Pág. 394.

mismo ejercicio en el que se producen, sino en el siguiente, en la medida en la que el legislador sí ha regulado expresamente otros supuestos como la pérdida del régimen de consolidación y no ha establecido nada al respecto en caso de extinción. En cualquier caso, la conclusión es relevante a efectos de determinar en qué periodo el grupo fiscal deja de poder utilizar los créditos fiscales de las entidades que lo conforman y comienzan a tributar bajo el régimen individual.

8.1.4. TITULARIDAD DEL DERECHO A LA COMPENSACIÓN DE LAS PÉRDIDAS

De acuerdo con la normativa vigente y la interpretación doctrinal, la sociedad del grupo fiscal que deja de formar parte del mismo (o se extingue[359]) adquiere la titularidad de las bases imponibles negativas que ha generado tanto antes de su consideración como miembro del grupo fiscal, como durante su participación en el grupo. Este criterio se fundamenta en el grado de participación de cada sociedad en la generación de dichas bases imponibles negativas:

> «De aquí se infiere que el parámetro que debe tenerse en cuenta a la hora de determinar qué sociedades asumen el derecho a la compensación de las BINs del grupo pendientes de compensar es el grado en que cada una de ellas hubiera participado en la generación de las mismas»[360].

Sin embargo, la jurisprudencia ha aportado matices a esta interpretación. En concreto, la Audiencia Nacional, en su sentencia de 16 de abril de 2018[361], reconoce la aplicación del principio de regularización íntegra, permitiendo a un grupo fiscal aplicar créditos fiscales que habían sido asignados a una entidad tras la extinción de dicho grupo fiscal. La Audiencia Nacional considera que el derecho a la compensación es de la entidad que sale del grupo, pero esta puede decidir que esos créditos fiscales sean aplicados por el grupo para evitar que un

---

359 Consulta de la DGT, V1543-24, de 24 de junio.

360 López Llopis E. *El régimen especial de consolidación fiscal en el Impuesto sobre Sociedades* [...]. Op. cit. Pág. 347.

361 Recurso n.º 158/2015.

crédito fiscal sea aplicado dos veces, por la entidad que sale del grupo y por el propio grupo fiscal, como ha defendido el Tribunal Supremo[362]:

> «Dicho de otro modo, el Tribunal Supremo ante el hecho de que tanto el grupo como la sociedad saliente habían realizado la deducción, se vio necesariamente en la tesitura de analizar qué deducción era la preferente y concluyó que lo era la de la sociedad, no la del grupo».

En el caso analizado por la Audiencia Nacional, la sociedad sucesora de la entidad saliente y ahora integrada en un nuevo grupo solicitó que se le aplicara un crédito fiscal no ejercitado previamente. La Audiencia Nacional consideró que impedir esta posibilidad no generaba perjuicio alguno a la Hacienda Pública y era conforme a derecho, siempre que el crédito fiscal no hubiera sido utilizado con posterioridad:

> «Impedir esta posibilidad, que en principio no genera perjuicio alguno a la Hacienda Pública, entendemos que no es de recibo y que conceder la regularización con el alcance pretendido es conforme a Derecho, siempre que con posterioridad no se haya hecho uso de dicho crédito fiscal».

La Audiencia Nacional también examinó si el hecho de que el grupo fiscal no hubiera aplicado los créditos antes de la regularización podría implicar la pérdida del derecho a ejercitar la opción. La conclusión fue que, al no haber tenido cuota positiva suficiente para compensar el crédito antes de la regularización, el grupo fiscal no había perdido el derecho a ejercitar dicha opción. Por tanto, se reconoció la posibilidad de integrar los créditos fiscales tras la regularización inspectora:

> «En efecto, la Abogacía del Estado razona que la sociedad saliente hizo una opción y no puede modificarla. Ahora bien, lo que dice el Supremo, salvo mejor lectura, no es eso. Lo que sostiene es la prevalencia del derecho de la sociedad saliente sobre el del Grupo. En nuestro caso, es razonable que se pida cambiar el sentido de la opción pues no se ejercitó en su día y la opción la está realizando la sucesora de la empresa saliente, sin que, además, se haya ejercitado el derecho a la deducción por parte del grupo del que se salió».

En definitiva, aunque la sociedad que deja el grupo es la titular del crédito fiscal, puede decidir que dicho crédito sea compensado por el grupo fiscal. Esto

---

362 Sentencias de 20 y 22 de diciembre de 2007, rec. 9465/2004 y 7539/2004.

se permite para asegurar que la compensación de créditos fiscales se ajuste a los principios de capacidad contributiva y regularización íntegra, sin causar perjuicio a la Hacienda Pública y respetando los derechos de las entidades implicadas.

8.2. EXTINCIÓN Y PÉRDIDA DEL RÉGIMEN EN LAS OPERACIONES DE REESTRUCTURACIÓN

En el contexto de las operaciones de reestructuración, es fundamental comprender cómo se gestionan las pérdidas fiscales, especialmente cuando estas operaciones se acogen al régimen de neutralidad fiscal del Capítulo VII del Título VII de la LIS.

Dado que las reestructuraciones empresariales son cada vez más comunes, es crucial examinar el tratamiento de los créditos fiscales generados por las sociedades del grupo en este tipo de operativas.

8.2.1. EFECTOS DE LA OPERACIÓN INTRAGRUPO *VERSUS* OPERACIÓN CON TERCEROS

Para comprender debidamente el impacto de las operaciones de reestructuración en el régimen de consolidación fiscal, es fundamental distinguir entre aquellas realizadas entre sociedades del mismo grupo fiscal y las realizadas entre una entidad ajena al grupo y una entidad del grupo. Las diferencias en estos escenarios afectan significativamente a la cesión de las pérdidas fiscales del grupo y la integración y reparto de los créditos fiscales.

1. Operaciones intragrupo:

En una operación de fusión entre sociedades dependientes del mismo grupo fiscal, podría pensarse que las sociedades absorbidas dejan de pertenecer al grupo debido a su disolución, lo cual descalificaría la operación como intragrupo. No obstante, la mayor parte de la doctrina considera que estas operaciones son auténticas operaciones intragrupo[363]. Esta calificación es re-

[363] Del Busto Méndez J, López-Santacruz Montes JA, Villanueva García E. *Memento práctico Grupos Consolidados*. 1ª Edición. Madrid. Francis Lefebvre. 2017.

levante porque permite que se apliquen las especialidades del artículo 62.1.a) de la LIS y las eliminaciones del régimen de consolidación fiscal. Por tanto, la operación de reestructuración podrá desplegar los efectos descritos a lo largo de este trabajo, sin perjuicio de la posibilidad de aplicar el régimen de neutralidad fiscal del Capítulo VII del Título VII de la LIS.

Sin embargo, si el grupo fiscal desaparece como consecuencia de la operación de reestructuración, será necesario integrar las rentas que fueron eliminadas como consecuencia del diferimiento de la renta, al haberse producido la desaparición del grupo fiscal[364].

2. Operaciones con terceros:

Cuando la reestructuración implica a una entidad ajena al grupo fiscal y a una entidad del grupo, la situación es distinta. Si la operación de reestructuración resulta en la desaparición del grupo fiscal, será necesario integrar las rentas eliminadas debido al diferimiento de la renta, ya que el grupo fiscal habrá desaparecido.

3. Aplicación del artículo 74.3 de la LIS:

La normativa recoge una situación particular cuando la entidad dominante es absorbida por una entidad del grupo o ajena al grupo. La extinción de la domi-

---

Marginal 1423 y 5570-5583: «Los efectos en el grupo fiscal como consecuencia de la disolución de una dependiente dependen de su causa. Si es motivado por la liquidación de esa entidad, no determina su exclusión del grupo, debiéndose computar las rentas obtenidas hasta su extinción en la base imponible consolidada del grupo fiscal. Lo mismo acontece si la disolución trae su causa en una operación de fusión en donde la dependiente es absorbida por otra entidad del mismo grupo. Por el contrario, si es absorbida por otra entidad ajena al grupo, la integración de aquellas rentas en la base imponible del grupo dependerá de la fecha de la toma de control a partir de la cual las operaciones realizadas por la absorbida se consideran realizadas por cuenta de la absorbente, ya que las rentas derivadas de dichas operaciones se imputan a efectos fiscales a la absorbente y no al grupo fiscal. Lo mismo sería trasladable a una operación de escisión total en la que se extingue la dependiente».

364 Álvarez Melcón S. Régimen de consolidación fiscal en el Impuesto sobre Sociedades. En *Manual del Impuesto sobre Sociedades* [...]. Op. cit. Pág. 883: «Las eliminaciones por operaciones internas pendientes de integrar en la base imponible del grupo no son más que diferimientos de la tributación del Impuesto sobre Sociedades, por tanto si el grupo deja de ser tal es evidente que tales diferimientos dejan de tener sentido ya que el sujeto pasivo (el grupo fiscal) [...] ha desaparecido».

nante supone la ruptura del grupo, salvo que pueda aplicarse la especialidad recogida en el artículo 74.3 de la LIS[365] (o el artículo 58.6 de la LIS). Esta disposición permite la configuración de un «subgrupo» dentro de otro grupo de consolidación fiscal cuando todas las entidades del grupo fiscal se integren en su totalidad en el nuevo grupo fiscal que se genere tras la operación de reestructuración. Así, los créditos fiscales generados en el subgrupo no se reparten y no se aplican las consecuencias de las incorporaciones derivadas de eliminaciones previas[366].

De acuerdo con la doctrina administrativa, la aplicación del artículo 74.3 de la LIS debe ser total; no procede su aplicación parcial, es decir, todas las entidades deben integrarse en el nuevo grupo fiscal[367].

De esta forma, nos podríamos encontrar con las siguientes situaciones:

- Si una operación de reestructuración en la que la entidad dominante es absorbida por una entidad del grupo o ajena al grupo no resulta en

365 «No obstante, cuando la entidad dominante de un grupo fiscal adquiera la condición de dependiente, o sea absorbida por alguna entidad a través de una operación de fusión acogida al régimen fiscal especial del Capítulo VII del Título VII de esta Ley, que determine en ambos casos que todas las entidades incluidas en un grupo fiscal se integren en otro grupo fiscal, se aplicarán las siguientes reglas: a) No se integrarán en la base imponible las eliminaciones pendientes de incorporación en relación con las entidades que pasan a formar parte de otro grupo fiscal. Estas incorporaciones se realizarán en la base imponible de este grupo fiscal en los términos establecidos en el artículo 65 de esta Ley. [...] e) Las bases imponibles negativas pendientes de compensación que asuman las entidades que se incorporan al nuevo grupo fiscal, podrán ser compensadas por este con el límite de la suma de las bases imponibles de las entidades que se incorporan al nuevo grupo fiscal, teniendo en cuenta las eliminaciones e incorporaciones que correspondan, de acuerdo con lo establecido en los artículos 64 y 65 de esta Ley».

366 Este precepto es aplicable incluso bajo el supuesto de que la entidad dominante que pase a ser dependiente sea una no residente (V2198-23, de 26 de julio).

367 Es preciso tener en cuenta el criterio de la consulta V5421-16, de 22 de diciembre. La entidad dominante de un grupo adquiere participación en la entidad dominante de otro grupo que pasa a ser dependiente de esa otra sociedad dominante. Sin embargo, algunas de las dependientes de ese otro grupo no alcanzan esa misma consideración. Se consulta si aplica el artículo 74.3 de la LIS de manera parcial. Es decir, ¿únicamente deben incorporarse las eliminaciones de las sociedades que no se integran en el nuevo grupo? Dado que no se cumple el requisito de que todas las entidades del grupo se integren en el nuevo grupo, no aplica el artículo 74.3 de la LIS, por lo que será necesario incorporar todos los resultados eliminados en las bases imponibles negativas individuales de cada entidad del anterior grupo que generó la renta diferida.

la integración del grupo en un nuevo grupo de consolidación fiscal, esto supondría la extinción del grupo fiscal.

- Si la entidad dominante es absorbida y esto implica la integración del grupo en un nuevo grupo de consolidación fiscal, se creará un subgrupo por aplicación del artículo 74.3 de la LIS. En este caso, el subgrupo se incorpora como si fuera una única entidad dentro del nuevo grupo de consolidación fiscal.
- Las reestructuraciones entre sociedades dependientes del grupo fiscal califican como operaciones intragrupo, permitiendo la aplicación de las especialidades del régimen de consolidación fiscal.
- Las reestructuraciones entre sociedades dependientes del grupo fiscal y una sociedad ajena al grupo generan rentas que no afectan la existencia del grupo fiscal.

En resumen, las operaciones de reestructuración van a impactar en la gestión y distribución de los créditos fiscales del grupo. La distinción entre operaciones intragrupo y con terceros, así como la correcta aplicación de los artículos pertinentes de la LIS, son esenciales para asegurar la correcta aplicación del impacto en el grupo fiscal.

En definitiva, podemos resumir los escenarios expuestos a través del siguiente cuadro:

	Dominante absorbida	**Dependiente absorbida**	**Sociedad ajena absorbida**
Absorbente del grupo fiscal	74.3 de la LIS (si integración en un nuevo grupo fiscal)	62.1.a) de la LIS + eliminaciones (siempre y cuando no pueda aplicarse artículo 21 de la LIS), y en todo caso pudiendo aplicar el régimen de neutralidad	No aplican especialidades de consolidación fiscal, pudiendo, en su caso, aplicar el artículo 21 de la LIS o el régimen de neutralidad
Absorbente ajena al grupo fiscal	74.3 de la LIS (si integración en un nuevo grupo fiscal)	No aplican especialidades de consolidación fiscal, pudiendo, en su caso, aplicar el artículo 21 de la LIS o el régimen de neutralidad	No aplican especialidades de consolidación fiscal, pudiendo, en su caso, aplicar el artículo 21 de la LIS o el régimen de neutralidad

Fuente: Elaboración propia

8.2.2. FECHA DE EFECTOS DE LA OPERACIÓN DE REESTRUCTURACIÓN

En las operaciones de reestructuración, es crucial determinar desde qué fecha la entidad resultante puede utilizar los créditos fiscales de la absorbida, como, por ejemplo, las bases imponibles negativas pregrupo fiscal. Esto tiene implicaciones directas tanto en la contabilidad como en la fiscalidad de las entidades involucradas.

1. Fecha de efectos contables:

La NRV 21ª del PGC establece la fecha de efectos contables de las operaciones de reestructuración entre empresas del mismo grupo contable, definido según el artículo 42 del Código de Comercio:

- Operaciones intragrupo: La fecha de efectos contables será la de inicio del ejercicio en que se aprueba la fusión, siempre que sea posterior al momento en que las sociedades se hubiesen incorporado al grupo. Si una de las sociedades se ha incorporado al grupo en el ejercicio en que se produce la fusión o escisión, la fecha de efectos contables será la fecha de adquisición. Es decir, las operaciones de reestructuración intragrupo, desde el punto de vista contable, suponen la retroacción contable a inicio del ejercicio[368].
- Operaciones con entidades ajenas al grupo: En estos casos, no se aplicará la retroacción contable a inicio del ejercicio.

---

368 En esta línea, Calvo Vérgez J. *La Fiscalidad de los Grupos de Empresas en el Impuesto sobre Sociedades* [...]. Op. cit. Pág. 459:
«[...] ¿Qué sucedería con las rentas generadas por la Sociedad W hasta la fecha de su extinción por absorción? En el presente caso estimamos que habría de tenerse presente la fecha de retroacción contable que figura en el proyecto de fusión, atendiéndose al momento a partir del cual las operaciones realizadas por la Sociedad W se entienden efectuadas por la Sociedad A, tal y como establece el art. 31.7 de la Ley 3/2009. De este modo, procedería efectuar la siguiente diferenciación. Desde el inicio del periodo impositivo hasta la fecha de retroacción contable las rentas se imputarían a la Sociedad W, siendo dichas rentas aquellas que se integren en la base imponible del último periodo impositivo de la citada Sociedad, haciéndose constar en la última declaración del Impuesto de dicha entidad. Y, con efectos desde la fecha de retroacción contable hasta la extinción de la Sociedad W, las rentas se imputarían a la sociedad dominante (Sociedad A), computándose en la base imponible consolidada del grupo fiscal y no haciéndose constar por tanto en la declaración del IS de la Sociedad W [...].»

Para las sociedades que formen parte del grupo con anterioridad al inicio del ejercicio inmediato anterior, la información contable sobre los efectos de la fusión no se extenderá a la información comparativa. Además, si entre la fecha de aprobación de la fusión y la inscripción en el Registro Mercantil se produce un cierre, las sociedades participantes en la operación deben formular cuentas anuales según los criterios generales de la NRV 19ª.

2. Fecha de efectos fiscales:

La normativa fiscal, en línea con la contable, asume el contenido de la NRV 21ª[369]. El artículo 10.3 de la LIS establece que la contabilidad debe reflejar fielmente la situación económica de las entidades, por lo que los efectos fiscales de una operación de reestructuración deben alinearse con los efectos contables determinados por las normas vigentes.

Para identificar qué créditos fiscales son aplicables por el grupo y desde qué fecha, es esencial considerar las características específicas de la operación de reestructuración:

- Operaciones intragrupo: La retroacción contable a inicio del ejercicio implica que los créditos fiscales de la entidad absorbida pueden ser utilizados por la entidad resultante desde el comienzo del ejercicio en que se aprobó la fusión o escisión.
- Operaciones con entidades ajenas al grupo: En este caso, la fecha de efectos contables será la fecha de adquisición, lo que significa que los créditos fiscales de la entidad absorbida solo podrán ser utilizados desde esa fecha específica y no desde el inicio del ejercicio.

---

369 De esta forma lo ha establecido la DGT, por ejemplo, en sus consultas V1837-18 y V354-17: «Por tanto, dado que la norma mercantil en materia contable establece, en una operación de fusión entre empresas del grupo, como fecha a efectos contables de la operación, la correspondiente al inicio del ejercicio en que se aprueba la fusión, la imputación fiscal de las rentas de las operaciones realizadas por las sociedades absorbidas que se extinguen a causa de la fusión, se realizará de acuerdo con la referida fecha. De acuerdo con lo anterior, dicha fecha tendrá los efectos previstos en el mencionado artículo 10 de la LIS respecto del criterio de imputación de rentas, desde el punto de vista fiscal, es decir, se acepta fiscalmente la retroacción contable. No obstante, la integración de las eliminaciones pendientes de incorporar no son rentas afectadas por la retroacción contable».

Determinar correctamente la fecha de efectos es crucial para la adecuada gestión de los créditos fiscales. Una identificación precisa garantiza que las entidades resultantes de la reestructuración puedan aprovechar al máximo los beneficios fiscales a los que tienen derecho, asegurando una contabilidad coherente y fiel a la realidad económica de las entidades, conforme a los principios contables y fiscales aplicables.

En conclusión, la comprensión y aplicación de la NRV 21ª del PGC y el artículo 10.3 de la LIS son esenciales para gestionar adecuadamente las operaciones de reestructuración y sus efectos tanto contables como fiscales.

8.2.3. SUBROGACIÓN UNIVERSAL

A efectos de determinar la cesión de los créditos fiscales y el destino de las pérdidas, se recoge en el artículo 84.1 de la LIS[370] la subrogación de derechos y obligaciones en el caso de que sea aplicable el régimen de neutralidad fiscal. No se recoge este precepto como una definición de subrogación universal, sino más bien las consecuencias de su reconocimiento[371].

Es decir, tal y como consideran autores como Cordero González, parece lógico entender que, si la norma mercantil pone de manifiesto la subrogación de derechos y obligaciones, la norma fiscal en realidad se limita a recoger una mera reiteración, en línea con la consecuencia na-

---

370 «Cuando las operaciones mencionadas en el artículo 76 u 87 de esta Ley determinen una sucesión a título universal, se transmitirán a la entidad adquirente los derechos y obligaciones tributarias de la entidad transmitente. Cuando la sucesión no sea a título universal, se transmitirán a la entidad adquirente los derechos y obligaciones tributarias que se refieran a los bienes y derechos transmitidos. La entidad adquirente asumirá el cumplimiento de los requisitos necesarios para continuar aplicando los beneficios fiscales o consolidar los aplicados por la entidad transmitente».

371 Atienza Pérez Á. La segregación de las sociedades y su contradictoria regulación. En *Crónica Tributaria n.º 159*. 1ª Edición. Madrid. Instituto de Estudios Fiscales. 2016 Pág 10: «En este precepto se establece qué ocurre cuando se produce una sucesión a título universal, sin embargo, no se aclara cuáles son las operaciones en las que se aprecia dicha sucesión a título universal (hecho que es evidente, pues el legislador fiscal no tiene por qué entrar a regular esa materia, ni tampoco entrar a dar definiciones sobre cada operación estructural, aunque esto último sí lo haga, como veremos más adelante)».

tural que se origina con el propio derecho sustantivo al que la norma fiscal complementa[372]. La anterior afirmación es aplicable a todas las operaciones de reestructuración, pero es preciso recordar que el régimen de neutralidad se extiende a otras operaciones no contempladas expresamente por la normativa mercantil como operaciones de reestructuración, al incluir las «aportaciones no dinerarias» como operaciones a las que aplicar el régimen de neutralidad, pero a las que mercantilmente no les aplica la subrogación universal. Para este último escenario, parece que la expresión del artículo 84 de la LIS permitiría aplicar, a efectos tributarios, la citada subrogación.

Asimismo, derivada de la subrogación de derechos y obligaciones, surge la necesidad de tener en cuenta la limitación establecida en el artículo 84.2 de la LIS, que tiene como objetivo evitar que se deduzca dos veces la misma pérdida, tal y como considera Calvo Vérgez[373]:

> «Igualmente resultaría de aplicación las limitaciones establecidas en el art. 84.2 de la LIS, de manera que la Sociedad A no podría compensar las bases imponibles negativas de la Sociedad W en el importe de la depreciación de las participaciones en dicha Sociedad que se hubiesen producido en la Sociedad A o en otra Sociedad dependiente del grupo fiscal con anterioridad a la absorción y que hubieran significado un gasto fiscalmente deducible para el grupo».

---

372 Cordero González Em. *Las Bases Imponibles Negativas en el Impuesto sobre Sociedades* [...]. Op. cit. Pág. 100-105:
«Se ha destacado, por ello, el carácter superfluo de la norma tributaria cuando señala que en los supuestos de sucesión a título universal la entidad adquirente se subroga en los derechos y obligaciones tributarias de la transmitente. Dicho precepto se limita a recoger lo que ya se deduce de las normas mercantiles, en una innecesaria reiteración y motivando unas percepciones equivocadas de los efectos del régimen tributario especial, al considerar la subrogación como una de las notas propias del mismo, cuando se trata en realidad, de una *consecuencia natural de este tipo de operaciones* [...] Esta tesis, la transmisión de las bases como una consecuencia del régimen especial, no derivada del fenómeno sucesorio a título universal se ha confirmado finalmente por el Tribunal Supremo, en sentencias de 28 de septiembre de 2011 (rec. 4629/2007), de 23 de octubre de 2014 (rec. 4178/2012) y 25 de enero de 2017 (rec. 1980/2013)».

373 Calvo Vérgez J. *La Fiscalidad de los Grupos de Empresas en el Impuesto sobre Sociedades* [...]. Op. cit. Pág. 459.

El artículo 84.2 LIS dispone que se deben transmitir a la entidad adquirente[374] las bases imponibles negativas pendientes de compensación en la entidad transmitente, siempre que:

a) Se produzca la extinción de la entidad transmitente.

b) Se proceda a la transmisión de una rama de actividad cuyos resultados hayan generado bases imponibles negativas pendientes de compensación en la entidad cedente, trasladándose las bases imponibles negativas pendientes de compensación generadas por la rama de actividad transmitida.

La norma incluye una limitación a la compensación de bases imponibles negativas como sigue:

> «Cuando la entidad adquirente participe en el capital de la transmitente o bien ambas formen parte de un grupo de sociedades a que se refiere el artículo 42 del Código de Comercio, con independencia de su residencia y de la obligación de formular cuentas anuales consolidadas, la base imponible negativa susceptible de compensación se reducirá en el importe de la diferencia positiva entre el valor de las aportaciones de los socios, realizadas por cualquier título, correspondiente a la participación o a las participaciones que las entidades del grupo tengan sobre la entidad transmitente, y su valor fiscal».

---

374 Téngase presente el debate existente sobre este precepto y su posibilidad de extenderlo a las bases imponibles negativas de la entidad absorbente. En este sentido destaca la opinión de Sanz Gadea E. Compensación de bases imponibles negativas en procesos de fusión (Análisis de la SAN de 3 de mayo de 2023, rec. núm. 524/2019). En *Revista de Contabilidad y Tributación n.º 489*. 1ª Edición. Madrid. CEF. 2023. Pág. 145: «La norma es clara. Lo que se regula, literalmente, en el citado artículo 84.2 es la transmisión del derecho a la compensación de bases imponibles negativas desde la entidad absorbida a favor de la absorbente. Continúa, pues, el silencio respecto del derecho a la compensación de las pérdidas fiscales sufridas por la entidad absorbente [...] La identidad entre el artículo 90.3 del TRLIS y el artículo 84.2 de la Ley 27/2014 llevaría a propugnar que este último merece, igualmente, una interpretación finalista que, superando su propia literalidad, abarcara también, por lo que se refiere a la restricción respecto de las bases imponibles negativas susceptibles de compensación, las habidas por la entidad absorbente. En suma, por causa de la fusión, la entidad absorbente vería recortada la cuantía de las bases imponibles negativas en el importe de la diferencia entre las aportaciones recibidas y el precio pagado por sus socios para adquirir la participación sobre ella, todo ello, con el respaldo de la SAN que se comenta [sentencia de la Audiencia Nacional de 3 de mayo de 2023, rec. núm. 524/2019]».

Esto ocurrirá cuando la sociedad absorbente y la absorbida formen parte del mismo grupo y la absorbente o algún socio de la sociedad absorbida ya hayan computado fiscalmente algún gasto o pérdida relacionados con dicha sociedad. En ese caso, dicho gasto o pérdida reducirá el importe de las bases imponibles que pueden ser compensadas.

A estos efectos, conviene citar la sentencia de la Audiencia Nacional de 12 de diciembre de 2019[375]. De esta se desprende que la reducción de la base imponible negativa de la sociedad absorbida a compensar por la absorbente debida a las aportaciones realizadas por los socios se refiere a las que efectúen todos los socios, incluidos los antiguos socios, anteriores al momento en que se adquirió la participación. Se desestima la pretensión de la entidad de que solo se tuvieran en cuenta las aportaciones de los socios actuales. El Tribunal afirma que cuando las pérdidas se han producido antes de efectuarse la adquisición de la participación, el antiguo socio habría deducido fiscalmente tales pérdidas, como provisión o pérdida generada en la transmisión, bien mediante la dotación de la oportuna provisión por depreciación de la cartera de valores, bien como pérdida generada en el momento de la transmisión de la participación (cuando la LIS permitía su deducibilidad). Si efectuada la fusión se permite que los beneficios obtenidos por la sociedad resultante de dicho proceso se compensen con las bases imponibles negativas pendientes de la sociedad transmitente, las pérdidas de la sociedad transmitente se estarían utilizando dos veces, que es precisamente lo que trata de impedir el precepto[376]. Por tanto, con base en esta sentencia, se deben tener en cuenta las aportaciones realizadas por los socios anteriores.

También en relación con los deterioros de la participación computados hasta 2012 (y, por tanto, deducibles) pendientes de revertir[377]. Pues bien, las bases

---

375 Recurso n.º 453/2016.

376 Cita en este sentido la sentencia del Tribunal Supremo de diciembre de 2012 recurso n.º 251/2010.

377 V3525-19.
Hechos: Operación de escisión impropia de una rama de actividad de una entidad B en beneficio de su socio único A. La entidad B ha generado BINs en el desarrollo de la actividad de esa rama de actividad. La entidad A dotó deterioros fiscalmente deducibles por su participación en B que corresponden con las pérdidas generadas por B (las mismas que han generados esas BINs).
La DGT: En virtud de lo anterior, la sociedad A se subroga en el derecho de la entidad B a compensar las bases imponibles negativas generadas en dicha sociedad que se correspondan

imponibles negativas compensables también se minorarán en el importe de los deterioros todavía no revertidos (para evitar que se aproveche dos veces el mismo gasto). Parece lógico que, si los deterioros fueron objeto de eliminación, no proceda a su integración con la operación de reestructuración y la base imponible negativa a compensar no se vea minorada. Sin embargo, parte de la doctrina[378] venía a considerar la falta de relación del precepto con el deterioro de cartera:

> «Con todo, la literalidad del precepto [...] parece ir por otros derroteros, puesto que el párrafo segundo del artículo 104.3 sigue sin vincular su aplicación a la efectiva depreciación de la cartera, supeditándola exclusivamente a la diferencia positiva ente valor de las aportaciones y valor neto contable».

En cualquier caso, conforme al criterio de la DGT[379], la aplicación del régimen de neutralidad permitía que fuera la absorbente la entidad que integre

---

con los resultados generados con la rama de actividad transmitida, con los límites previstos en el artículo 84.2 y disposición transitoria decimosexta de la LIS anteriormente reproducidos. A estos efectos, el espíritu y finalidad de esta disposición debe interpretarse en el sentido de que su objeto es evitar que una misma pérdida pueda ser compensada dos veces. En el caso planteado, esa doble compensación se podría producir, en primer lugar, a través de un deterioro de valor de la participación que A tiene en B que hubiera sido fiscalmente deducible, y, en segundo lugar, mediante la correspondiente compensación de dichas bases imponibles negativas en sede de la sociedad absorbente A. Por tanto, la finalidad del precepto es evitar que la misma pérdida pueda ser objeto de aplicación dos veces. Por ello, la base imponible negativa pendiente de compensar en sede de la entidad transmitente B estaría limitada por el importe de la depreciación que, en su caso, hubiera sido fiscalmente deducible en sede de A. No obstante, teniendo en cuenta que los preceptos señalados tratan de evitar un doble aprovechamiento de las pérdidas generadas en la entidad transmitente (B), en caso de que el deterioro registrado por la sociedad A en relación con las participaciones en B no sea un deterioro definitivo, porque se ha producido su efectiva reversión fiscal en A con carácter previo a la operación, las bases imponible negativas pendientes de compensar en B no se minorarán en los deterioros que hubieran revertido fiscalmente. En relación con los deterioros pendientes de revertir, en la medida en que la entidad A ha dado de baja parte de su participación en B para recibir el patrimonio escindido, deberá aplicar lo dispuesto en el último párrafo del apartado 3 de la disposición transitoria decimosexta de la LIS. Esto supone que el deterioro pendiente de revertir asociado a la participación que se da de baja con ocasión de esta operación se integra en base imponible, con el límite de la renta positiva que se produce en esta operación.

378 Montesinos Oltra S. *La compensación de bases imponibles negativas* [...]. Op. cit. Pág. 201.

379 Por ejemplo, la consulta de la DGT V0155-17.

el deterioro que deberá practicar la reversión obligatoria anual de 1/3 (actual Disposición transitoria 16 de la LIS), de tal forma que la aplicación del régimen de neutralidad y la subrogación de derechos permitirá no integrar la reversión del deterioro en el momento de la fusión, sino en un tercio durante 3 años.

En cualquier caso, el artículo 84.2 de la LIS tenía como intención principal evitar una doble deducción de pérdidas en los casos en los que el transmitente vendía las participaciones generando renta negativa, que con la regulación anterior a 1 de enero de 2017 era fiscalmente deducible en todo caso, y a su vez la entidad adquirente podía disfrutar de una sociedad con bases imponibles negativas. Por tanto, el objeto del precepto no es otro que minorar las bases imponibles negativas en la renta negativa que se hubiera podido compensar el socio, evitando así que los efectos del deterioro de la participación pudieran compensarse en el socio y en la sociedad, tal y como manifiesta, por ejemplo, Montesinos Oltra[380]:

> «La generación de bases imponibles negativas correlativas a una pérdida que incide en el patrimonio neto de un ente sujeto al IS es susceptible de generar un doble efecto fiscal en la medida en la que, además de la posibilidad de compensar la primera, la segunda puede generar, en caso de enajenación posterior de participaciones en la misma, o bien una minusvalía o bien la consolidación de la provisión por depreciación de valores dotada en su momento».

Esta limitación sigue vigente en la actual ley, sin embargo, la posibilidad del socio de compensar la renta negativa derivada de la transmisión es inviable siempre y cuando se cumplan los requisitos del artículo 21 de la LIS (en la medida en la que la venta de participaciones que cumplan los citados requisitos con pérdida no será fiscalmente deducible), además de que ya no existe una regla que permita la deducibilidad fiscal de los deterioros de cartera. De lo anterior podrían extraerse dos conclusiones:

- Que el artículo 84.2 de la LIS ha quedado vacío de contenido, de tal forma que su aplicación práctica en un grupo de consolidación fiscal deja de tener sentido, y ello por aplicación del «nuevo» artículo 21 de la LIS (que no permite imputar fiscalmente la pérdida derivada de la venta cuando se cumplan los requisitos).

---

380 Montesinos Oltra S. *La compensación de bases imponibles negativas* [...]. Op. cit. Pág. 209.

- Que el artículo 84.2 de la LIS, junto con el artículo 62.2 de la LIS, vienen a complementar el régimen de consolidación fiscal, como normas más especiales que actúan sobre la regla general del artículo 21 de la LIS. Si la renta negativa derivada de la transmisión de participaciones del grupo fuera deducible con el límite del artículo 62.2 de la LIS, podría continuar con sentido el artículo 84.2 de la LIS. En caso contrario, parece que la aplicación de la limitación del artículo 84.2 de la LIS, que fue creado expresamente para evitar un doble cómputo de pérdidas, deja de tener sentido en un régimen en el que la pérdida en sede del transmitente no sería deducible.

Cabría también plantear una visión alternativa del artículo 84.2 de la LIS y su aplicación en el seno del grupo fiscal. Como adelantábamos, el deterioro de cartera no es fiscalmente deducible, por lo que no afectaría al artículo 84.2 de la LIS. Sin embargo, tal y como hemos expuesto, en el régimen de consolidación el «segundo nivel de compensación», esto es, la posibilidad de integrar bases imponibles negativas a nivel individual entre las entidades del grupo fiscal (compensación intraperiódica) para conformar la base imponible consolidada parece una suerte de deterioro de cartera intragrupo. Esta «especialidad» del régimen de consolidación fiscal, que en realidad se acerca a una «ventaja», debería tenerse en cuenta con el artículo 84.2 de la LIS, de tal forma que se limiten las bases imponibles negativas en función de la renta negativa que se haya deducido en el seno del grupo fiscal por aplicación de la regla especialidad de compensación intraperiódica de bases imponibles de las entidades que conforman el grupo fiscal. Aunque lo más lógico es que, fruto de lo anterior, no existiera tal base imponible negativa que minorar.

Por último, cabría preguntarse si aplica el precepto citado con la limitación establecida en el artículo 26.4 de la LIS, a través del cual se limita la compensación de bases imponibles negativas. De acuerdo con la doctrina, parece lógico que el citado precepto sea igualmente aplicable[381].

---

381 *Ibid.* Pág. 193: «En nuestra opinión el artículo 23.2 de la LIS operaría plenamente limitando el derecho a compensar si concurren las condiciones que prevé dicho artículo» (Referido al TRLIS).

8.2.4. MOTIVOS ECONÓMICOS VÁLIDOS

Adicionalmente, el artículo 89 de la LIS exige la existencia de motivos económicos válidos para poder aplicar el régimen y que se vean afectados los créditos fiscales. Como punto de partida en el concepto de ventaja fiscal y motivos económicos válidos exigidos por el artículo 89 de la LIS, es necesario citar la consulta DGT V2214-23, de 27 de julio, por la que se indica que la ausencia de motivos económicos válidos no supone automáticamente la existencia de ventaja fiscal. El artículo 89.2 de la LIS determina la complejidad en el análisis de la inaplicación del régimen pues, habrá de estarse a la concurrencia tanto de un elemento objetivo, que sería la comisión de ese fraude o evasión fiscal; pero también de un elemento subjetivo, relativo a que este fraude o evasión haya constituido el objetivo principal de la operación[382/383].

La exigencia de motivos económicos válidos afecta de forma directa a aquellas operaciones en las que la sociedad absorbida tiene bases imponibles negativas pendientes de compensar. Si el único motivo de la fusión es el aprovechamiento de dichas bases, Hacienda puede considerar que los motivos económicos no existen, y dichas bases negativas se perderán.

Por tanto, si existen bases negativas en la sociedad absorbida, conviene verificar que existen motivos económicos válidos, distintos a la propia compensación, que justifiquen la fusión[384].

---

382 CALVO VERGEZ, J., «Fusiones y escisiones en el Impuesto sobre Sociedades: cuestiones conflictivas», Carta tributaria, núm. 18, 2011, p. 14.

383 La obtención de una ventaja fiscal está implícita en el régimen de diferimiento, pero lo relevante para aplicar el régimen especial es que, tras un examen global de la operación, no tenga como objetivo principal o uno de sus principales objetivos el fraude o la evasión fiscal (Sentencia del Tribunal Supremo del 16 de noviembre de 2022).

384 Por ejemplo, cuando la fusión se realiza para reducir costes administrativos y comerciales, u obtener sinergias operativas (V0026-05), cuando una holding absorbe a filiales de segundo y ulterior nivel con el fin de recibir los beneficios de éstas evitando que se vean minorados por la dotación de la reserva legal y los gastos operativos (V0248-09), cuando la fusión se produce entre dos sociedades que se están cediendo activos entre ellas (por ejemplo, una es propietaria de una nave que alquila a la otra), con la finalidad de simplificar la estructura (V0080-04 y V1402-10), cuando la fusión se realiza para facilitar el acceso a la financiación bancaria, o para mejorar las condiciones de ésta (V1624-09).

Si las sociedades que se fusionan no desarrollan actividades económicas, será más difícil alegar que existen motivos económicos válidos para llevar a cabo la fusión. La Administración puede considerar que se trata de una mera operación de «liquidación» de la sociedad absorbida, en cuyo caso no será de aplicación el régimen de neutralidad fiscal[385].

En este sentido, es motivo económico no válido cuando la compensación de bases imponibles negativas es el objetivo principal de la operación; cuando no hay motivos diferentes que justifiquen la realización de la operación; cuando la absorbida es inactiva[386], siempre y cuando la operación no mejore o refuerce la actividad económica o financiera de la absorbente[387][388]; o cuando esta se realiza entre sociedades inactivas, siempre y cuando no se justifiquen motivos de peso que prevalezcan sobre la ventaja fiscal de poder compensar las BINS[389].

En todo caso, no podemos perder de vista la sentencia del Tribunal Supremo de 16 de noviembre de 2022 (rec. 89/2018) por la que se invierte la carga de la prueba en el análisis de los motivos económicos válidos:

> «La Inspección realiza un examen aislado de las concretas operaciones de escisión llevadas a cabo, y aunque acepta abiertamente la operación de reestructuración internacional llevada a cabo y que se refleja en la reestructuración de las filiales españolas, como expresamente reconoce el Sr. Abogado del Estado, prescinde de extraer consecuencia alguna, pues centra su foco en exclusividad en las citadas escisiones y en la operación que debería de haberse realizado según su entender; pero además, no solo prescinde de aquella circunstancia, sino que obvia también valorar las consecuencias favorables que la operación realizada ha supuesto para el mejor devenir de la actividad empresarial, como así reconoce el Sr. Abogado del Estado, restándole valor alguno a dicho dato.
>
> Se ha desconocido, pues, la jurisprudencia que exige un examen conjunto de las operaciones realizadas. Lo cual, por demás, en el presen-

385 Por ejemplo, la consulta de la DGT V2599-13. En estos casos no se admite como motivo económico válido el ahorro de costes o la simplificación de la estructura, ya que los pequeños ahorros derivados de la fusión no son comparables con la ventaja fiscal derivada de poder compensar las bases negativas de la sociedad absorbida (V4237-16).

386 DGT V877-21, V3106-19.

387 DGT V877-21, V3106-19.

388 DGT V0151-21.

389 Sentencia de la Audiencia Nacional de 27 de septiembre de 2012, rec. 452/2009.

te tiene unas especiales connotaciones, recordemos los términos del art° 96.2 del Real Decreto Legislativo 4/2004: [...]

La obtención de una ventaja fiscal, está ínsita en el propio régimen de diferimiento, puesto que se caracteriza por su neutralidad fiscal, de suerte que el componente fiscal ni sea disuasorio ni incentivador al efecto, se trata de propiciar reestructuraciones mediante la neutralidad fiscal; la ventaja fiscal prohibida es la que se convierte en el objetivo y finalidad de la operación y no motivos económicos o empresariales, razones estas que lo justifica. La ventaja fiscal, fuera de los casos en los que se presente como objetivo espurio, es legítima dentro de la economía de opción, en los términos antes explicados; en el presente caso lo que se viene a reprochar es la simple obtención de la ventaja fiscal, en no haber tributado por las plusvalías, lo propio del régimen de diferimiento, considerando que el mismo fin se hubiera obtenido si en lugar de las escisiones se hubiera realizado la enajenación de las acciones, esto es, estamos en presencia de lo que hemos reconocido como economía de opción a la inversa, incurriendo la Administración, cuando a ella correspondía justificar el fraude mediante la prueba de la inexistencia de motivos económicos válidos, cuando a más inri reconoce abiertamente la reestructuración, en una petición de principio haciendo supuesto de la cuestión, en tanto que afirma que no siendo necesaria las escisiones para alcanzar el objetivo perseguido, sino que como era posible la enajenación de acciones y tributar por las plusvalías generadas, estamos ante un supuesto de elusión fiscal por no haberse realizado esta operación en lugar de las escisiones; nos dice el Sr. Abogado del Estado que "la transmisión de acciones, como hemos dicho, no requería de las escisiones que nos ocupan y que han determinado una clara elusión fiscal", pero una cosa es que no fueran necesarias las escisiones al efecto, y otra muy distinta que la operación tuviera como designio único o principal la obtención de una ventaja fiscal, pues a dicha conclusión solo cabe llegar razonablemente, si se analiza en exclusividad dicha operación y se prescinde del carácter instrumental de la misma para alcanzar el objetivo en el que se inserta, esto es, la reestructuración del grupo, que ya se dijo no fue ponderado por la Administración. Todo lo cual ha de llevarnos a estimar este motivo opuesto por la recurrente».

La citada sentencia, junto con el criterio interpretativo citado de la DGT, ponen de manifiesto la importancia de valorar los motivos económicos válidos, actuando su ausencia como un indicador de ventaja fiscal, a efectos del artículo 89 de la LIS, a efectos de proteger los créditos fiscales.

CONCLUSIONES

El presente análisis ha abordado de manera exhaustiva las implicaciones del régimen de consolidación fiscal, con un enfoque particular en el tratamiento de las pérdidas en sus diferentes fases de integración y compensación. Las principales conclusiones extraídas del estudio se pueden resumir como se expone a continuación.

Por un lado, la consideración del grupo fiscal como único contribuyente constituye el eje vertebrador del régimen de consolidación fiscal, pero su efectiva operatividad exige más que una afirmación normativa: requiere una coherencia interpretativa y funcional que, en ocasiones, se ve comprometida por ciertas rigideces normativas o por la aplicación parcial de este principio. Si realmente se asume que el grupo fiscal es un único sujeto pasivo, no puede mantenerse un tratamiento asimétrico frente al contribuyente individual sin una justificación objetiva sólida. En este sentido, no basta con afirmar que el grupo es un sujeto único a efectos de liquidación del impuesto: deben alinearse también las reglas sustantivas en aras de garantizar una auténtica neutralidad fiscal. Desde esta perspectiva, el grupo fiscal no debe ser contemplado como un régimen de ventaja o privilegio, sino como un modelo técnico alternativo de configuración de la obligación tributaria, que debe ser evaluado bajo los mismos principios constitucionales que rigen el sistema general. La equiparación entre el grupo y el contribuyente individual se convierte así no solo en un principio operativo, sino también en un criterio interpretativo clave para valorar la legitimidad y proporcionalidad de las limitaciones normativas que incidan sobre su base imponible. Es fundamental equiparar al grupo fiscal con el contribuyente que tributa bajo el régimen general, ya que esto permite que el régimen de consolidación fiscal tenga sentido a futuro y pueda encajar en un posible régimen de consolidación a nivel internacional.

Asimismo, se ha examinado la integración y compensación de pérdidas en tres niveles del régimen de consolidación fiscal, que permiten constatar que este no puede ser calificado como un sistema de ventajas fiscales, sino como una estructura normativa cuyo fundamento reside en la unidad del contribuyente y en la necesidad de ajustar la carga tributaria a la verdadera capacidad económica del grupo.

El primer nivel, esto es, la integración de las pérdidas en la base imponible individual de cada entidad del grupo fiscal. Este proceso es fundamental para entender cómo estas afectan a la carga fiscal del grupo y se lleva a cabo considerando las calificaciones y requisitos a nivel de grupo fiscal atendiendo a los criterios contables consolidados (NOFCAC). La integración de las pérdidas en la base imponible individual de cada entidad del grupo fiscal exige aplicar un triple filtro: la calificación, la imputación y la deducibilidad de la renta negativa, conforme a los criterios contables consolidados. Esta etapa resulta especialmente compleja y reveladora, ya que muestra cómo el régimen de consolidación fiscal desdibuja la realidad individual de las entidades en favor de una concepción unitaria del grupo como contribuyente. La LIS, tras su reforma de 2015, impone expresamente que todos los requisitos y calificaciones relevantes para determinar las bases imponibles individuales se realicen a nivel de grupo (artículo 62.1.a) LIS), lo que traslada automáticamente el análisis fiscal desde la óptica de la sociedad individual a la lógica contable del grupo. En la práctica, esto se traduce en la necesidad de recalificar operaciones internas que, de otro modo, habrían generado rentas fiscalmente relevantes. Por ejemplo, la transmisión de participaciones entre entidades del grupo se califica como una operación sobre "acciones propias" a nivel de grupo, lo que comporta que la renta obtenida no se compute como ingreso ni como gasto, sino como una mera variación de fondos propios. Lo mismo ocurre con las pérdidas por ventas intragrupo de activos, cuya recalificación puede suponer en ciertos casos su deducibilidad fiscal, al tratarse como deterioros al no haber salido el bien del perímetro económico del grupo. Esta recalificación no es meramente técnica, sino que comporta importantes implicaciones en términos de neutralidad fiscal: si el grupo actúa consigo mismo, no debe generarse renta alguna. Esta interpretación llevada al extremo podría incluso implicar que la adquisición de una sociedad del grupo fiscal en realidad es una compra de activos y pasivos, con la consecuente actualización de valores fiscales. En este sentido, el verdadero criterio diferenciador no debe ser la inscripción contable, sino la existencia o no de una transferencia real de capacidad económica fuera del grupo, lo que convierte la integración en un ejercicio de depuración de la renta ficticia. En todo caso, lo que es lógico es la necesidad de poner el freno cuando pueda existir el riesgo de asimetrías que podrían vulnerar el principio de igualdad tributaria si no se tratan de forma uniforme y coherente. Desde esta óptica, el grupo no es una mera suma de entidades, sino una unidad de imputación económica y fiscal, en la que la base imponible individual pierde su sentido tradicional y se convierte en un instrumento intermedio hacia la configuración de una base consolidada coherente con la capacidad económica real del grupo.

El segundo nivel, esto es, la compensación intraperiódica de rentas de las entidades del grupo fiscal. Representa uno de los mecanismos centrales del régimen de consolidación fiscal, ya que permite integrar, sin límite general, las bases imponibles negativas de una entidad con las positivas de otra durante un mismo ejercicio. Aunque en apariencia se presenta como una "ventaja" respecto del régimen general (teniendo en cuenta que el deterioro sobre la participación de una filial no es fiscalmente deducible), lo cierto es que esta integración debe interpretarse como la consecuencia natural de concebir al grupo fiscal como un único contribuyente. Desde esta perspectiva, no se está permitiendo la compensación entre varios sujetos, sino que se está aplicando un principio de unidad económica y fiscal: el grupo tributa por su renta neta agregada, lo cual es conforme al principio de capacidad económica. Esta concepción encuentra apoyo en la jurisprudencia del Tribunal Constitucional, que exige que todo tributo respete la renta real o potencial del contribuyente, y que prohíbe la imposición sobre bases ficticias o fragmentadas. Por ello, impedir que un grupo pueda integrar sus rentas entre entidades cuando existe una clara complementariedad económica entre ellas —como ocurre al limitar la compensación intraperiódica durante los ejercicios 2023 a 2025— supone una alteración relevante de los principios de capacidad económica e igualdad. En efecto, esta limitación temporal al 50% de las bases imponibles negativas no solo representa una distorsión estructural del régimen, sino que podría ser incluso inconstitucional al obligar al grupo a tributar por una renta mayor a la efectivamente obtenida, además de generar una disparidad respecto del contribuyente que tributa bajo el régimen general. Esta distorsión genera una tensión evidente con el principio de justicia tributaria, tal y como ha reconocido también el Tribunal Constitucional en contextos similares. Asimismo, la compensación intraperiódica tiene efectos relevantes en las relaciones internas del grupo. Este "favor" entre entidades, que no está regulado expresamente por la LIS, plantea la necesidad de reconocer contablemente derechos y obligaciones internas, especialmente en casos de salida del grupo o de modificación de la estructura de participación. Finalmente, debe señalarse que esta figura —la integración libre de rentas positivas y negativas en un mismo ejercicio— está presente en la mayoría de los regímenes de consolidación fiscal de la UE. Su generalización pone de manifiesto que no se trata de un "privilegio" arbitrario, sino de un elemento estructural esencial del régimen, sin el cual este carecería de sentido.

El tercer nivel, esto es, la compensación de bases imponibles negativas del grupo fiscal. Cobra especial relevancia como mecanismo que garantiza la aplicación efectiva del principio de capacidad económica en un contexto plurianual. A diferencia de la compensación intraperiódica, este mecanismo permite que las pérdidas acumuladas por el grupo —una vez consolidada su base imponible mediante la integración y ajustes entre las entidades— puedan utilizarse en ejercicios futuros, de conformidad con los límites establecidos por la LIS, y aplicados al grupo como único contribuyente. Este derecho a la compensación ha sido definitivamente reconocido por la jurisprudencia del Tribunal Supremo, que lo consagra como un derecho autónomo y no como una opción tributaria, siendo esencial para mantener la correlación entre renta gravada y capacidad económica efectiva, evitando una imposición sobre riqueza ficticia. En el contexto del régimen de consolidación, este derecho adquiere una especial complejidad. Las bases imponibles negativas pueden proceder tanto de ejercicios previos de entidades incorporadas al grupo (pregrupo), como de ejercicios en los que ya opera el grupo fiscal (del grupo). Mientras las segundas pueden aplicarse libremente dentro de los límites generales, las primeras están sujetas a restricciones adicionales, como el límite del 70% sobre la base imponible individual de la entidad que las generó, recalculada tras eliminaciones e incorporaciones. Este diseño normativo responde a una lógica antifraude razonable, pero su aplicación ha de estar suficientemente justificada para no contradecir el principio de justicia tributaria. De hecho, la restricción a la compensación de pérdidas en función del momento en que se generan (pregrupo o en grupo) puede dar lugar a situaciones injustas si no se reconocen adecuadamente los créditos fiscales aportados por cada entidad. Desde la lógica del grupo como contribuyente único, lo esencial es que la renta neta agregada refleje fielmente la capacidad económica global, sin fragmentaciones artificiales. Así lo sostiene también la doctrina administrativa y contable, que reconoce que, ante la disolución del grupo, las bases imponibles negativas deben repartirse proporcionalmente entre las entidades que contribuyeron a su generación. En definitiva, este tercer nivel de compensación consolida la lógica del grupo como sujeto fiscal único, y permite proyectar el resultado económico del grupo a través del tiempo. Lejos de ser una prerrogativa, constituye un instrumento estructural de justicia tributaria, cuyo desconocimiento podría suponer una tributación sobre rentas inexistentes. Como tal, es imprescindible preservar este derecho dentro del régimen de consolidación fiscal, respetando tanto la neutralidad como la proporcionalidad fiscal, especialmente en periodos de crisis o reestructuración empresarial.

En este contexto, la compensación de pérdidas transfronterizas en un futuro grupo fiscal internacional enfrenta desafíos debido a la falta de una regulación armonizada en la Unión Europea y la diversidad de regímenes tributarios. A pesar de que la evolución normativa y contable ha promovido progresivamente una visión unificada del grupo fiscal como un solo contribuyente —especialmente a través de la armonización contable bajo las NIIF/NIC—, la falta de una regulación fiscal armonizada en el seno de la Unión Europea sigue siendo el principal obstáculo para una verdadera integración transfronteriza de pérdidas. La experiencia fallida de las Directivas BICIS y BICCIS evidencia las dificultades políticas y técnicas que supone articular un sistema que permita no solo consolidar bases imponibles sino también distribuir beneficios y pérdidas entre Estados miembros de forma equitativa y eficaz. Frente a ello, el TJUE ha tratado de aportar seguridad jurídica desarrollando el concepto de "pérdida definitiva", permitiendo que las matrices puedan deducir en su Estado de residencia las pérdidas generadas por filiales no residentes cuando estas hayan agotado todas las posibilidades de compensación en su propio ordenamiento. Sin embargo, este principio, aunque jurisprudencialmente asentado, presenta una aplicación limitada y extremadamente restrictiva, y exige una prueba negativa que no siempre resulta operativa en la práctica. Además, el riesgo de asimetrías fiscales —doble deducción o doble imposición— refuerza la necesidad de una normativa supranacional que supere el actual enfoque bilateral. Es evidente que resulta incoherente considerar al grupo como sujeto único a efectos contables y mantener al mismo tiempo barreras a la integración de rentas negativas cuando estas se generan en diferentes jurisdicciones. Si el grupo contable ya es percibido como unidad económica global, la imposibilidad de aplicar un principio equivalente en el plano fiscal puede acabar vulnerando el principio de capacidad económica, así como las libertades fundamentales del mercado interior. En este contexto, el hecho de que las propuestas comunitarias más recientes —como la Directiva BEFIT— apunten hacia una consolidación armonizada y una fórmula de reparto común, es una señal prometedora de que este escenario podría dejar de ser utópico y convertirse en una vía práctica de integración tributaria efectiva. Por tanto, el verdadero reto no es únicamente técnico, sino también conceptual: se trata de reconocer al grupo fiscal, incluso a nivel internacional, como verdadero contribuyente, capaz de generar y compensar rentas en su conjunto, con independencia de fronteras estatales. Solo desde esta óptica será posible establecer un régimen coherente, neutral y justo, que elimine las actuales discriminaciones y garantice una tributación ajustada a la realidad económica del grupo. Esta visión debe guiar tanto los desarrollos normativos internos como los esfuerzos de armonización supranacional, a fin de evitar que las rentas negativas queden excluidas del sistema o, peor aún, sometidas a una imposición desproporcionada por la fragmentación del tratamiento fiscal entre jurisdicciones. En todo caso, es esencial que el régimen de consolidación fiscal se entienda como un sistema que equipara al grupo fiscal con el contribuyente individual, para que pueda integrarse adecuadamente en un marco de compensación de pérdidas transfronterizas y evitar así cualquier discriminación o desventaja fiscal.

Además, se ha analizado el tratamiento de las pérdidas en el momento de la salida del régimen de consolidación fiscal o en el contexto de operaciones de reestructuración, revelando la complejidad que conlleva la gestión y distribución de los créditos fiscales del grupo. Este análisis resulta esencial para comprender la continuidad de los efectos fiscales más allá del régimen, ya que las decisiones adoptadas en estos contextos afectan directamente a la imputación y aprovechamiento futuro de las bases imponibles negativas generadas durante la vigencia del régimen consolidado. La extinción del grupo fiscal —ya sea por la desaparición de la entidad dominante o por el incumplimiento de las obligaciones legales previstas en la LIS— implica el retorno al régimen individual de tributación para cada entidad, lo cual activa el mecanismo de reparto proporcional de los créditos fiscales en función de la contribución real de cada entidad a su generación. Esta solución, basada en el principio de capacidad económica, se alinea con una lógica tributaria que reconoce al grupo como un contribuyente único durante su existencia, pero que exige una adecuada trazabilidad de las rentas y pérdidas una vez disuelto, para evitar situaciones de elusión o doble aprovechamiento fiscal. Aunque la LIS permite el reparto proporcional de bases imponibles negativas, su aplicación práctica exige un control preciso y continuo del origen y cuantía de las pérdidas por entidad, algo que muchas veces no se refleja adecuadamente en la contabilidad interna del grupo. En definitiva, se hace patente la necesidad de reforzar los mecanismos legales y técnicos que garanticen una adecuada continuidad del tratamiento fiscal de las pérdidas tras la salida del régimen especial. La transparencia en la asignación de los créditos fiscales, el respeto al principio de neutralidad y la coordinación entre normativa contable y fiscal se presentan como pilares indispensables para evitar distorsiones económicas y asegurar una gestión eficaz del régimen de consolidación fiscal incluso en su fase de disolución o transformación.

Conforme a lo expuesto, como se ha analizado a lo largo de este trabajo, la normativa contable consolidada y las calificaciones realizadas a nivel de grupo fiscal tienen un impacto determinante en la configuración de la base imponible del grupo. La aplicación de criterios de valoración, clasificación y eliminación conforme a las NOFCAC no es un ejercicio puramente técnico, sino una herramienta clave para garantizar la neutralidad fiscal del régimen. Por ello, resulta esencial que los ajustes contables se realicen de manera que reflejen con fidelidad la realidad económica del grupo, eliminando rentas ficticias y evitando duplicidades o distorsiones derivadas de una aplicación incongruente de las normas fiscales sobre una contabilidad consolidada. En este sentido, la correcta gestión de los activos por impuestos diferidos y, especialmente, la adecuada contabilización y seguimiento de las bases imponibles negativas pendientes de compensación se revelan como aspectos estratégicos. La falta de control o trazabilidad sobre estas partidas puede derivar no solo en errores contables, sino en un tratamiento fiscal arbitrario que afecte tanto al principio de capacidad económica como a la igualdad entre contribuyentes.

En definitiva, se ha tratado de detallar el tratamiento de las pérdidas en el régimen de consolidación fiscal, analizando sus implicaciones tanto en clave nacional como en una proyección internacional. Se ha puesto de relieve que el régimen solo puede cumplir su función si se asienta sobre una visión sustancial del grupo como unidad económica, superando formalismos jurídicos que impidan una tributación ajustada a la realidad. Este enfoque es imprescindible para optimizar la gestión de las pérdidas fiscales, preservar la neutralidad del sistema y asegurar que el régimen de consolidación fiscal tenga viabilidad futura, adaptándose a contextos más amplios de integración fiscal, como los que ya se esbozan en el marco europeo e internacional, y así poder adaptarse a una posible compensación de pérdidas transfronterizas a nivel global.

REFERENCIAS BIBLIOGRÁFICAS

DOCTRINA

Aguilera Medialdea JJ, Martín Rodríguez JG. *Manual de consolidación fiscal y contable.* 3ª Edición. Madrid. Wolters Kluwer. 2016.

Álvarez Melcón S. Régimen de consolidación fiscal en el Impuesto sobre Sociedades. En *Manual del Impuesto sobre Sociedades.* 1ª Edición. Madrid. Instituto de Estudios Fiscales. 2003.

Alonso Pérez Á, Pousa Soto R. El Impuesto sobre beneficios en la resolución del ICAC: una aplicación práctica (III). En *Revista Contable n.º 48.* 1ª Edición. Madrid. Wolters Kluwer. 2016.

Aneiros Pereira J. La compensación de bases imponibles negativas en el Impuesto sobre Sociedades en España, en los países de la Unión Europea y en la propuesta de Directiva sobre Base Imponible Común Consolidada. En *Revista General de Derecho Europeo n.º 27.* 1ª Edición. Madrid. Iustel. 2012.

Área Fiscal del despacho Gómez-Acebo y Pombo. *Resolución del TEAC de 8 de marzo del 2018: aplicación del régimen de consolidación fiscal a grupos horizontales con anterioridad al 1 de enero del 2015.* [Internet]. Gómez-Acebo y Pombo. 2018. Disponible en: https://ga-p.com/area/fiscal/

Área Fiscal del despacho Cuatrecasas. *El efecto mariposa, el TEAC y la consolidación fiscal.* [Internet]. Cuatrecasas. 2018. Disponible en: https://www.lexology.com/library/detail.aspx?g=15643864-9dfa-4e54-8a06-b3f7a16ccacb

Arias Plaza R, Atienza Pérez Á. *Publicada la sentencia del Tribunal Constitucional en la que se declara la inconstitucionalidad de determinadas medidas introducidas por el Real Decreto-ley 3/2016* [Internet]. Gómez-Acebo y Pombo. 2024. Disponible en: https://ga-p.com/area/fiscal/

Atienza de Moya MÁ. *Límite a la Compensación de Bases Imponibles negativas pre-grupo en el Régimen de Consolidación Fiscal del Impuesto sobre Sociedades* [Internet]. INEAF. 2019. Disponible en: https://www.ineaf.es/tribuna/limite-a-la-compensacion-de-bases-imponibles-negativas-pre-grupo/

Atienza Pérez Á. La segregación de las sociedades y su contradictoria regulación. En *Crónica Tributaria n.º 159*. 1ª Edición. Madrid. Instituto de Estudios Fiscales. 2016.

Bejarano Vázquez V, Corona Romero E. El Impuesto sobre Sociedades en las cuentas consolidadas. En *Partida Doble n.º 229*. 1ª Edición. Madrid. Ciss Praxis. 2011.

Blanco Vázquez A. La retroactividad de la consolidación fiscal horizontal e indirecta. En *Estrategia Financiera n.º 334*. 1ª Edición. Madrid. Wolters Kluwer. 2016.

Blázquez Lidoy A. *El régimen de los grupos de sociedades en la Ley 43/1995 (fundamentos, subjetividad, régimen sancionador y requisitos)*. 1ª Edición. Madrid. Centro de Estudios Financieros. 1999.

Botella García-Lastra C. *La armonización de la base imponible común consolidada del IS y su incidencia en el sistema tributario español*. 1ª Edición. Navarra. Aranzadi. 2016.

Broseta Pont M. *La empresa y la unificación del Derecho de Obligaciones y el Derecho Mercantil*. 1ª Edición. Madrid. Tecnos. 1965.

Calderón Carrero JM. El TJUE revisita el régimen de consolidación fiscal de Países Bajos en relación con la deducibilidad de intereses por préstamos intragrupo y de las pérdidas cambiarias por transmisión de participaciones. En *Revista Interactiva de Actualidad Tributaria (RIA AEDAF) n.º10*. 1ª Edición. Madrid. Aranzadi. 2018.

Calderón Carrero JM, Báez Moreno A. La armonización contable europea, las NIC/NIIF y su influencia en la base imponible del Impuesto sobre Sociedades. En *Impuesto sobre sociedades. Régimen General, Tomo I*. 1ª Edición. Pamplona. Aranzadi. 2010.

Calderón González JM. Doble límite a la compensación de bases imponibles negativas de sociedades procedentes de ejercicios anteriores a su integración en el Grupo. (Comentario a la Sentencia de TS, Sala Tercera, Sección Segunda, de 22 de Diciembre de 2011). En *Tribuna Fiscal n.º 260*. 1ª Edición. Madrid. Instituto de Estudios Fiscales. 2012.

Calvo Ortega R. Aspectos tributarios de las operaciones vinculadas y de los grupos de sociedades. En *Grupos de Sociedades: Su adaptación a las normas de las Comunidades Europeas*. 1ª Edición. Madrid. Aranzadi. 1987.

Calvo Vérgez J. A vueltas con la aplicación en el IS de la deducción en concepto de pérdidas por deterioro de los valores representativos de la participación en el capital de entidades tras la aprobación del RDL 3/2016. En *Actum Fiscal n.º 127*. 1ª Edición. Madrid. Francis Lefebvre. 2017.

Calvo Vérgez J. *La Fiscalidad de los Grupos de Empresas en el Impuesto sobre Sociedades*. 1ª Edición. Navarra. Aranzadi. 2017.

Calvo Vérgez J. *La reforma del Impuesto sobre sociedades*. 1ª Edición. Madrid. Instituto de Estudios Fiscales. 2016.

Calvo Vérgez J. La tributación de los grupos de sociedades transfronterizos en el impuesto sobre sociedades a la luz de la reciente jurisprudencia comunitaria. En *Gaceta jurídica de la Unión Europea y de la Competencia n.º 25*. 1ª Edición. Madrid. Einsa. 2012.

Casado García R. *Las NIC y el Plan Contable de Entidades Aseguradoras*. 1ª Edición. Madrid. Instituto de Ciencias del Seguro: Fundación Mapfre. 2006.

Condor López V, Monclús Salamero A. Concentraciones empresariales e información contable sobre grupos de empresas. En *EKONOMIAZ: Revista vasca de Economía*. 21ª Edición. Bilbao. Universidad Del País Vasco. 2008.

Cordero González EM. *Las Bases Imponibles Negativas en el Impuesto sobre Sociedades*. 1ª Edición. Navarra. Aranzadi. 2017.

De la Peña Velasco G. La técnica Legislativa en el Impuesto sobre Sociedades. En *Revista Española de Derecho Financiero n.º 161*. 1ª Edición. Madrid. Civitas. 2014.

Del Busto Méndez J, López-Santacruz Montes JA, Villanueva García E. *Memento práctico Grupos Consolidados*. 1ª Edición. Madrid. Francis Lefebvre. 2017.

Esteve Pardo ML. La problemática limitación de la exención de dividendos y rentas positivas derivadas de la transmisión de participaciones en los fondos propios de entidades. En *Revista española de Derecho Financiero n.º 192*. 1ª Edición. Madrid. Civitas. 2021.

Fernández FM, Gastaldi JA, Mangione SB, et al. Los fundamentos económicos de la teoría de la entidad en la información contable consolidada. En *Contabilidad y Auditoría n.º 24 (Buenos Aires)*. 1ª Edición. Buenos Aires. Universidad Nacional de Entre Róos-Facultad de Ciencias Económicas. 2006.

García Novoa C. *Iniciación, interrupción y cómputo del plazo de prescripción de los tributos*. 1ª Edición. Madrid. Marcial Pons. 2011.

García-Rozado González B. Análisis de la aplicación del artículo 21 de la LIS en el régimen de consolidación fiscal. En *Carta Tributaria: Revista de Opinión n.º 34*. 1ª Edición. Madrid. Aranzadi LA LEY. 2018.

García-Rozado González B. *Guía del Impuesto sobre Sociedades*. 2º Edición. Valencia. Ciss. 2008.

Gil García E. *El futuro del Impuesto sobre Sociedades en la Unión Europea: a vueltas con la BICCIS*. [Internet]. Legaltoday. 2018. Disponible en: https://www.

legaltoday.com/practica-juridica/derecho-fiscal/fiscalidad-internacional/el-futuro-del-impuesto-sobre-sociedades-en-la-union-europea-a-vueltas-con-la-biccis-2018-08-21/.

Gómez-Olano González D. La aplicación de la deducción por reinversión en el régimen de consolidación fiscal. Consideraciones la luz del principio de neutralidad fiscal. En *Revista de doctrina, legislación y jurisprudencia año n.º 21 y n.º 1*. 1ª Edición. Madrid. Aranzadi LA LEY. 2005.

Gracia Espinar E, Viñas Rueda L. Sobre la posible vulneración del derecho comunitario por parte de la norma española que limita la deducibilidad de los gastos financieros. En *Práctica Fiscal para Abogados n.º 1*. 1ª Edición. Madrid. Aranzadi LA LEY. 2017.

Jiménez-Ambel F. Tratamiento fiscal de grupo de sociedades. En *Revista española de Derecho Financiero n.º 24*. 1ª Edición. Madrid. Civitas. 1979.

KPMG. *Insights into IFRS. KMPG practical guide to International Reporting Standards*. 1ª Edición. Madrid. Sweet & Maxwell. 2016.

Lizanda Cuevas JM, Cabedo Toneo M. *Consolidación contable y fiscal. Operaciones entre empresas del grupo. Supuestos prácticos*. 1ª Edición. Madrid. CEF. 2017.

Lizanda Cuevas JM, Sotelo López JJ. *Práctica fiscal y contable en el Impuesto sobre Sociedades*. 1ª Edición. Madrid. Ciss. 2017.

López Alberts H. *Consolidación contable y fiscal de los grupos de sociedades*. 1ª Edición. Madrid. Ciss. 2004.

López Alberts H. *Los Grupos de Sociedades, Régimen Tributario, Cuentas Fiscales Consolidada*. 1ª Edición. Madrid. Ciss. 2000.

López Cabia D. *La pérdida contable*. [Internet]. Economipedia. 2017. Disponible en: https://economipedia.com/definiciones/perdida-contable.html.

López Llopis E. *El régimen especial de consolidación fiscal en el Impuesto sobre Sociedades*. 1ª Edición. Madrid. Tirant Lo Blanch. 2017.

López-Santacruz Montes JA. Forma de determinación de la base imponible de los grupos fiscales en los períodos impositivos iniciados en 2023 (LIS disp. adic.19 redacc L 38/2022) (RF 200/23 Octubre 2023). En *Actum Fiscal nº 200*. 1ª Edición. Madrid. Francis Lefebvre. 2023.

López Santacruz Montes JA, Ros Amorós F, Ortega Carballo E. *Memento práctico. Grupos Consolidados*. 1ª Edición. Madrid. Francis Lefebvre. 2012.

López-Santacruz Montes JA. *Memento práctico. Impuesto sobre Sociedades*. 1ª Edición. Madrid. Francis Lefebvre. 2013.

López Santacruz Montes JA. *Reforma del Impuesto sobre Sociedades 2015*. 1ª Edición. Madrid. Francis Lefebvre. 2015.

LUCAS DURÁN M. La nueva tributación mínima en los impuestos sobre sociedades y sobre la renta de no residentes. En *Nueva Fiscalidad n.º 4*. 1ª Edición. Madrid. Dykinson. 2021.

LUCAS MARTÍNEZ M. Provisiones por depreciación de la cartera en la tributación del grupo fiscal. En *Carta Tributaria-Monografías n.º 21*. 1ª Edición. Madrid. Aranzadi LA LEY. 2007.

MALVÁREZ PASCUAL LA. Las exigencias formales para el ejercicio de opciones fiscales. Estudio de su régimen jurídico a la luz del principio de proporcionalidad. En *Revista técnica tributaria n.º 88*. 1ª Edición. Madrid. Asociación Española de Asesores Fiscales. 2010.

MARTÍNEZ GIMÉNEZ C. *La imposición sobre la renta de los grupos de sociedades*. 1ª Edición. Madrid. Aranzadi LA LEY. 1991.

MARTÍN QUERALT J, LOZANO SERRANO, C, TEJERIZO LÓPEZ JM, CASADO OLLERO G. *Curso de Derecho financiero y tributario*. 1ª Edición. Madrid. Tecnos. 2019.

MARTÍN RODRÍGUEZ JG. *El concepto de Grupo en el Derecho Tributario y Mercantil Contable. Cuestiones pendientes de resolver*. 1ª Edición. Granada. Facultad de Derecho-Universidad de Granada. 2015.

MARTÍN RODRÍGUEZ JG. Los grupos empresariales en el Derecho Tributario: pasado, presente y futuro. En *Carta Tributaria: Revista de Opinión n.º 8*. 1ª Edición. Madrid. Aranzadi LA LEY. 2015.

MARTÍN RODRÍGUEZ JG. *Las reservas de capitalización y de nivelación: empresas individuales y grupos*. 1ª Edición. Madrid. Wolters Kluwer. 2019.

MARTÍNEZ SÁNCHEZ ÁL. *Compensación de bases imponibles negativas sin tener registrado el crédito por pérdidas a compensar*. [Internet]. Tribuna INEAF. 2013. Disponible en: https://www.ineaf.es/tribuna/compensacion-de-bases-imponibles-negativas-sin-tener-registrado-el-credito-por-perdidas-a-compensar/

MARTÍNEZ SÁNCHEZ ÁL. *Crédito por Bases Imponibles Negativas: Problemática contable*. [Internet]. Tribuna INEAF. 2015. Disponible en: https://www.ineaf.es/tribuna/credito-por-bases-imponibles-negativas-problematica-contable/

MARTÍN ZAMORA P, BONSON PONTE E. *Los grupos de sociedades: La nueva regulación del Impuesto sobre Sociedades*. 1ª Edición. Madrid. CEF. 2006.

MONTEJO ALONSO B. Caso Papillon, Sentencia del TJCE de 27 de noviembre de 2008. En *Anuario Fiscal para abogados. Los casos más relevantes en 2008 de los grandes despachos n.º 1*. 1ª Edición. Madrid. Aranzadi LA LEY. 2009.

MONTERREY MAYORAL J, SÁNCHEZ SEGURA A. Compensación fiscal de pérdidas: Determinantes de su activación, impacto en las cuentas anuales y aprovechamiento de los créditos. En *Revista de Contabilidad n.º 17*. 1ª Edición. Madrid. Spanish Accounting Review (RC-SAR). 2014.

Montesinos Oltra S. *La compensación de bases imponibles negativas.* 1ª Edición. Navarra. Aranzadi. 2000.

Monzón Sánchez J. *La Reversión Obligatoria de los Deterioros de Cartera.* [Internet]. Econtables. 2017. Disponible en: https://www.econtables.es/la-reversion-obligatoria-los-deterioros-cartera-javier-monzon/

Mora Lavandera A. *Contabilidad financiera: Análisis y supuestos prácticos.* 1ª Edición. Navarra. Aranzadi. 2021.

Morales Acosta A. Cambios en el titular de la empresa: transformación, fusión y escisión. En *Revista Peruana de Derecho de la Empresa 37 n.º 2.* 1ª Edición. Perú. Asesorandina Publicaciones. 1991.

Narváez Luque A. Grupos de sociedades: aspectos contables y tributación. En *El control societario en los grupos de sociedades.* 1ª Edición. Madrid. Wolters Kluwer. 2017.

Ortega Carballo E, Atienza Pérez A. Interpretación de las «calificaciones» a nivel de grupo fiscal conforme a la normativa contable consolidada. En *Carta tributaria: Revista de opinión n.º 103.* 1ª Edición. Madrid. Aranzadi LA LEY. 2023.

Ortega Carballo E, Atienza Pérez A. Los dividendos intragrupo en las cuentas anuales consolidadas: movimiento del ahorro. En *AECA: Revista de la Asociación Española de Contabilidad y Administración de Empresas nº 139.* 1ª Edición. Madrid. AECA. 2022.

Paz-Ares Rodríguez JC. Uniones de empresas y grupos de sociedades. En *Revista Jurídica n.º 1.* 1ª Edición. Madrid. Universidad Autónoma de Madrid. 1999.

Peña Álvarez F. El grupo de sociedades: su problemática fiscal. En *Revista Española de Contabilidad y Fiscalidad n.º 23 y 24.* 1ª Edición. Madrid. AECA. 1978.

Peña Álvarez F. El grupo de sociedades: su problemática fiscal, En *Revista Española de Contabilidad y Fiscalidad n.º 25.* 1ª Edición. Madrid. AECA. 1978.

Rafael Navas V. *El impuesto sobre sociedades.* 2ª Edición. Sevilla. Universidad de Sevilla. 1982.

Rodríguez Ondarza JA, Rojí Chandro LA, Rojí Pérez S, Sánchez González M. Impuesto sobre Sociedades. Imputación temporal. Inscripción contable de ingresos y gastos (Ley 27/2014). En *Revista Contable n.º 32.* 1ª Edición. Madrid. Wolters Kluwer. 2015.

Ronald C. The problem of Social Cost. En *The Journal of Law and economics.* [Internet]. 1960. Disponible en: chrome-extension://efaidnbmnnnibpcajpcglclefindmkaj/https://classic.austlii.edu.au/au/journals/UQLawJl/2016/8.pdf

Ruiz Cabanes J C. Las pérdidas en el Impuesto sobre Sociedades 2017: activos financieros, moneda extranjera y otras limitaciones. En *Estrategia Financiera n.º 350.* 1ª Edición. Madrid. Wolters Kluwer. 2017.

RUIZ QUINTANILLA J. Aspectos controvertidos de la base imponible consolidada según la Ley 27/2014, En *Revista de Contabilidad y Tributación n.º 434*. 1ª Edición. Madrid. CEF. 2019.

SÁENZ DE OLAZAGOITIA DÍAZ DE CERIO J. *La tributación consolidada de los Grupos de Sociedades. Régimen Vigente y un modelo para su Reforma*. 1ª Edición. Navarra. Aranzadi. 2002.

SANZ GADEA E. Compensación de bases imponibles negativas en procesos de fusión (Análisis de la SAN de 3 de mayo de 2023, rec. núm. 524/2019). En *Revista de Contabilidad y Tributación n.º 489*. 1ª Edición. Madrid. CEF. 2023.

SANZ GADEA E. El Impuesto sobre Sociedades en 2011. En *Revista de Contabilidad y Tributación n.º 348*. 1ª Edición. Madrid. CEF. 2012.

SANZ GADEA E. El Impuesto sobre Sociedades en 2022. En *Revista de Contabilidad y Tributación n.º 482*. 1ª Edición. Madrid. CEF. 2023.

SANZ GADEA E. Plusvalías en la transmisión intragrupo transfronteriza de activos. (Análisis de la STJUE de 16 de febrero de 2023, asunto C-707/20). En *Revista de Contabilidad y Tributación n.º 484*. 1ª Edición. Madrid. CEF. 2023.

SANZ GADEA E. Propuesta de directiva del Consejo relativa a una base imponible común consolidad del impuesto sobre sociedades (sistema CCCTB): el largo camino hacia una propuesta de Directiva. En *Revista de Contabilidad y Tributación n.º 345*. 1ª Edición. Madrid. CEF. 2011.

SANZ GADEA E. Régimen de Declaración Consolidada. En *Estudios Financieros n.º 49-50*. 1ª Edición. Madrid. CEF. 1987.

SERRANO ANTÓN F. Hacia una reformulación de los principios de sujeción fiscal. En *Instituto de Estudios Fiscales n.º 18*. 1ª Edición. Madrid. Instituto de Estudios Fiscales. 2006.

SERRANO GUTIÉRREZ Á. El régimen de consolidación fiscal según la ley 24/2001. En *Revista de doctrina, legislación y jurisprudencia año n.º 18*. 1ª Edición. Madrid. Aranzadi LA LEY. 2002.

SERRANO GUTIÉRREZ Á. La base imponible del Impuesto sobre Sociedades en el régimen de consolidación fiscal. En *Carta tributaria: Revista de opinión n.º 19*. 1ª Edición. Madrid. Aranzadi LA LEY. 2016.

SIMÓN-YARZA, ME. Sujetos del Impuesto sobre Sociedades. *La tributación en el Impuesto sobre Sociedades*. 1ª Edición. Madrid. La Ley Soluciones Legales. 2024.

UCELAY SANZ I. La nueva limitación a la compensación de bases imponibles negativas en los grupos fiscales. En *Revista de Contabilidad y Tributación n.º 479*. 1ª Edición. Madrid. CEF. 2023.

UCELAY SANZ I. Modificaciones introducidas por el Real Decreto Ley 3/2016, de 2 de diciembre en el Impuesto sobre Sociedades. En *Carta tributaria: Revista de opinión n.º 1*. 1ª Edición. Madrid. Aranzadi LA LEY. 2017.

ZAYAS ZABALA JL, MUÑOZ DOMÍNGUEZ M. Pérdidas por deterioro de valor de las entidades del Grupo en el régimen de consolidación fiscal. En *Carta tributaria: Monografías n.º 4*. 1ª Edición. Madrid. Aranzadi LA LEY. 2011.

JORNADAS RELEVANTES

ORTEGA CARBALLO E. *Tributación Consolidada*. XXVI Encuentro. Madrid. 2019.

UCELAY SANZ I. *Tributación Consolidada*. XXVI Encuentro. Madrid. 2019.

LÓPEZ-SANTACRUZ MONTES JA. *Cuestiones conflictivas del Impuesto sobre Sociedades*. Jornada Gómez-Acebo & Pombo. Madrid. 2019.

LÓPEZ-SANTACRUZ MONTES JA. *Tributación Consolidada*. XXVI Encuentro. Madrid. 2019.

PRONUNCIAMIENTO DE LOS TRIBUNALES RELEVANTES

A. TRIBUNAL CONSTITUCIONAL

SSTC 27/1981, de 20 de julio, FJ 4	*Opciones tributarias*
ATC 71/2008, de 26 de febrero, FJ 5	*No le autoriza a gravar riquezas meramente virtuales o ficticias y, en consecuencia, inexpresivas de capacidad económica*
SSTC 7/2010, de 27 de abril, FJ 6	*Opciones tributarias*
STC 19/2012, de 15 de febrero, FJ 4	*Opciones tributarias*
STC 53/2014, de 10 de abril, FJ 6	*No caben en nuestro sistema tributos que no recaigan sobre alguna fuente de capacidad económica*
STC 59/2017, de 11 de mayo	*Constitucionalidad del Impuesto sobre el Incremento de Valor de los Terrenos de Naturaleza urbana*
STC 78/2020, de 1 de julio	*Deber general de contribuir*

B. TRIBUNAL SUPREMO

678/1985 y 9384/1992	*El Tribunal Supremo dejó claras las diferencias entre una fusión y el régimen de consolidación fiscal considerando que en el régimen de consolidación no se produce la extinción de la personalidad jurídica de las sociedades, a pesar de que quedan sometidas a un único poder de decisión*
20 y 22 de diciembre de 2007, Rec. 9465/2004 y 7539/2004	*Lo que se busca es evitar que un crédito fiscal sea aplicado dos veces, por la entidad que sale del grupo y por el propio grupo fiscal. Considera que el derecho es de la entidad que sale del grupo, sin embargo, ésta puede tomar la decisión de que esos créditos fiscales puedan ser aplicados por el grupo*
15 de diciembre de 2008, rec. 4906/2003	*Las actuaciones seguidas con sociedades dependientes, sin expreso y formal conocimiento de la dominante, carecen de virtualidad interruptora respecto al IS del grupo*
28 de septiembre de 2011 (rec. 4629/2007), 23 de octubre de 2014 (rec. 4178/2012) y 25 de enero de 2017 (rec. 1980/2013)	*La transmisión de las bases como una consecuencia del régimen especial, no derivada del fenómeno sucesorio a título universal*
22 de diciembre de 2011, rec. 3995/2009	*El artículo 85.1 de la ley [...] somete al mismo nivel de exigencia a las bases imponibles negativas del grupo fiscal y a [...] las bases imponibles anteriores a la integración y pendientes de compensación que, por ello solo podrán compensarse si la base del grupo es positiva*
5 de julio de 2011, rec. 3217/2007, de 6 de febrero de 2012, rec. 1928/2008, de 20 de abril de 2012, rec. 636/2008, de 7 de junio de 2012, rec. 2059/2011, de 5 de julio de 2012, rec. 5309/2009, de 2 noviembre de 2012, rec. 2966/2009, de 5 de noviembre de 2012, rec. 3973/2009	*El diferimiento fiscal por reinversión de beneficios extraordinarios*

4 de noviembre de 2011, rec. 2921/2009, de 28 de noviembre de 2011, rec. 6369/2008 y de 26 de diciembre de 2011, rec. 4086/2007	*Régimen de compensación del Impuesto sobre el Valor Añadido soportado y deducible*
9 de julio de 2012, rec. 92/2010	*Régimen de estimación objetiva del Impuesto sobre la Renta de las Personas Físicas*
20 de septiembre de 2012, rec. 6330/2010, 17 de enero de 2014 rec. 3047/2011	*El sujeto pasivo no tiene derecho a mantener el régimen existente en el momento de obtener la renta negativa, siendo aplicable la normativa en la fecha de la compensación*
Diciembre de 2012 recurso n.º 251/2010	*Si efectuada la fusión se permite que los beneficios obtenidos por la sociedad resultante de dicho proceso se compensen con las bases imponibles negativas pendientes de la sociedad transmitente, las pérdidas de la sociedad transmitente se estarían utilizando dos veces, que es precisamente lo que trata de impedir el precepto*
9 de julio de 2012, rec. 1132/2010, de 18 de octubre de 2012, rec. 6284/2010, 5 de mayo de 2014, rec. 5690/2011, de 23 de octubre de 2014 y rec. 654/2013, de 8 de junio de 2017, rec. 3944/2015	*El criterio de imputación temporal*
16 de mayo de 2013 Rec. 5114/2010	*Premisa de evitar el doble aprovechamiento de pérdidas*
24 de octubre de 2013, rec. 4880/2011, de 16 de abril de 2013, rec. 2143/2010, y de 24 de diciembre de 2012, rec. 88/2009	*Requisitos fundamentales para que se considere fiscalmente deducible un gasto o pérdida contable*
20 julio de 2014 y de 23 de mayo de 2014, rec. 5626/2011	*Régimen de neutralidad fiscal*
9 y 12 de febrero de 2015, Rec. 188/2014 y 184/2014	*Se cuestionan operaciones de adquisiciones de sociedades intragrupo, en las que median préstamos intragrupo*
21 de diciembre de 2015, Rec. 2068/2014	*Se considera que la valoración previa de un bien realizada por una Administración tributaria vincula a todos los efectos a las demás Administraciones competentes*

19 julio de 2016, Rec. 2553/201	*Se cuestiona la adquisición de acciones intragrupo mediante financiación intragrupo, considerando la Administración que se había producido la generación de intereses sin una contrapartida de ingresos tributables*
22 de diciembre de 2017, Rec. 2654/2016	*Opción tributaria*
22 de diciembre de 2017, rec. 2654/2016, auto de 4 de abril de 2018, rec. 6189/2017	*Posibilidad de solicitar un cambio de opción tributaria cuando exista un cambio de tributación derivada de una regularización por un procedimiento inspector.*
11 de junio 2018, Rec. 427/2017	*Cierra la puerta a solicitar la devolución correspondiente a períodos prescritos (por responsabilidad patrimonial de la Administración)*
1 de octubre de 2020, rec. 4443/2018	*Gastos fiscales que son reconocidos en los procedimientos de inspección y por los tribunales en el proceso de regularización de una determinada operación*
6 de mayo de 2021, Rec. núm. 1208/2020)	*El Tribunal Supremo finalmente resuelve la problemática de quién debe incorporar la reversión del deterioro: será la entidad titular de los bienes en el momento de la reversión.*

C. AUDIENCIA NACIONAL

11 marzo 2004, Rec. 1374/2001	*La postura de la Inspección es que las participaciones en el capital de la sociedad dominante figuran en el activo del Balance consolidado, tanto si las tiene en cartera la dominante como si figuran en cualquiera de las sociedades dominadas y se consideran a estos efectos como acciones propias de la sociedad dominante en cartera, siendo indiferente, a los efectos de la consolidación, cuál de las sociedades de dicho grupo posea las acciones, ya que en cualquier caso representa a acciones propias en cartera*

12 de febrero de 2007, Rec. 250/2006	*La comunicación de inicio de las actuaciones inspectoras realizada a la entidad dominante interrumpe la prescripción, aun cuando no se haya consignado en la comunicación la referencia al grupo, a las sociedades integrantes del mismo*
23 de julio de 2009, Rec. 141/2006.	*Sin perjuicio de lo anterior, también es preciso tener en cuenta que la diligencia levantada a una entidad dependiente en actuaciones previas a las llevadas a cabo sobre la dominante, marcan el comienzo del cómputo del plazo de la prescripción*
15 y 29 de abril de 2010, Rec. 101/2007 y 483/2006	*Incluidos aquellos que no guardan relación con una operación entre las sociedades del grupo, deben ser tenidos en cuenta la hora de calcular la base imponible consolidada*
20 de junio de 2012, rec. 359/2011 y 3 de octubre de 2012, rec. 360/2011 y de 24 de enero de 2018, rec. 868/2016	*Es posible citar pronunciamientos que gradualmente comienzan a abrir la posibilidad de solicitar un cambio de opción tributaria cuando exista un cambio de tributación derivada de una regularización por un procedimiento inspector*
3 de noviembre de 2015	*Procedía la deducción en el IS de la sociedad target de los gastos de asesoramiento para llevar a cabo la venta de sus acciones mediante una oferta pública de adquisición.*
16 de abril de 2018, Rec. n.º 158/2015	*Reconoce la aplicación del principio de regularización íntegra permitiendo a un grupo fiscal aplicar créditos fiscales que habían sido asignados a una entidad tras la extinción de dicho grupo fiscal*
25 de octubre de 2019, Rec. n.º139/2016	*Las actas de comprobado y conforme de la declaración del IS no implican el comprobado y conforme de bases negativas pendientes de compensar*
14 de noviembre de 2019, Rec. núm. 238/2016.	*Cuando se transmite un elemento que ha sido objeto de corrección de valor a una entidad vinculada, la recuperación de valor debe integrarse en todo caso en la entidad que practicó la corrección y sufrió la pérdida, con independencia de que la sociedad adquirente sea o no residente en España.*

21 de noviembre de 2019, Rec. nº1064/2017.	*Todo lo anterior téngase en cuenta en el marco regulatorio actual, a través del cual las bases imponibles negativas pueden ser revisadas en cualquier momento, refiriéndose a las generadas en los 10 últimos años*
12 de diciembre de 2019, Rec. n.º 453/2016.	*La reducción de la base imponible negativa de la sociedad absorbida a compensar por la absorbente debida a las aportaciones realizadas por los socios se refiere a las que efectúen todos los socios, incluidos los antiguos socios, anteriores al momento en que se adquirió la participación*
14 de octubre de 2024, Rec. 1479/2023	*Sobre la tributación concreta de la entidad recurrente de la anulación del Real-Decreto Ley 3/2016 llevada a cabo por la sentencia del Tribunal Constitucional, obligando a reconfigurar la tributación en los aspectos que hayan resultado afectados, que deberán ser sustituidos por otros resultantes de la norma jurídica previa a la modificación de la misma por el Real-Decreto Ley anulado.*

D. TRIBUNAL EUROPEO

18 de noviembre de 1999, C-200/98	*Se pone de manifiesto que las diferencias de trato por el domicilio de las filiales generan una restricción a la libertad de establecimiento, debiendo, por tanto, disfrutar de los mismos beneficios que las entidades con el mismo domicilio fiscal.*
13 de diciembre de 2005, asunto C-446/03	*Considera desproporcionado que el Estado de residencia de la sociedad matriz excluya la posibilidad de que esta compute las pérdidas de una filial no residente, que se consideran definitivas.*

22 de enero 2007, C-377/07	*Debe precisarse además a este respecto que dicha regla de no discriminación únicamente ha sido objeto de flexibilización por parte del Tribunal en aquellos supuestos en los que ha concurrido una causa de justificación legítima desde la perspectiva de la normativa comunitaria, en atención a razones imperiosas de interés general, siendo la medida que la establece proporcionada de cara a la consecución de sus objetivos*
25 de febrero de 2008, C-337/08	*Compara la situación interna (matriz y filiales nacionales) con la situación comunitaria (matriz nacional y filial extranjera), y constata que la primera disfruta de una ventaja fiscal, consistente en la compensación de pérdidas y en la neutralidad fiscal de las operaciones internas, en tanto que la segunda carece de tal ventaja*
27 de noviembre de 2008, C-418/07	*Se pronuncia indicando que la libertad de establecimiento se opone a la exclusión del grupo fiscal de las filiales nacionales controladas a través de una filial intermedia residente en otro Estado miembro*
25 de febrero de 2010 (caso X holding BV)	*Se oponen a la normativa de un Estado miembro que permite a una sociedad matriz constituir una unidad fiscal con su filial residente, pero no permite la constitución de dicha unidad fiscal con una filial no residente si los beneficios de esta última no están sometidos a la legislación fiscal de dicho Estado miembro*
6 de septiembre de 2012, C-018/11	*Indica posible el aprovechamiento de las pérdidas de un grupo internacional, cuando no puedan ser aprovechadas doblemente, cuestión que, a pesar de los pronunciamientos del TJUE, aún no está resuelta en España, y a nivel internacional, y que probablemente sea uno de los objetivos de la propuesta BEFIT*

12 de junio de 2014, C-039/13 a C-041/13	*Pretende dilucidar si el Tratado se opone a una configuración del grupo de consolidación fiscal (Holanda) que no permite la inclusión en el mismo de filiales cuya participación se ostenta a través de entidades no residentes o que no permite la consideración de dicho grupo cuando la entidad dominante no es residente en Holanda*
7 de noviembre de 2014, asunto T-399/11; 7-11-14, asunto T-219/10	*La Comisión Europea consideró que constituía una ayuda de estado, pero el Tribunal General de la UE consideró que no constituía ayuda de estado*
3 de febrero de 2015, C-172/13, apartado 24	*El riesgo de doble imputación de pérdidas puede justificar la libertad de establecimiento*
2 de septiembre de 2015 en el asunto C-386/14. 14 de mayo de 2020, asunto C-749/18	*La normativa francesa que permite a una sociedad matriz francesa una exención total para los dividendos recibidos de filiales residentes en Francia cuando todas ellas consolidan, pero grava al 5% los dividendos de filiales residentes en otros Estados miembros de la Unión Europea, vulnera la libertad de establecimiento*
21 de diciembre de 2016, asunto C-20/15 P y C-21/15 P	*Da la razón a la Comisión Europea y considera que la regulación española de la deducibilidad del fondo de comercio financiero de entidades no residentes es ayuda de estado*
22 de febrero de 2018 Asuntos acumulados C-398/16 y C-399/16	*Pone de manifiesto que no debe ser admisible la existencia de asimetrías en el régimen de consolidación fiscal en relación con el régimen general.*
12 de junio de 2018, asunto C-650/16	*Se pone de manifiesto el mismo criterio que la sentencia anterior para establecimientos permanentes que cesan su actividad, resaltando de nuevo la desproporción de las medidas nacionales que impidan compensar por la matriz una pérdida que no podrá ser compensada en el estado miembro del establecimiento permanente.*

4 de julio de 2018, asunto C-28/17	*El artículo 49 del TFUE debe interpretarse en el sentido de que no se opone, en principio, a una legislación nacional, como la controvertida en el litigio principal, en virtud de la cual únicamente se autoriza a las sociedades residentes de un grupo a deducir de sus resultados consolidados las pérdidas de un establecimiento permanente residente de una filial no residente de ese grupo en el supuesto de que las normas aplicables en el Estado miembro en el que dicha filial tiene su domicilio social no permitan deducir tales pérdidas de los rendimientos de esta última sociedad, cuando la aplicación de la legislación nacional se combina con la de un convenio para evitar la doble imposición que autoriza, en este último Estado miembro, a deducir del impuesto sobre la renta de sociedades adeudado por la filial el importe correspondiente al impuesto sobre la renta de sociedades pagado, en el Estado miembro en cuyo territorio está situado el referido establecimiento permanente, en concepto de la actividad de tal establecimiento*
19 de junio de 2019, asunto C-607/17	*En este caso se aborda la posibilidad de deducir las pérdidas de una filial alemana por parte de la sociedad matriz localizada en Suecia en el caso de llevarse a cabo un proyecto de fusión transfronteriza, que implicaría la disolución sin liquidación de la filial alemana y el cese de todas las actividades ejercidas por la matriz en Alemania, directa o indirectamente.*
27 de febrero de 2020, asunto C 405/18	*Analiza la posibilidad de que una entidad que ha trasladado su sede de dirección efectiva y residencia fiscal a otro Estado miembro distinto al de su constitución, en el que conserva la sede social, cuestiona que pueda deducirse en el Estado de la nueva residencia una pérdida fiscal generada mientas era residente fiscal en el Estado donde se constituyó.*

16 de febrero de 2023, asunto C-707/20	*La técnica de determinación de la base imponible consolidada, prevista en la Ley 27/2014, procura un tratamiento homogéneo de ciertas operaciones en los ámbitos individual y consolidado, lo que permite evitar conflictos con las libertades comunitarias, en particular con la libertad de establecimiento, sin diluir las ventajas que depara el régimen de los grupos fiscales*

E. TRIBUNAL ECONÓMICO-ADMINISTRATIVO CENTRAL

27 de julio de 2006, recurso 2177/2004	*La remisión contenida en el artículo 64 LIS venga referida a las eliminaciones con carácter general, y no exclusivamente a las eliminaciones de resultados derivados de operaciones internas, nos lleva a defender que, a la luz de una interpretación literal de la ley, todos los ajustes previstos en el RD 1159/2010, incluidos aquellos que no guardan relación con una operación entre las sociedades del grupo, deben ser tenidos en cuenta la hora de calcular la base imponible consolidada*
4 de abril de 2017, número 1510/2013	*El régimen de consolidación fiscal se considera dentro del grupo de opciones tributarias de las recogidas en el artículo 119.3 de la LGT (Dirección General de Tributos —«DGT»— V1691-09, de 16 de julio) junto con, por ejemplo, el concepto de base imponible negativa*
8 de marzo de 2018, número 3888/2016	*En un supuesto particular, sí se permite «modificar» la opción tributaria por aplicación directa de la jurisprudencia europea*

16 de enero de 2019	*Matiza el criterio de la resolución de 4 de abril de 2017, puesto que se plantea un supuesto no contemplado en aquella, como es qué solución debería darse, para el caso de una entidad que, no habiéndose compensado bases imponibles negativas alguna en su día o habiendo compensado menos de las que pudo, ve cómo el importe de bases imponibles negativas de períodos anteriores susceptibles de compensación que tiene aumenta, y, visto ese aumento, opta por sí compensar o por compensar un importe de bases imponibles negativas superior al que compensó con su declaración inicial*
24 de septiembre de 2020	*En equiparación del régimen general individual, debe ser aplicable la franquicia de 1 millón de euros a las bases negativas preconsolidación, ello para no penalizar la integración en un grupo fiscal de una entidad con pérdidas respecto de su posición pre-grupo fiscal, y en línea con las interpretaciones del TJUE*

CONSULTAS

V0080-04 y V1402-10	*Cuando la fusión se produce entre dos sociedades que se están cediendo activos entre ellas (por ejemplo, una es propietaria de una nave que alquila a la otra), con la finalidad de simplificar la estructura*
V0026-05	*La fusión se realiza para reducir costes administrativos y comerciales, u obtener sinergias operativas*
V1691-09, de 16 de julio	*El régimen de consolidación fiscal se considera dentro del grupo de opciones tributarias de las recogidas en el artículo 119.3 de la LGT*

V0248-09	*Cuando una holding absorbe a filiales de segundo y ulterior nivel con el fin de recibir los beneficios de estas evitando que se vean minorados por la dotación de la reserva legal y los gastos operativos*
V1624-09	*Cuando la fusión se realiza para facilitar el acceso a la financiación bancaria, o para mejorar las condiciones de esta.*
20 de enero de 2010, V0073-10	*En relación con la aplicación de la libertad de amortización en la que se establecía que dicho incentivo debía tomarse en consideración a nivel individual*
V0621-10, de 30 de marzo, V2341-13, de 15 de julio y V0233-14, de 31 de enero	*Mientras que el gasto no es objeto de deducción, por ser considerado una liberalidad, el ingreso se integra en la base imponible individual, no siendo ningún de los conceptos eliminables en el régimen de consolidación.*
V0356-11	*Entidad que va a suceder en la titularidad o ejercicio de explotaciones o actividades económicas a otra entidad que forma parte de un grupo de sociedad en régimen consolidado. Se ha solicitado el certificado a que hace referencia el artículo 175.2 LGT en relación con la entidad a la que se va a suceder, habiéndose emitido por la Administración tributaria sin que se detalle deuda, sanción o responsabilidad alguna*
V3332-13	*En particular, la sociedad X es una sociedad residente en España, íntegramente participada por la entidad consultante y perteneciente al grupo fiscal antes citado, que en el año 2013 ha vendido a terceros (ajenos al grupo fiscal) acciones de la entidad consultante que mantenía en su activo, con una antigüedad media superior al año*
V2599-13	*La Administración puede considerar que se trata de una mera operación de «liquidación» de la sociedad absorbida, en cuyo caso no será de aplicación el régimen de neutralidad fiscal*

V2378-14	*Se cuestiona el tratamiento de la renta derivada de la transmisión de acciones propias intragrupo y la DGT con el TRLIS establecía lo siguiente*
V3215-14, de 1 diciembre	*Si la entidad que cambia su residencia al extranjero tuviese participaciones en el capital de otras entidades, residentes en territorio español o en el extranjero, que hayan sufrido un deterioro no deducido, dicho deterioro se convierte en deducible en el período impositivo que concluye con el cambio de residencia (renta negativa por diferencia entre valor de mercado de las participaciones y su valor fiscal*
V2978-15, de 8 de octubre de 2015	*Se determina que el porcentaje de participación a efecto de aplicar el artículo 21 de la LIS se mirará a nivel de grupo fiscal*
V2085-15, de 3 julio 2015, que establece lo siguiente	*Sin embargo, la razonabilidad de esta norma se debilita por cuanto para que se produzca una adecuada compensación debe concurrir, de forma simultánea, la generación de rentas positivas tanto a nivel individual como consolidado, algo que consideramos carece de sentido, puesto que discrimina el régimen de aprovechamiento de estos créditos fiscales contingentes*
V2728-15	*Se entiende que, en un grupo de sociedades en el que una sociedad tiene el 100% del capital de una entidad inactiva con bases imponibles negativas pendientes de compensar, no se aplica limitación a la compensación del artículo 26.4 de la LIS si se transmite la participación en esa entidad a otra del grupo cualquiera que sea la forma en que se realice, ya que el grupo tenía esa misma participación con anterioridad a la transmisión*
V3206-15 y V3116-15	*Para la adopción de dicho acuerdo, la LIS no exige que el acuerdo sea adoptado por el Consejo de Administración u órgano equivalente. Por tanto, puede ser adoptado por una persona u órgano debidamente apoderado para ello*

V2400-15 de 27 de julio de 2015, y V4163-15 de 30 de diciembre de 2015	*Una interpretación acorde con el precepto supuso la necesidad del cambio de criterio en la interpretación de los «ingresos y gastos recíprocos», a través de la cual la DGT acabó considerando que los ingresos y gastos recíprocos no debían ser objeto de eliminación*
V4073-15 y V876-16	*En la medida en que a nivel de grupo no existe renta, no se procede a aplicar la exención del artículo 21 de la LIS ni tampoco se tendría que realizar una eliminación, al calificar dicha operación como una transmisión de acciones propias que no genera resultados*
V2978-15	*Establece que los requisitos y calificaciones para aplicar el artículo 21 LIS se tienen que referir al grupo fiscal*
V1703-15 de 29 mayo	*En la medida en la que a nivel de grupo se procedió a la eliminación del gasto deducible por deterioro, el valor a tener en cuenta para determinar el valor fiscal de la participación sería el valor computando las eliminaciones, ya que aplican las «correcciones» por el 62.1.a) de la LIS. De esta forma, una posible reversión del deterioro también sería eliminable, buscando en todo caso un efecto neutro*
V3153-15, de 19 de octubre	*Es posible eliminar la reversión de un deterioro que fue fiscalmente deducible.*
V3151-15, de 19 de octubre y V5469-16, de 28 de diciembre	*Al existir crédito dentro del ámbito privado, las partes deberán decidir en qué momento se abona dicho crédito, o si se procediera a la condonación del mismo (incluso podría entenderse que la falta de contabilización del crédito supondría de por sí una condonación).*
V4163-15, de 30 de diciembre	*La LIS no establece ningún orden de prelación en la compensación de bases imponibles negativas, «pudiendo aplicarse tanto las previas a la consolidación como las generadas dentro del grupo fiscal, siempre que se cumplan los límites y condiciones señaladas dentro del régimen fiscal especial»*

V3054-15, V0416-18 y V3527-16	*Se considera que en la transmisión de participaciones intragrupo, siendo la sociedad dominante última la misma, no se desplegaría la limitación*
V0120-15	*Se establece que: «A efectos de determinar la aplicación de lo dispuesto en la letra c) del artículo 25.2 del TRLIS, el requisito relativo a la no realización de una explotación económica debe equipararse al supuesto en que la entidad adquirida se encuentre inactiva».*
V2714-15	*La compensación de bases imponibles negativas constituye una opción que solo puede ejercitarse en el plazo legal para declarar*
V4237-16	*En estos casos no se admite como motivo económico válido el ahorro de costes o la simplificación de la estructura, ya que los pequeños ahorros derivados de la fusión no son comparables con la ventaja fiscal derivada de poder compensar las bases negativas de la sociedad absorbida*
V1474-16	*Se establece que el límite de la deducibilidad de los gastos por atenciones a clientes se determina a nivel de grupo, tomando en consideración el importe neto de la cifra de negocios del grupo fiscal, tras eliminaciones e incorporaciones*
V0448-16	*Se cuestiona el tratamiento de la renta derivada de la transmisión de participaciones de A por la sociedad B a la propia sociedad A, teniendo en cuenta que estas sociedades se encuentran en un grupo de consolidación fiscal en la que A es la dominante*
V0245-16	*la venta de «acciones propias» a terceros ajenos al grupo tampoco parece generar renta a nivel de grupo fiscal*
V0048-17, de 13 de enero	*Los ingresos y gastos recíprocos, una vez homogeneizados, y en la medida en que no producen renta alguna a nivel consolidado, no deben ser objeto de eliminación*

V0155-17, de 24 enero	*No obstante, en caso de transmisión de los valores representativos de la participación en el capital o en los fondos propios de entidades durante los referidos períodos impositivos, se integrarán en la base imponible del período impositivo en que aquella se produzca las cantidades pendientes de revertir, con el límite de la renta positiva derivada de esa transmisión*
V0043-17, de 13 enero	*Toda transmisión que se produzca dentro del grupo fiscal, no debe producir el surgimiento de ninguna renta negativa, resultando preciso volver a recordar las similitudes entre el régimen de consolidación fiscal y una operación de fusión*
V0416-18, 19 de febrero	*Aunque haya vinculación entre las entidades adquirente y la transmitente de las participaciones en la entidad con bases imponibles negativas, si ambas tenían una participación superior al 25% cuando se generaron dichas bases imponibles, no resulta de aplicación la limitación a su compensación*
V0255-18, de 5 de febrero	*Se indica que el mantenimiento del incremento de los fondos propios debe tenerse en cuenta a nivel de grupo fiscal, aludiendo al contenido del artículo 62.1.a) de la LIS, en el que se establece que los «requisitos y calificaciones» se valorarán a nivel de grupo*
V2196-18, de 24 de julio	*En relación con el requisito previsto en la letra a) del apartado 1 del artículo 21 de la LIS, se cumple el requisito referido al porcentaje de participación poseído. Asimismo, en relación con el requisito relativo al plazo de tenencia de la participación, la participación en la entidad M, si bien se transmite en un plazo inferior al año desde su constitución, cabe indicar que las participaciones por ella poseídas se poseen por el grupo español desde el año 2010*

V1677-18, de 13 de junio.	*El supuesto sobre el que se consulta en esta ocasión se sitúa en el entorno de la compensación de bases cuando son aplicadas por sociedades tras adquirir participaciones en otras, que fueron quienes las generaron. Señala la DGT que la limitación a la compensación de bases imponibles negativas establecida en el art. 26.4 de la LIS operará cuando concurran las circunstancias previstas en las letras a), b) y c) de dicho apartado*
V1486-18, de 31 de mayo	*La adquisición de las participaciones por parte de dos o más personas físicas sin que ninguna de ellas supere el 50% permitirá a la sociedad mantener su derecho a la compensación de pérdida*
V2496-18, de 17 de septiembre	*la compensación de bases imponibles negativas constituye una opción que solo puede ejercitarse en el plazo legal para declarar*
V2178-19, de 14 de agosto	*Este Centro Directivo entiende que el criterio contenido en la resolución transcrita es aplicable al supuesto planteado en el escrito de consulta por lo que, en la medida en que la adquisición de la participación mayoritaria del capital de la sociedad con pérdidas se produce con anterioridad a la entrada en vigor de la LIS, la limitación aplicable a la compensación de bases imponibles negativas sería la vigente en el momento de dicha adquisición, esto es, la regulada en el artículo 25.2 del TRLIS*
V0579-19, de 19 de marzo	*Dado que en el caso concreto no se produce un cambio de accionariado, el derecho de compensación de bases imponibles negativas no se ve afectado por el hecho de que la entidad tenga la consideración de entidad patrimonial y posteriormente pase a desarrollar actividades económicas.*
V3525-19, de 23 de diciembre	*Criterio en relación con los deterioros de la participación computados hasta 2012 (y, por tanto, deducibles) pendientes de revertir.*

V0151-21, de 2 de enero	*Motivos económicos válidos para reforzar la financiación*
V0877-21, de 13 de abril	*No es motivo económico válido la adquisición de una entidad inactiva para adquirir sus bases imponibles negativas.*
V2590-22, de 21 de diciembre	*Aplicación de la franquicia de 1 millón de euros en las bases negativas preconsolidación.*
V2198-23, de 26 de julio	*Aplicación del artículo 74.3 LIS aún en caso de dominante no residente.*
V2214-23, de 27 de julio	*La ausencia de motivos económicos válidos no supone automáticamente la existencia de ventaja fiscal.*
V2352-23, de 30 de agosto	*Ventas con pérdidas de existencias intragrupo.*
V1543-24, de 24 de junio	*Créditos fiscales en caso de extinción del grupo fiscal.*